D1027437

COLLECTION « VÉCU »

MARIE GAGARINE

BLONDS ÉTAIENT LES BLÉS D'UKRAINE

Préface de Macha Méril

ÉDITIONS ROBERT LAFFONT
PARIS

ISBN 2-221-06490-9

À la mémoire de mes parents.

Gross ist nur die Wahrheit
Und jede Wahrheit ist gross

Goethe*

Les paroles vraies ne sont pas élégantes.
Les paroles élégantes ne sont pas vraies

proverbe chinois

* Seule la vérité est grande et chaque vérité est grande.

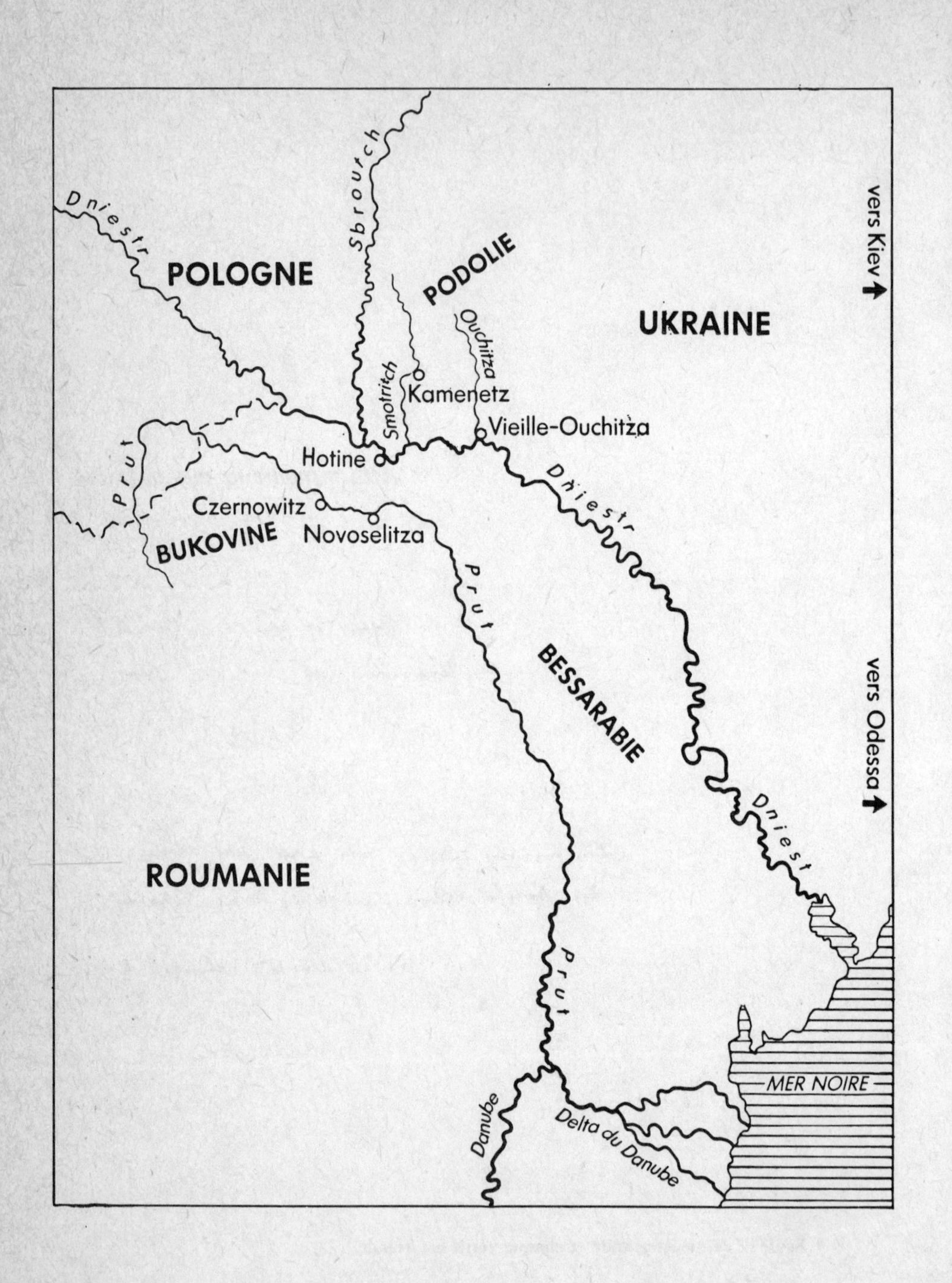

POLOGNE
PODOLIE
UKRAINE
BUKOVINE
BESSARABIE
ROUMANIE
Dniestr
Sbroutch
Smotritch
Ouchitza
Kamenetz
Vieille-Ouchitza
Hotine
Czernowitz
Novoselitza
Prut
Dniest
Danube
Delta du Danube
MER NOIRE
vers Kiev
vers Odessa

Préface

Elle est ma mère. Toute mon enfance a été bercée par des histoires de Russie, lointaines et merveilleuses. Puis quand est venu le temps des séparations entre les mères et les filles, nous avons senti ensemble qu'il nous fallait un « pont », une ligne de retrouvailles : le fil de nos origines, de notre identité, qu'elle seule, après tous les deuils familiaux, pouvait désormais nous transmettre.

Les années ont passé, les mille et une priorités de la vie avaient le dessus dans nos conversations jusqu'au jour où j'ai reçu ce manuscrit. Quelle ne fut pas ma surprise ! Elle avait écrit un véritable récit, imagé, dialogué, découpé en parties comme un roman ! Il faut vous dire que c'est une sacrée personnalité, ma mère ! Les femmes russes sont solides, mais cette aristocrate que la vie ne préparait pas à un destin si mouvementé a démontré une force, une imagination et un humour remarquables. Ah ! les rires de mon enfance, quand la pauvreté nous encerclait et ne nous laissait plus que l'ironie ! Elle était capable du recul et de la dérision qui ont rendu supportables les moments les plus difficiles de notre vie de déracinées. Seule avec ses trois filles, elle s'est débattue comme une louve pour nous donner une dignité dans le pays qui l'avait accueillie et dont elle avait pris la nationalité. Pas de nostalgie ni de regret s'il vous plaît ! Il faut aller de l'avant !

Dans son livre j'ai retrouvé cette énergie, cette curiosité. À seize ans elle se démenait pour l'avenir de ses sœurs et de ses parents comme elle l'a fait pour ses filles par la suite. Un caractère enjoué et combatif, une envie d'exister, de voir le monde et de ne pas se laisser enfermer. Cela a conditionné tous ses actes, y compris celui, aujourd'hui, de publier cet ouvrage.

Ma mère est une femme du présent. Elle est active, lucide et réaliste. Passionnée par l'histoire de notre planète, elle n'a cessé d'observer les Russes et les juge avec la sévérité qu'autorise l'amour. Elle admire la France et défend avec passion les valeurs occidentales. Elle a écrit ce livre en français. Pourtant sa mémoire a conservé dans le moindre détail les images et les noms de son enfance, de ce monde perdu qui a marqué toute son existence, et la nôtre.

Ainsi dans les climats les plus divers, des hivers de la Côte d'Azur à ceux du Maroc, nous avons fêté Noël quinze jours plus tard que les autres avec un sapin enneigé, recouvert de guirlandes faites par nous sur le modèle des décorations russes ; nous avons mangé à Pâques les coulitch et les paskha, et nous avons cueilli les premiers lilas dans les bois en faisant un vœu ! Chaque fraise que nous avons dégustée « n'avait tout de même pas le goût des fraises d'Ukraine » et chaque homme qui courtisait l'une de nous n'avait pas la distinction des hommes de la famille...

Aujourd'hui un intérêt nouveau me lie à ce livre. Je suis heureuse qu'il sorte non seulement parce que cette publication rend hommage au tempérament courageux et spirituel de ma mère, mais aussi parce que je me sens plus proche que jamais de mes racines, si nécessaires en cette fin de siècle des bilans. Les bouleversements tragiques qui ont coupé notre famille en deux, une partie en Occident, l'autre en Union soviétique, m'incitent à réfléchir sur toutes les explications, toutes les interprétations que j'en ai reçues. La Russie de Gorbatchev s'ouvre, semble-t-il, et nous fait espérer en un monde agrandi de toutes les âmes qui ont vécu là-bas la suite des événements que maman décrit. Ici elle s'arrête à la Révolution, à son départ définitif de la Russie. Mais l'Histoire a continué. Après quarante ans de silence, ma mère a su par miracle que ses sœurs avaient survécu à la déportation en Sibérie, à la guerre et au stalinisme. Une d'elles est encore en vie. Elle habite une petite ville de Crimée. Je l'ai vue et j'ai recueilli son témoignage des années terribles. Le moment est venu de raconter librement l'histoire des vies parallèles que ma mère et ses sœurs ont vécues jusqu'à nos jours. C'est à moi qu'incombe cette tâche, avant que les derniers témoins ne disparaissent.

LES BLÉS D'UKRAINE

Je crois qu'aucun lecteur ne pourra être insensible au charme qui se dégage de l'authenticité scrupuleuse avec laquelle Marie Gagarine a écrit ces pages. Cinquante ans plus tard, elle a su restituer son cœur de jeune fille avec une précision tout à fait surprenante pour une néophyte. Mais ne vous attendez pas aux accents de la Tragédie, dans la famille on porte la tête haute, quels que soient les drames ! En compagnie de cette jeune femme intrépide et drôle vous pourrez vivre la Révolution de 1917 vue de l'intérieur d'une grande famille russe que l'Histoire a mise tout d'un coup dans le camp des victimes. Le portrait d'une société qui a disparu, dont les Soviétiques eux-mêmes recherchent aujourd'hui la trace. Pour moi une précieuse partie de moi-même. Merci, maman.

Macha Méril

I

LES RACINES

Le Dniestr avec son cours tumultueux et tourmenté me fait toujours penser au cours de ma vie.

Ce fleuve fantasque naît dans les Carpates polonaises et se fraie un difficile chemin à travers les montagnes pour s'élancer vers le plateau de Podolie. Roulant ses eaux rapides au fond d'énormes ravins, il serpente le long de la Bessarabie jusqu'aux plaines maritimes où il se gonfle et s'étale en formant de vastes limans et, après une course de mille cinq cents kilomètres, se jette dans la mer Noire.

Il taille des provinces, dessine des frontières; au cours des siècles passés, il a été témoin de bouleversements, de guerres d'invasion et de changements de pouvoir. Il a été polonais, russe, autrichien, ukrainien, turc, roumain. Barrière naturelle, limite politique, trait de partage entre pays rivaux, il a été tour à tour disputé, dominé, convoité.

Le Dniestr, à un moment crucial de ma vie, sépara pour moi deux mondes et trancha comme une lame toutes les attaches du passé.

Le cours du Dniestr est fantaisiste, rien n'y est sûr et tout imprévu. Rien n'y est facile, tout dissimule un piège. Le poids des montagnes pèse sur ses flots et les sème de tourbillons et de remous.

Les débâcles de fin d'hiver le rendent infranchissable. Les

blocs de glace déferlent, se brisent, se chevauchent en obstruant le courant. Les crues du printemps inondent les villages riverains, dévastent les cultures, charrient des débris de roche et de bois. Le lit du fleuve est jonché de pierres tranchantes et de cailloutis calcaires toujours mouvants.

Le poisson y est rare et médiocre, la navigation n'est possible que dans son cours inférieur, toujours hasardeuse et incommode. Les bacs, qui relient les deux rives, ne fonctionnent qu'aux moments favorables, déportés par le courant et traversant le fleuve en longues trajectoires obliques.

Les bords du Dniestr sont accidentés et pittoresques, tantôt élevés et abrupts, tantôt larges et écartés, boisés par endroits, nus et arides à d'autres, hérissés de rochers calcaires, piqués de silex et striés de schistes graphitiques.

À partir du milieu de son cours, le Dniestr partage la région en deux provinces distinctes : la Podolie et la Bessarabie. À l'époque de mon enfance, elles faisaient toutes les deux partie de la Russie.

La Bessarabie, province moldave, attachée à la Russie en 1812, gardait son caractère propre, avec sa langue, ses coutumes et son folklore. La Podolie était ukrainienne, témoignant encore de l'influence polonaise des temps passés.

Nous étions liés tant à l'une qu'à l'autre de ces provinces, toutes nos propriétés familiales se trouvant sur les deux rives du Dniestr.

Rachkov, domaine de Grand-Maman, occupait l'extrême pointe nord de la Bessarabie, et ses forêts de chênes descendaient jusqu'au fleuve. En face commençait l'Autriche-Hongrie.

Kapliovka, domaine que Grand-Maman avait hérité de sa mère moldave, Marie Stourdza, se trouvait à vingt kilomètres de Rachkov et tout près du chef-lieu, Khotine. Le château de Kapliovka avait été la résidence d'été de la famille du temps de l'enfance de Papa. Plus tard Grand-Maman s'installa à Rachkov, donna Kapliovka à oncle Rostislav et acheta Vassilki pour Papa.

Vassilki, ce qui veut dire bleuets en russe, était en Podolie, à dix kilomètres du Dniestr. C'était une propriété qui comprenait mille cinq cents hectares de terre noire, deux cents environ de forêts étalées sur les versants d'un énorme ravin, et une chaîne de coteaux arides et tourmentés s'étageant au-dessus de la rivière Ouchitza.

La terre en Ukraine était riche et fertile, le climat salubre et pas trop rigoureux et la population plus dense et évoluée que dans le Nord. Les paysans étaient riches et indépendants. Ils n'avaient jamais connu le servage.

Quand nos parents vinrent s'établir à Vassilki, j'avais trois ans. Nous y avons tous grandi, mon frère Emmanuel, nos sœurs jumelles Madeleine et Angeline et la benjamine Ella. Tous nos souvenirs d'enfance sont liés au domaine de Vassilki.

Le premier souci de nos parents en arrivant fut de bâtir un château. Le domaine ne possédait aucune résidence de maître. On s'installa provisoirement à la ferme dans une maison entourée de vergers qui devint plus tard celle du gérant.

Pour Maman, rien ne comptait autant que la vue, et on choisit pour placer le château une hauteur dominant les alentours, à l'écart de la route, de la ferme et du village.

Nos parents n'avaient pas d'idée arrêtée au sujet de leur future résidence et s'adressèrent à plusieurs entreprises pour se documenter. Ils reçurent de nombreuses propositions illustrées de dessins, de plans et de photos qu'ils examinèrent d'un œil critique, puis rejetèrent les unes après les autres, les trouvant prétentieuses et de mauvais goût. Aucun projet ne trouva grâce à leurs yeux. Il fallait cependant prendre une décision.

La clarté apparut grâce à Emmanuel, âgé alors de cinq ans. Petit garçon intelligent et sérieux, il s'occupait souvent à dessiner et, comme on parlait beaucoup de maisons, il dessina des maisons. Une surtout : un grand bâtiment à deux ailes, couronné d'une mezzanine, avec un immense balcon reposant sur une rangée de colonnes tout le long de la façade.

Ce modèle ravit Maman, et le dessin d'Emmanuel remporta

le concours. Papa approfondit l'idée, étudia les détails et dessina un plan. Au lieu de confier la construction à un architecte professionnel, qui, disaient nos parents, ne manquerait pas d'idées préconçues et de prétention, on engagea un entrepreneur du pays, homme simple mais expérimenté, capable de suivre les indications de Papa et de s'inspirer du dessin d'Emmanuel.

Je crois que nos parents furent satisfaits du résultat mais, quant à moi, j'ai toujours gardé des doutes au sujet de la beauté de notre résidence.

Je ne conserve que peu de souvenirs de la période de notre vie dans la maison de la ferme, le temps les ayant presque entièrement effacés. Cependant une vague image s'est conservée dans ma mémoire, celle de la cérémonie de la pose de la première pierre du futur château. Les fondations et les soubassements devaient être en place, car nous étions tous sur une énorme plate-forme entourée d'un gigantesque chantier. Le vieux prêtre Joan, revêtu de son étole brodée d'or, encensait à grands gestes l'angle est de la construction, l'aspergeait d'eau bénite et récitait des prières. Puis Papa, avec cet air mi-solennel mi-amusé que nous lui connaissions si bien, s'avança une truelle à la main, se pencha au-dessus de l'angle sacré, y déposa une pierre et la couvrit de chaux.

Après lui Maman répéta le geste symbolique et, sans doute pour nous faire participer à l'événement, on nous laissa tous tapoter avec la truelle la pierre angulaire de notre futur foyer.

À cette époque, Papa avait à peine dépassé la trentaine, mais prenait une attitude de grave dignité qui convenait à sa position et à son rôle.

Un autre tableau se dessine dans le brouillard de mes souvenirs, mais celui-là appartient à des événements postérieurs de deux ans. Je me rappelle une immense salle à manger toute blanche et nue, une table démesurée, de nombreux convives, un va-et-vient de domestiques au cours d'un interminable déjeuner. C'était la bénédiction du château.

Les cuisines et les dépendances n'étaient pas encore terminées, et le repas avait été préparé à la ferme distante d'un demi-kilomètre. La navette entre la table et les fourneaux était longue et compliquée de sorte que le déjeuner dura des heures. On nous en libéra heureusement bien avant la fin, mais les malheureux convives eurent les jambes ankylosées. Le vieux père Joan, qui n'en pouvait plus, se leva plus d'une fois pour déambuler le long des grandes baies nues.

Il manquait pas mal de finitions au château lui-même. L'escalier de la terrasse était pour l'instant représenté par un tas de terre glaise, le balcon n'avait pas de rampe, certaines pièces étaient sans portes. Mais notre emménagement ne pouvait pas attendre à cause de la naissance imminente d'Ella.

Les meubles, sauf le strict nécessaire, n'étaient pas encore déballés, et les pièces étaient encombrées de caisses et jonchées de copeaux et de paille.

Papa et Maman détestaient le bruit, le remue-ménage des communs, les odeurs de cuisine. Pour se mettre à l'abri de ces inconvénients, on plaça les dépendances derrière le château, séparées de celui-ci par une épaisse haie vive de lilas.

Quand, plongée dans mes souvenirs, je me revois au château de Vassilki, je me pose la question que personne, si j'ai bonne mémoire, ne s'était posée à l'époque : et le confort ? Et je me rends compte que, si on avait beaucoup parlé de la vue, si les pièces étaient immenses — il y en avait énormément —, si les domestiques étaient très nombreux et le parc remarquable, le confort le plus élémentaire était absent. On eût dit qu'on l'avait oublié.

Certes, il faut se placer dans la Russie de l'époque. En ce temps-là, on croyait que les vastes dimensions d'une résidence et une légion de domestiques étaient indispensables, tandis que l'eau courante, l'électricité et un bon système de chauffage ne l'étaient pas. Nous n'avions rien de ces commodités, et ne savions même pas à quel point elles nous manquaient.

Le château s'éclairait par des lampes à pétrole dont s'occupait une femme de chambre préposée à ce service. On la voyait éternellement s'affairer dans la lampisterie, frotter des verres enfumés, remplir des réservoirs, ajuster des mèches.

Une lampe à pétrole est une chose capricieuse, et pour bien la maîtriser il fallait y garder constamment un œil vigilant. Sinon, ce qui arrivait fréquemment, la mèche, plongée dans le réservoir fraîchement rempli, commençait à se gorger et à allonger la flamme. La fumée, sortant en spirales noires, remplissait la pièce.

Chaque fois que je pense aux lampes à pétrole, j'ai par réflexe une odeur âcre et insupportable dans le nez. Que de fois en entrant dans une chambre, on a dû reculer précipitamment en criant : la lampe file !

Les femmes de chambre accouraient pour ouvrir les fenêtres, ce qui en hiver n'avait rien d'agréable. Mais les détestables flocons crasseux restaient longtemps suspendus dans l'air et se posaient sur tout. Je me souviens que c'était très compliqué de les essuyer, car ils s'écrasaient en laissant des traînées noires.

Et là où les lampes marchaient sans accident, la lumière faible et jaune ne parvenait pas aux coins de la pièce. Cela augmentait l'intérêt de nos jeux de cache-cache, mais ne facilitait pas les autres activités de la vie au château.

Comme il n'y avait pas de canalisation, l'eau nous arrivait dans des seaux. Nikita, le gardien, aidé d'un gamin, était affecté au service de l'eau. Une jument borgne attelée à un grand tonneau sur roues faisait la navette entre le puits et la cour de service.

Arrivée à destination la jument baissait la tête, écartait les pattes et s'endormait, tandis que Nikita, au contraire, devait se réveiller et quitter la banquette sur laquelle il somnolait. Il plaçait un seau à l'endroit où allait aboutir le jet et tirait la bonde.

Seau après seau, il portait l'eau dans le vestibule de la cuisine et remplissait l'énorme tonneau goudronné qui servait de réservoir.

À présent, c'était le tour des femmes de chambre de puiser dans le tonneau. Elles remplissaient des brocs et les posaient dans les cuvettes en faïence de nos lavabos. Chacun de nous avait le sien, confectionné par le menuisier du domaine selon nos mesures.

Mais tandis que nous grandissions, les lavabos restaient petits et perdaient de leur commodité. Nos bonnes avaient du mal à nous persuader de les utiliser. Il faut dire qu'en hiver, l'eau était souvent remplie de glaçons.

Il existait heureusement un autre moyen de respecter la propreté, qui était bien plus agréable et en même temps radical. Maman avait fait construire un bain turc dans les bâtiments des cuisines qu'on mettait en marche tous les samedis.

C'était une grande affaire, et les préparatifs duraient toute une journée. On faisait venir un tonneau supplémentaire de la ferme, on charriait l'eau jusqu'au soir et on chauffait les cuves. Quand les énormes récipients commençaient à lâcher suffisamment de vapeur et que la salle était bien chaude, Nikita envoyait une femme de chambre au château pour annoncer que le bain était prêt. Maman donnait l'ordre de nous habiller. Nous sortions alors affublés de nos gros paletots, bonnets et bottillons, et prenions le chemin des cuisines accompagnés de nos bonnes.

J'ai gardé d'excellents souvenirs de ces bains de vapeur car nous nous y amusions follement. Échappant à nos bonnes qui voulaient nous savonner, nous grimpions sur les gradins supérieurs où la vapeur était au plus dense et où on ne se voyait presque plus, nous nous éclaboussions d'eau chaude et barbotions dans la baignoire. Il fallait qu'un ordre d'en haut vienne mettre fin à nos ébats et que les bonnes, devenues plus autoritaires, en finissent avec nos ablutions. Nous devions céder la place à ceux qui attendaient leur tour.

Comme je l'ai dit plus haut, nos parents n'aimaient pas les odeurs de cuisine. Aussi n'y avait-il aucune source pouvant en provoquer. Ce n'était pas toujours commode, car pour une simple tasse de thé il fallait envoyer un domestique à la cuisine avec l'ordre de la préparer. En principe, il y avait une sonnerie électrique que Papa avait construite à l'aide d'accumulateurs. Mais ce système ne marchait jamais. La clochette d'autre part restait toujours introuvable. De sorte que Maman, qui avait une belle voix claire, ouvrait une des portes donnant sur le grand couloir et appelait : « Mania ! Véra ! Olga ! » jusqu'à ce qu'une des femmes de chambre apparaisse à l'horizon.

L'ordre lancé, on attendait. Le thé arrivait ou n'arrivait pas, car ce n'était pas si simple. Le terrain derrière le château continuait à monter, et les dépendances de ce fait étaient plus hautes. En fait, il y avait un talus sur lequel on avait installé un escalier en bois provisoire, mais qui ne fut jamais remplacé.

Ce petit escalier était étroit et, avec le temps, devint branlant et perdit sa rampe. Quand il pleuvait, il était glissant ; en hiver, il se couvrait de glace. Ce n'était pas facile de le descendre avec un plateau. Que de fois nos domestiques l'ont descendu sur leur derrière ! Parfois un rôti apparaissait étrangement orné de brins de paille ou de petits cailloux qui ne devaient pas provenir de la cuisine.

Les énormes poêles en brique du château ne chauffaient guère. On avait beau les gaver de fagots, de tortillons de paille et de bois, ils devoraient tout et ne rendaient rien. Pis encore : plus les deux chauffeurs activaient les flammes, moins il y avait de résultat. Les briques peu réfractaires se fendaient, laissant s'échapper une fumée âcre.

On se lamentait toujours sur ces poêles intraitables, sur le froid et les odeurs, mais la situation restait la même.

L'hiver pour nous était une longue épreuve et à présent, en regardant en arrière, je m'étonne que nos parents en aient fait si peu de cas. Nos toux tonitruantes, nos rhumes effarants, nos engelures aux mains et aux orteils n'avaient pas l'air de les alarmer. Lorsqu'il s'agissait d'une angine avec fièvre, alors on envoyait chercher le docteur Pistermann de Vieille-Ouchitza, et on achetait même quelques médicaments. Mais s'il n'y avait pas de fièvre...

Pour nos promenades, nous devions nous habiller comme si nous allions au pôle Nord, mais s'il faisait 6° à l'intérieur de la maison, on ne s'en inquiétait pas.

Ce qui est curieux, c'est que sauf les engelures qui m'ont laissé un souvenir atroce, et même quelques marques sur les doigts, ces hivers glacés de notre enfance ne m'ont pas autrement impressionnée. Ce n'est qu'en songeant à la joie que nous éprouvions à l'approche du printemps que je me rends compte à quel point les hivers chez nous étaient durs à supporter

Dès le début, Papa se consacra à la création du parc, des vergers et des pépinières, ce qui, je crois, l'intéressait plus que les grandes cultures du domaine. Dans mes souvenirs d'enfance, il m'apparaît toujours entouré de plantes. Il y en avait partout, dans le hall, les salons, le cabinet de travail de Papa. L'immense salle à manger était un véritable jardin avec ses palmiers, ses aloès, ses lauriers dont certains arrivaient au plafond. D'innombrables plantes exotiques, juchées dans des pots et des jardinières, envahissaient fenêtres et embrasures, certaines grimpaient sur les murs. Papa avait une affection particulière pour les cactus et, au cours des années, en avait constitué une collection impressionnante.

Sur des tables spéciales munies de gradins s'étageaient en pyramide des têtes curieuses, grandes et petites, rondes et pointues, chauves ou hérissées d'épines. Plus un cactus était laid, plus Papa s'en réjouissait.

— Regardez ce monstre ! disait-il avec satisfaction.

De tous les employés du domaine, c'est avec Stéphane le jardinier qu'il passait le plus de temps. Stéphane était jeune et ignorant mais éveillé. Papa lui inculqua beaucoup de connaissances, et en fit un bon jardinier.

Stéphane était secondé par deux aides et de nombreux journaliers que l'on embauchait selon les besoins des travaux en cours. Dès le printemps, alors que tout se mettait à pousser avec une exubérance folle, il y en avait bien une quarantaine à bêcher, sarcler, biner, planter. Les filles travaillaient souvent en chantant, et certaines de ces chansons ukrainiennes me sont restées dans la mémoire pour toujours.

Dès le mois de mars, on préparait les couches chaudes pour les primeurs. C'était un point d'honneur pour Stéphane que de présenter un concombre pour la table de Pâques. Papa lui donnait alors un rouble en argent, même si le concombre était de taille très modeste et ressemblait à un cornichon.

Nous aimions accompagner Papa au potager pour examiner les plants poussant dans les coffres. Stéphane soulevait un châssis, et une bouffée chaude sentant la terre humide s'échappait de la bâche. Stéphane écartait les feuilles tendres, puis nous montrait combien les légumes naissants avaient grandi.

Les serres étaient remplies de pots et de caisses de boutures, de semis et d'oignons. Une quantité de plantes fragiles y passaient l'hiver.

Tous les printemps, arrivaient de jeunes arbres en paillon provenant des pépinières Rotte d'Odessa ou Ramm de Rostov ou encore de celles d'oncle Anatole Gagarine dans le Khersone. Chaque année, le domaine s'enrichissait de nouvelles plantations d'arbres fruitiers et décoratifs.

Papa connaissait la taille et l'avait enseignée à Stéphane. Je le vois encore auprès d'un arbuste ou d'un jeune arbre et entends le bruit sec de son sécateur.

Pour nous apprendre le jardinage, Papa avait fait faire un jardin miniature entouré d'une haie vive où chacun de nous avait ses planches. Nous y cultivions des légumes et des fleurs sous sa direction. Ces leçons de jardinage m'ont servi toute ma vie.

Papa aimait et connaissait la botanique. Il préférait les plantes aux animaux, peut-être parce qu'il aimait le silence.

Il aimait aussi les livres, et avait une très belle bibliothèque qu'il enrichissait constamment d'ouvrages en quatre langues. Il lisait beaucoup, et sa mémoire exceptionnelle lui permettait d'accumuler une foule de connaissances. La faculté de droit lui avait laissé une formation de juriste qui, s'ajoutant à son goût de l'ordre, de l'équilibre et de la justice, faisait de lui un homme clairvoyant et impartial.

Nous avions tous hérité de lui l'amour du ciel étoilé. Par les nuits profondes des étés ukrainiens, nous observions les constellations, la Lune et les étoiles filantes. Papa installait sa longue-vue sur le balcon et nous faisait de véritables cours d'astronomie. Nous connaissions ainsi la vie des astres et les mouvements célestes.

La menuiserie et le bricolage étaient parmi les occupations préférées de Papa. Aussi avait-il installé un atelier rempli d'instruments à côté de son cabinet de travail. Il y avait là un établi en chêne massif pourvu de tours et de tenailles sur lequel nous apprîmes à scier, clouer, coller à la colle forte, raboter, ajuster. Toute ma vie j'ai profité de cet apprentissage qui m'a rendue si habile avec les outils.

Papa nous faisait une quantité de jouets, comme par exemple ces charrettes amusantes que nous tirions par le timon à travers les pièces avec grand fracas. Des balançoires, des luges, des coffres pour nos affaires, des cages pour nos animaux. Naturellement, il réparait tous nos jouets.

Papa aimait la campagne et détestait le bruit, la foule, l'agitation. Les voyages qu'il faisait à Nouvelle-Ouchitza pour figurer comme juré aux assises ou assister aux réunions du cercle de la noblesse lui donnaient l'occasion de rencontrer des amis, ce qui lui suffisait comme relations mondaines.

Il prétendait aimer l'élégance féminine et était très sensible à la grâce, au charme et à la beauté. Mais une femme, selon lui, devait avant tout être blonde. Et cependant il s'était bien épris de Maman qui était brune et n'avait aucun sens de l'élégance. Je n'ai jamais connu une personne moins coquette.

Le fond du caractère de Maman se composait d'une force morale exceptionnelle et d'une surprenante vitalité. Je pourrais énumérer ses qualités comme le courage, le dévouement, la foi en Dieu, la joie de vivre, mais ce n'est pas assez pour dépeindre sa personnalité. L'amour de Maman était si grand qu'il en émanait une force qui nous enveloppait et nous protégeait comme une armure. Nous disions en plaisantant que ses rapports avec Dieu étaient si bons que, par égard pour elle, Il nous aurait toujours sous Sa garde.

Ce qui comptait pour Maman était le fond des choses. Elle n'attribuait aucune importance aux détails superficiels. Elle n'avait jamais ni le temps ni l'envie de s'occuper de ses toilettes et, une fois habillée le matin, n'y pensait plus. Il lui est arrivé plusieurs fois de mettre son chapeau à l'envers, car elle avait oublié de jeter un coup d'œil dans le miroir.

Elle recevait cependant des revues de mode et choisissait des modèles pour ses robes et les nôtres que devait exécuter notre couturière. Mais il faut bien dire que nos toilettes manquaient de chic.

Maman ne pouvait pas rester une minute inactive. Elle était toujours débordée par ses occupations. Papa disait que la maison était mal tenue, les repas jamais à l'heure et les domestiques mal stylés. C'était sans doute vrai, mais Papa, qui se contentait de critiquer sans se mêler de rien, n'aurait peut-être pas mieux réussi. Maman supportait avec patience les agaceries de mon père, sachant qu'elles lui servaient de distraction et faisaient passer sa mauvaise humeur.

Elle n'avait peut-être pas le don de l'organisation, mais aussi prenait-elle trop sur ses épaules. Son premier souci était nos leçons, car elle avait décidé de s'occuper elle-même de notre instruction. D'ailleurs, qui d'autre aurait pu s'en occuper? Il n'y avait personne dans les environs capable d'enseigner quoi que ce soit. Papa n'avait pas de don pédagogique, et nos gouvernantes étrangères ne parlaient que leur propre langue. C'est donc Maman qui, au début, assuma le rôle ingrat de professeur. Elle le fit avec plaisir car elle aimait enseigner. En plus du français, de l'anglais et de l'allemand, elle nous donnait des leçons de piano et de dessin.

Après Dieu, son mari et ses enfants, Maman aimait la musique. Elle n'avait pas elle-même beaucoup de talent, mais sentait, comprenait et connaissait la musique. Son piano était pour elle l'ami le plus intime et la plus grande récréation.

Le soir, ayant terminé sa grande journée active, elle se mettait au piano et jouait avec émotion du Schumann, du Chopin, du Schubert, parfois simplement des études de Czerny. Elle se trompait, trébuchait, reprenait avec patience.

— La musique, disait-elle, est mon grand amour non partagé.

Elle soupirait, mais sans amertume. La musique pour Maman était un besoin et une source de bonheur, même si elle était consciente de la modestie de ses propres moyens.

La chorale de notre église était dirigée par Joseph Pétrovitch Kravtchouk, instituteur de l'école du village, bonhomme bourru aux grosses moustaches rousses. Il était très peu musicien et pas particulièrement cultivé. Maman, pour l'aider dans sa tâche, acheta un harmonium pour les répétitions et une quantité de partitions, celles qu'elle aimait elle-même et qu'on chantait si bien à la cathédrale Vladimir de Kiev... Le malheur était que les chantres venaient en fonction de leurs caprices. Souvent à l'heure de la messe, les ténors ou les basses étaient absents, et Joseph Pétrovitch remplissait les creux de sa voix rauque. Maman écoutait avec angoisse et Papa riait sous cape.

Pour les attirer, Maman institua des primes d'assiduité, ce qui contribua pour beaucoup à maintenir le chœur au complet.

Un autre petit chœur, au château celui-ci, appartenait à

Maman seule. Il se composait de tous les éléments capables de chanter. Nous, les enfants, assistions aux répétitions sans entrain et n'émettions que de faibles sons du bout des lèvres. Nikita, par contre, lançait sa belle voix de basse avec un évident plaisir, mais souvent à côté. Maman, au piano, se donnait beaucoup de mal, sans se décourager et sans écouter les moqueries de Papa.

J'avais hérité de Maman un grand amour pour la musique et, comme elle, manquais de talent. Je ressentais la musique jusqu'à la souffrance et serais allée à la mort aux sons d'une mélodie. Mais mes doigts restaient maladroits et mon esprit sans réflexe. J'aurais donné tous les biens du monde pour ce don-là, mais mes progrès n'illustraient pas ma grande passion.

Je vivais avec la certitude qu'il existait une musique merveilleuse, renfermant le bonheur suprême, et que je pourrais un jour la trouver. Mais notre vie à Vassilki m'offrait peu de chances. Il n'y avait en fait que le piano de Maman, très éloigné des sons célestes dont je rêvais. Mais même ceux-là m'enthousiasmaient et je me mettais par terre sous le piano pour capter chaque note.

Une autre ressource était notre boîte à musique avec ses quarante disques perforés. Il en sortait un petit son grêle que j'essayais d'amplifier en appuyant la tête contre le couvercle.

L'orgue de Barbarie du joueur ambulant, qui apparaissait de temps en temps sous les fenêtres du château, n'était pas non plus une source de musique divine. J'accourais cependant avec hâte écouter les valses grinçantes qu'émettait l'instrument délabré.

Ayant remarqué à quel point la musique me bouleversait, Maman crut que j'avais hérité le merveilleux talent de sa mère, pianiste virtuose renommée. Mais non, tout feu sacré m'abandonnait dès que je me mettais à rabâcher mes exercices. On ne pouvait vraiment pas me comparer à Grand-Maman, qui jouait les sonates de Mozart à quatre ans.

Ma grand-mère maternelle était pour moi une idole. Je

restais au salon à contempler son portrait, fascinée par son visage et tout ce que je savais d'elle. Que n'aurais-je donné pour la connaître ! Mais c'était aussi impossible que de lui ressembler, car elle était morte quand j'avais deux ans.

Grand-Maman appartenait à une famille de Saint-Pétersbourg plus noble que riche. Sa mère, veuve résignée et sévère, l'avait élevée dans l'austérité. Ses dons exceptionnels commencèrent à se manifester dès ses premiers balbutiements, si bien qu'à douze ans, elle était une pianiste accomplie. À l'institution des jeunes filles nobles Smolny, où elle passa quelques années, elle était dispensée de tous les cours de moindre importance par ordre spécial de l'impératrice pour se consacrer à l'étude du piano. Elle obtint son premier prix du Conservatoire à douze ans et donna son premier concert à quatorze.

La carrière artistique lui était cependant inaccessible du fait d'une malformation cardiaque qui la maintenait en danger de mort à tout moment. La moindre émotion pouvait lui être fatale. Elle donnait en dépit de tout trois concerts par an, à Saint-Pétersbourg, à Munich et à Paris, mais toujours au risque d'y laisser la vie et à condition de suivre un traitement préventif.

Le mariage de Grand-Maman me parut romantique et extraordinaire, même si Maman disait qu'il n'avait pas été très heureux. Son sort se joua un soir à l'Opéra. Absorbée par le spectacle, elle ne remarqua pas l'homme seul dans la loge voisine qui gardait les yeux fixés non sur la scène mais sur elle.

— Celle-ci ou aucune..., jura cet homme.

Il tint parole.

Maman racontait que sa mère avait regretté par la suite de s'être laissée convaincre d'épouser à seize ans cet homme riche et honorable sans doute, mais qu'elle n'aimait guère.

— Les mines d'or de mon mari ne m'ont pas acheté le bonheur, disait-elle avec tristesse.

Car des mines d'or, justement, il en avait.

Je pense que malgré tout Grand-Maman a eu sa part de

bonheur, si on s'en tient à cette autre phrase qui lui appartenait :

— Le bonheur, c'est les enfants, la musique et les fleurs.

Ce qu'elle a eu en abondance.

Étant enfant, Maman a connu chez sa mère les plus grands artistes de l'époque : Wagner, Kreisler, Strauss, Rubinstein qui était un ami dévoué, ainsi que Henzelt, son ancien professeur.

Maman avait dix ans quand ses parents se séparèrent. Elle ne me dit pas — sans doute ne pouvait-elle elle-même que les supposer — les raisons du départ de notre grand-père en Sibérie et du déménagement de notre grand-mère à Munich. Maman passa donc son enfance et sa prime jeunesse en Allemagne, et ne revint en Russie qu'à l'âge de vingt ans.

La jeunesse de Maman se passa sous le charme du talent de sa mère. Il y avait, disait-elle, comme une présence spirituelle qui pénétrait tout. Quand Grand-Maman posait les mains sur le clavier, tout le monde se taisait et on entendait passer un ange...

A cette époque, les arts florissaient à Munich. Maman vécut dans un cercle éclectique international. Elle étudia elle-même la peinture, la sculpture et les langues étrangères.

J'imagine qu'à dix-huit ans, elle était déjà très peu coquette. J'aimais l'histoire du bal masqué auquel elle alla avec son amie hongroise, Maria Beassini, qui devint plus tard célèbre pour ses peintures. Au lieu de se costumer en fleur ou en princesse des Mille et Une Nuits, Maman se déguisa en mendiant. C'était bien d'elle de rechercher l'originalité et le pittoresque, et non les compliments et le succès.

Quand Maman revint dans sa patrie, elle parlait l'allemand, le français et l'anglais à la perfection, mais avait oublié le russe. Elle dut le réapprendre, mais a toujours trébuché sur nos déclinaisons.

Quant à la mine d'or, elle subit le sort commun : elle s'épuisa. Et avec elle les revenus de la famille. Maman fit un voyage en Sibérie, à Irkoutsk je crois, pour aider son père et bientôt pour l'enterrer.

Maman, qui aimait les images évangéliques, disait que toutes les fortunes de ce monde étaient fondées sur du sable, donc éphémères, même quand le sable était d'or.

Nous ne connûmes aucun parent de notre famille maternelle. Tante Anne, sœur cadette de Maman, épousa un officier prussien, le baron von Schmedel, et resta en Allemagne. Ses deux frères vécurent à Saint-Pétersbourg et ne vinrent jamais dans le Midi.

Grand-Maman mourut à Moscou un jour de novembre. On la trouva allongée sur un divan, une expression de calme heureux sur son beau visage et les mains appuyées sur son cœur qui soudain s'était arrêté.

Entre tous les destins de ce monde, j'aurais choisi le sien. Mais cela devant rester un rêve, il ne me reste qu'à espérer la même mort.

Dans le grand salon bouton d'or, un portrait dans un cadre doré représentait un beau jeune homme d'allure altière, une cape de zibeline jetée sur l'épaule. C'était le prince Eugène Gagarine, notre arrière-grand-père paternel.

J'en étais amoureuse... Une fois, profitant de l'échelle laissée là par les bonnes, je grimpai jusqu'au portrait pour l'embrasser.

Eugène Gagarine avait épousé la fille unique d'Alexandre Stourdza, diplomate moldave en poste à Saint-Pétersbourg. Les Stourdza étaient de grands seigneurs terriens. Le frère de notre ancêtre, Mihalaké Stourdza, était hospodar de Moldavie.

Marie Stourdza apporta en dot de vastes propriétés en Bessarabie, ce qui décida la famille à se fixer dans le Midi. Notre grand-mère Gagarine était une des enfants issus de cette famille et était donc à moitié moldave.

Sans rompre les liens avec la capitale, les descendants du

prince Eugène et de Marie Stourdza fondèrent la lignée des Gagarine du Sud, qui avait son point d'attache à Odessa. Ils construisirent des maisons au centre de la ville, des villas au bord de la mer Noire, et même un cimetière familial et un couvent.

Notre grand-mère avait quatre frères, mais c'est avec l'aîné, Anatole, qu'elle avait le plus d'affinité d'esprit et d'intérêts communs. C'est avec lui qu'elle entretenait les relations les plus étroites.

Il était fatal qu'elle épousât Vladimir Biélski, cousin éloigné et orphelin, dont s'occupaient ses parents. Brillant étudiant de la faculté de Médecine et par surcroît très beau, il ne manqua pas de gagner son cœur. Ses parents, paraît-il, firent un peu la grimace, car le jeune homme avait des idées libérales et désirait se consacrer à la médecine. Élève du célèbre professeur Charcot, il faisait ses études à Paris.

Grand-Maman tint bon et finit par l'emporter. Le mariage fut célébré et le jeune couple s'en alla en France. Papa et oncle Rostislav naquirent à Paris.

Grand-Papa avait un caractère indépendant et fier, et en même temps d'une grande candeur. Descendait-il de ce fier boyard Biélski qui, avec quelques autres fous, osa tenir tête à Ivan le Terrible et refusa de se soumettre à ses volontés ? Le tsar Ivan, comme on le sait, n'y allait pas de main morte et traitait rondement ses sujets récalcitrants, ce qui se termina mal pour le boyard Biélski. Ivan lui enleva tous ses droits et biens, et l'envoya croupir à Tombov.

Mais que Grand-Papa descendît ou non de ce personnage, il avait lui-même de quoi plaire. Combien de temps dura le bonheur de nos grands-parents ? À l'époque de notre enfance, ils vivaient chacun de leur côté et nous y étions tellement habitués que cela ne nous paraissait pas étrange. Dans toutes les résidences de la famille, il y avait « la chambre de Grand-Papa » généralement inoccupée. Il venait bien chaque été pour une semaine ou deux, mais le reste du temps vivait à Odessa dans une petite maison de banlieue et s'occupait de l'hôpital municipal où il dirigeait le département de chirurgie. Il n'a jamais voulu l'abandonner. Les propriétés de sa femme ne l'avaient jamais intéressé, tout comme sa propre propriété de Tombov. Cette dernière fut d'ailleurs pillée par des « amis » qui profitèrent de son indifférence pour les biens de ce monde, de sa bonté et de sa crédulité.

Notre grand-père aimait son hôpital, ses collègues, ses malades. Et... oui, oui, il y avait autre chose, il faut bien l'avouer. Longtemps, jusqu'à l'âge presque adulte, je ne compris pas pourquoi on baissait la voix en parlant de grand-père qui me paraissait formidable et l'était en effet. Qu'avait-il fait ? Était-ce un déshonneur d'être chirurgien et de se consacrer à un hôpital au lieu de s'occuper de domaines ? Il y avait peut-être un peu de ça aussi mais le grief principal, qui faisait pincer les lèvres à nos grands-tantes et à nos grands-oncles, était d'une autre nature. Le fait était qu'une infirmière, Nonna Ivanovna, s'était emparée de son cœur comme de sa personne, il y avait déjà des années. Et loin de vouloir le rendre à sa famille, elle lui en donna une autre.

J'avais une immense admiration pour Grand-Papa et l'aimais sincèrement. Il était intransigeant, il est vrai, mais d'une intelligence exceptionnelle et d'un humour mordant. Il est resté beau jusqu'à la fin de ses jours, à quatre-vingt-cinq ans.

Grand-Maman accepta son sort sans cesser d'aimer son mari. Très croyante, elle considérait le sacrement du mariage comme un lien indissoluble pour la vie.

Elle trouva la consolation dans l'affection sans bornes que lui vouait sa fille aînée Naya qui vivait avec elle et ne la quittait jamais.

Tante Naya était une personne remarquable, mais nous la trouvions trop parfaite, trop pieuse, trop sévère. Nous en avions un peu peur. Nous préférions sa cadette, tante Olga, plus jolie, gaie et incroyablement bonne. On nous la donnait toujours en exemple et on n'aurait pu, en vérité, en trouver de meilleur.

Tante Olga épousa un baron balte, Grégoire von Rosen, qui étudiait éternellement la peinture à Munich, mais sans grand espoir disait Maman.

Grand-Maman et tante Naya voyageaient constamment. Elles passaient l'hiver à Cannes ou à Menton, parfois en Crimée. Pendant la semaine sainte, elles se retiraient dans un couvent à Moscou où elles faisaient leurs dévotions. Elles passaient l'été à Rachkov, en Bessarabie. C'est là que nous allions les voir.

Peu de propriétaires fonciers vivaient comme nous toute l'année à la campagne. Nos voisins, tous polonais, s'en allaient à Varsovie à la fin de l'été où ils avaient des appartements ou des maisons, des relations et des intérêts.

Les hommes s'attardaient plus longtemps dans leurs domaines pour s'occuper des travaux, mais leurs femmes et leurs enfants passaient l'hiver en ville.

Nos parents n'avaient pas d'autre résidence que celle de Vassilki et considéraient qu'ils n'en avaient aucun besoin. Rien ne les attirait en ville et ils en parlaient avec dédain. De sorte que nous, les enfants, pensions que les gens de bonne condition vivaient tous à la campagne.

Le monde, la société ne tentaient pas nos parents. Ils ne les aimaient pas. Quant aux magasins, on s'en passait fort bien. On commandait tout par correspondance et, de temps en temps, Maman allait à Nouvelle-Ouchitza ou à Kamenetz-Podolsk et trouvait dans les boutiques juives toutes les marchandises qu'elle pouvait désirer.

En ce qui concernait l'approvisionnement, une grande partie provenait du domaine et le reste était fourni par les boutiques de Vieille-Ouchitza où un employé de la ferme se rendait tous les jours pour chercher le courrier et faire les achats. Le contact avec l'extérieur était assuré par la poste. L'isolement ne gênait pas nos parents. Et nous, les enfants, ne pouvions pas imaginer un autre genre de vie.

Selon l'usage, les derniers venus devaient rendre visite aux voisins déjà installés dans la région. Après cet échange de politesse obligatoire, on entretenait ou non des relations amicales ou simplement de bon voisinage.

Nos parents reconnaissaient cette obligation, mais chez nous elle prenait le caractère de corvée. On parlait toujours de ces visites, on faisait des listes de gens à voir, on discutait sans cesse pour savoir par qui il fallait commencer. Mais les années passaient, et on en était toujours au même point.

Papa racontait, en riant, qu'aux réunions du Cercle de la Noblesse, M. Régoulski, notre plus proche voisin, l'appelait « mon cher voisin peu bienveillant ».

Quand enfin, après de longs préparatifs, Papa et Maman allèrent chez les Karachévitch, ceux-ci leur rendirent la visite trois jours après, sans doute pour souligner leur savoir-vivre et leur correction.

Maman trouva Mme Karachévitch fort peu sympathique car elle se donnait de grands airs tout à fait à tort. Ces dames polonaises étaient en effet très fières et cachaient à peine leur haine des Russes. À l'époque, je croyais que c'était un tort et que tout ce qui était russe était juste et bon. La conversation se faisait en français car, disaient-elles, « notre russe est bon pour la cuisine, mais pas pour le salon », en voulant évidemment souligner qu'elles en connaissaient le strict nécessaire et n'avaient aucune envie d'en connaître plus. À l'étranger, elles disaient : « Nous habitons Varsovie », ou « Nous avons une propriété en Podolie », mais jamais en Russie. Plus tard, je compris leurs sentiments que je trouvai même assez fondés.

Il va sans dire que les relations de nos parents avec leurs voisins polonais se bornèrent aux visites de courtoisie.

Parmi les devoirs mondains pénibles, il y avait des exceptions : Papa et Maman aimaient M. et Mme de Patton, qu'ils allaient voir avec plaisir. C'était difficile car leur propriété se trouvait plus loin, dans les environs de Nouvelle-Ouchitza, notre ville de district.

M. de Patton était le maréchal de noblesse de notre région et président de l'Union de la noblesse locale. Il était l'incarnation même de la prestance. Sa taille gigantesque, sa barbe carrée, son calme olympien, son extraordinaire caractère taciturne faisaient penser à une forteresse. Et cependant, c'était un homme doux et généreux et, par surcroît, timide.

Papa nous faisait rire en nous racontant leurs tête-à-tête. Il paraît qu'ils restaient assis dans deux fauteuils l'un en face de l'autre sans prononcer un mot, M. de Patton parce qu'il ne trouvait rien à dire, Papa parce qu'il ne savait pas engager la conversation, mais seulement y participer avec esprit.

Très différente était Mme de Patton. Fine et distinguée, jolie et élégante, elle était toute bonté et gentillesse. Elle réussit à nous apprivoiser, ce qui n'était pas facile. Au lieu de nous sauver selon notre habitude, nous lui apportions des fleurs.

Notre petite communauté enfantine se composait de trois groupes distincts : Emmanuel et moi, les jumelles Madeleine et Angeline, Ella et sa bonne.

Emmanuel et moi nous entendions à merveille en dépit de la divergence de nos caractères ajoutée à deux ans d'écart. L'intelligence et l'équilibre d'Emmanuel s'accordaient étrangement avec mon exubérance et ma fantaisie.

La différence d'âge et la nette supériorité intellectuelle d'Emmanuel m'accablaient cependant durant les leçons que nous prenions en commun, comme les langues vivantes et le dessin. La situation était toujours la même : Emmanuel savait et je ne savais pas.

Il se rappelait les règles de grammaire les plus indigestes, comme celles de la grammaire allemande par exemple, et les récitait sans peine, on aurait même dit avec plaisir. Il écrivait sans fautes, aussi bien en français qu'en anglais et en allemand. Et je bénissais le ciel de ne pas avoir à être comparée à lui en grec et en latin, dont en qualité de fille j'étais dispensée, car en ces langues aussi, disait-on, il excellait.

Les leçons que nous donnait Maman m'ont donc laissé les souvenirs les plus sombres. La dictée en particulier. Maman soulignait le mot qui contenait une faute et l'écrivait correctement en marge. Et tandis que celle-ci restait vierge chez Emmanuel, la mienne se remplissait à vue d'œil, ce qui me donnait un sentiment de dégoût et de révolte.

Emmanuel avait une qualité précieuse qui me manquait totalement ; il savait écouter. Il était calme et ne s'excitait jamais. Quand il racontait ce qu'il avait vu, on le croyait parce qu'on savait que c'était exact.

Moi, quand je racontais, je m'excitais et plus je parlais plus je voyais de choses. En général, je parlais avant et réfléchissais après et non le contraire comme Emmanuel.

— Ma pauvre enfant, disait Maman, tu es bavarde comme une pie.

Rien ne pouvait me blesser davantage. J'avais honte de mon terrible défaut, mais ne parvenais pas à m'en défaire. Souvent dans le feu de mon discours, je m'apercevais qu'on riait et je m'arrêtais net. Je me jurais de me taire et de ne plus prononcer que « oui » et « non ». Je me plongeais alors dans un silence digne et fier qui durait parfois une heure entière.

Papa et Emmanuel aimaient me taquiner pour se divertir de ma naïveté. Ils se jouaient de moi en me posant des devinettes attrape-nigauds du genre de celle-ci : le train électrique va vers le sud, le vent souffle du nord. Où va la fumée ? Je faisais des efforts éperdus pour trouver le traquenard, sans jamais y réussir, tandis qu'ils riaient.

Papa racontait l'anecdote vraie qui datait de mes quatre ans et prouvait que, dès cet âge, j'avais une imagination très développée. Emmanuel, qui en avait six, venait d'apprendre de

Papa que la terre était ronde et tournait. Nous étions en train de jouer sur le sable tandis que nos parents prenaient le thé sur la véranda.

— La terre, me dit Emmanuel, est une très, très grande boule.

Je ris, en voilà une idée !

— Et elle tourne, ajouta Emmanuel, tiens, comme le ballon qui roule vers l'étang. Et c'est vrai.

Je ris de plus belle. Emmanuel insista :

— Elle tourne, seulement tu ne comprends pas. C'est Papa qui me l'a dit. Et nous tournons aussi.

— C'est pas vrai ! Je vois que tu ne tournes pas.

— Si, je tourne et toi aussi. Tout le monde.

— Alors Papa et Maman tournent ?

J'étais outrée.

— Oui, ils tournent, répliqua Emmanuel obstiné.

Je sautai sur mes pieds et courus vers la véranda pour voir si Papa et Maman étaient toujours assis dans leurs fauteuils ou si vraiment ils tournaient, ce qui me remplissait d'angoisse.

Papa se mit à rire et dit qu'Emmanuel avait mal expliqué.

Je revins sur le sable et Emmanuel, enchanté de son succès, recommença :

— La maison tourne, le jardin tourne, l'étang tourne.

— Et la maison de Grand-Maman ? criai-je hors de moi.

— Elle tourne et Grand-Maman aussi.

C'était trop. Je courus de nouveau vers nos parents.

— Emmanuel dit que Grand-Maman roule vers l'étang comme un ballon !

Je voyais l'affreux spectacle et en étais horrifiée. Je ne pouvais pas comprendre comment Papa et Maman pouvaient rire au lieu de punir Emmanuel pour ses affreuses plaisanteries.

Je retournai cependant sur le sable, intriguée malgré moi par ces étranges calomnies des choses les plus sacrées.

— L'église tourne aussi ! annonça Emmanuel qui avait trouvé un autre sujet à sensation. Et le prêtre aussi !

C'était le comble. Je me lançai vers Papa et Maman, tremblant d'indignation.

— Emmanuel dit que le prêtre sort de l'église en faisant des cabrioles !

Nous étions, Emmanuel et moi, des compagnons de jeu inséparables, surtout en été quand nos cours terminés, nous nous sentions libres et heureux comme des poulains lâchés dans les prés.

Il nous restait, il est vrai, quelques petites entraves dues aux cours d'été réduits que nous donnait Maman ou une gouvernante étrangère, pour entretenir nos connaissances. Une heure de lecture, des dictées, des exercices au piano. Nous détestions ces cours qui tombaient toujours très mal à propos et interrompaient nos jeux. Il fallait descendre du toit ou d'un arbre ou abandonner une opération importante dans le ruisseau et revenir en hâte pour moisir sur un cahier ou jouer des exercices de Hanon. Mais l'idée de faire la sourde oreille ou de s'enfoncer plus loin dans la jungle ne nous venait même pas à l'esprit. Nous abandonnions nos travaux et arrivions dociles et maussades, le cerveau fermé et les pensées ailleurs.

Nous avions établi, Emmanuel et moi, un programme pour chaque jour de la semaine. Je me rappelle que le lundi nous inventions une langue qui s'appelait le guigon. On travaillait sur un dictionnaire en composant des mots à la file depuis la lettre A. Nous ne sommes jamais parvenus plus loin que la deuxième page, mais cela faisait quand même pas mal de mots.

Le mardi était le jour consacré à la chasse aux insectes, aux lézards et aux grenouilles. Nous courions dans les prés constellés de fleurs pour capter des papillons, guettions les lézards dans l'herbe, attrapions des grenouilles en pataugeant dans les jonchères.

Le mercredi, nous allions chercher un trésor. Nous pratiquions les méthodes indiennes en examinant le sol et en suivant des traces, de préférence celles qui nous menaient dans les coins les plus éloignés du parc. Nous étions sûrs de tomber un jour sur une cachette renfermant des poignards turcs, des bijoux ou des pièces de monnaie.

Une fois nous déterrâmes un os. Il n'y avait pas de doute, c'était la jambe d'un Turc. Nous l'apportâmes au château pour le montrer à Papa qui l'examina attentivement, consulta un manuel d'anatomie et déclara que notre Turc n'était qu'un chien.

Le jeudi était réservé à la magie. Il y avait derrière le château un mamelon argileux, couvert de prêles et d'absinthes sauvages. Nous y creusâmes une grotte et y installâmes un vrai petit autel païen avec une pierre sacrée sur laquelle nous brûlions des aromates et de la résine de pin. La fumée âcre nous piquait les yeux et entrait dans nos cheveux. Après ces séances nous avions l'air de harengs fumés.

Le vendredi, on s'occupait du dressage de nos chats et chiens. Mais si Bobik, petit chien malin et têtu, finit par accepter, mais seulement contre récompense, de se promener sur ses pattes de derrière, de sauter à travers un cerceau et d'apporter un bâton, les chats restaient hermétiques à tout enseignement et ne montraient que mauvaise humeur et mépris.

Le samedi, on grimpait aux arbres. Emmanuel y réussissait bien mieux que moi, mais j'allais à la limite de mes forces pour le suivre et sauver l'honneur. Les cruelles écorchures, le sérieux dommage à mes robes et le danger très réel de me casser le cou ne pouvaient ralentir mon zèle. Je me démenais en me cassant les ongles.

Je me demande encore comment nous sommes restés vivants. Il m'arrive de me revoir en rêve au sommet de nos gigantesques peupliers pyramidaux suspendue au-dessus du vide, m'agrippant aux branches des mains et des pieds.

Quand Maman nous apercevait entre les cheminées de la mezzanine, elle frémissait d'effroi et fermait les yeux. Mais Papa était catégorique :

— Les enfants n'ont qu'à grimper où ils veulent. Nous l'avons tous fait et personne n'en est mort.

Nous courions tout l'été pieds nus, nos parents considérant que c'était excellent pour la santé et très pratique. Nos pieds étaient éternellement écorchés et couverts de bleus. Nous allions constamment demander à Maman de nous mettre un pansement et à Papa de nous retirer une écharde. Mais nous préférions ces petits inconvénients à la gêne des chaussures.

J'inventai un sport original qui devait prouver le courage et l'endurance et nous le pratiquions beaucoup. Il fallait traverser un fourré d'orties pieds nus. Nous en émergions couverts de cloques, les jambes en feu. Pour rafraîchir un peu les brûlures, il était permis de les frotter avec un concombre coupé en deux.

Une fois notre gouvernante, Fräulein Paula, assez naïve, il faut bien le dire, se laissa persuader que les orties guérissaient les rhumatismes et traversa courageusement le fourré en poussant des petits cris aigus.

Maman se fâcha, fit une remarque à Fräulein Paula et nous interdit ce sport viril.

Nos sœurs jumelles Madeleine et Angeline avaient deux ans de moins que moi. Elles étaient de vraies jumelles et se ressemblaient comme deux gouttes d'eau. À un tel point que même Maman les confondait constamment et demandait :

— Tu es qui ?

Elles étaient frêles, délicates, timides et attachées l'une à l'autre de façon totale. Inséparables comme deux perruches, elles faisaient tout ensemble, avaient les mêmes goûts, riaient, et pleuraient en même temps.

Dès l'âge de six ans, elles commencèrent à montrer des dispositions très marquées pour le dessin qui devint leur occupation principale. Ce n'est que plus tard, à l'Académie des beaux-arts, que des différences de dons et de caractère commencèrent à se manifester.

Madeleine et Angeline étaient d'une bonté extraordinaire, on avait l'impression qu'elles n'étaient faites que de bonté. Toujours attentives aux sentiments des autres, prêtes à aider, à secourir et à donner. Toujours animées de pitié pour tous ceux qui souffrent, pour tous les êtres faibles et sans défense. Sauver la vie, même celle d'un insecte ou d'une plante, aider un infirme, partager la souffrance d'un être malheureux étaient chez elles non des vertus, mais le fond même de leur caractère.

Les gros chiens féroces qui vivaient autour du château, les innombrables chats, jusqu'aux volailles de la basse-cour les connaissaient et les suivaient.

Leur fidèle caniche Mars était pénétré de la même mansuétude pour les petits et les faibles. On le voyait souvent assis sur son derrière à contempler en silence une couvée de poussins. S'il en voyait un s'égarer imprudemment, il le prenait dans sa gueule doucement et le portait auprès de la mère poule.

Il va de soi que les gamins du village profitaient de la situation pour apporter au château d'innombrables bestioles en détresse, en leur cassant parfois une aile ou une patte pour qu'elles puissent éveiller la pitié. Madeleine et Angeline recueillaient les bêtes malades et récompensaient les gamins d'un pourboire.

Les jumelles étaient d'une timidité extrême et avaient une peur maladive du monde et de tout ce qui était extérieur à notre vie familiale et dépassait les limites de Vassilki. Dès qu'un équipage étranger avait franchi le portail et qu'elles entendaient des grelots dans l'allée d'arrivée, elles se sauvaient dans le parc et restaient introuvables.

Les nouveaux domestiques, les nouvelles gouvernantes avaient du mal à les apprivoiser. Mais une fois la timidité surmontée, elles s'y attachaient de tout cœur. Prenant toujours la défense d'un domestique menacé de renvoi, elles plaidaient sa cause comme s'il s'agissait d'un ami.

Madeleine était née vingt minutes avant Angeline et on considérait qu'elle était l'aînée.

Comme tous les campagnards, nous étions entourés d'animaux. Outre les chats et les chiens qui faisaient partie de la maison, nous avions sous notre garde les bêtes les plus diverses. Les ouvriers et les villageois nous apportaient des pigeons, des tortues, des hérissons, des oisillons tombés du nid, des perdreaux blessés dans les champs par les moissonneuses, des petits chats et chiens trouvés dans les fossés. On comptait évidemment sur une récompense, qu'effectivement on recevait, même si ces cadeaux nous encombraient et créaient des problèmes d'hébergement. Mais noblesse oblige et la pitié aidant, nous nous chargions de ces bêtes malheureuses et nous nous efforcions de les sauver.

Quand nos parents eurent compris que les oisillons ne tombaient pas toujours tout seuls de leurs nids, et que c'était un véritable sport chez les garnements du village que de démolir les nids, ils changèrent de tactique et, au lieu de distribuer des récompenses, introduisirent des amendes pour ces forfaits.

Notre ménagerie était toujours pleine. Papa nous faisait des cages dans lesquelles nous gardions les malades et des caisses moletonnées pour les orphelins élevés au biberon.

Je ne sais plus d'où nous vint l'idée, à Emmanuel et à moi, d'apprivoiser des lézards. Il y en avait une quantité dans le parc, des gris et des verts, parfois de taille énorme. Nous les guettions tandis qu'ils se chauffaient au soleil et tombions sur eux comme la foudre pour les saisir avant qu'ils ne disparaissent dans l'herbe.

Cette chasse n'était pas toujours couronnée de succès mais nous en attrapions assez pour nous en faire une belle collection Nous gardions nos lézards dans des cages à grillage très fin, remplies de mousse et d'herbes odorantes, que nous pensions leur convenir le mieux.

Nous les en sortions avec mille précautions pour les apprivoiser. Notre méthode, simple et astucieuse, consistait à leur jouer des airs sur nos pipeaux. Les reptiles, savions-nous, se laissent charmer par la musique.

Au bout de quelque temps, ils ne se sauvaient plus et nous étions persuadés qu'ils étaient apprivoisés. Mais quand j'y pense maintenant, je crains que nous nous fissions des illusions et qu'ils étaient simplement fort anémiés après un séjour prolongé dans notre ménagerie.

Celle-ci se trouvait dans un coin éloigné du parc, entourée d'une palissade de branches que nous avions construite nous-mêmes. Une fois, nous imaginâmes un numéro à sensation qui devait rester secret jusqu'au dernier moment. Il s'agissait d'apparaître au petit déjeuner avec des lézards sur la poitrine et dans les cheveux. Les grenouilles étaient éliminées de cette démonstration, car elles semblaient garder la nostalgie du large et on ne pouvait pas compter sur leur comportement.

Nous arrivâmes ainsi un beau matin, recouverts de lézards de toutes les tailles, et nous nous posâmes en face de nos parents déjà assis à table.

Maman, qui avait une répulsion pour les reptiles, poussa un cri. Papa ne fit que rire et les jumelles nous accusèrent de cruauté. Seule la petite Ella montra de l'intérêt et déclara d'un ton compétent :

— C'est des serpents avec des pattes.

Pendant ce temps, les lézards clignaient des paupières et remuaient doucement la queue. Ceux qui se trouvaient dans nos cheveux étaient un peu moins apathiques, se croyant peut-être dans l'herbe.

Fort déçus de cet accueil, nous allions nous retirer quand Papa eut l'idée de nous photographier. Que ne donnerais-je aujourd'hui pour retrouver ces photos !

Notre établissement fermait ses portes à la fin de l'été et tous nos pensionnaires étaient remis en liberté. Aucun de nos lézards ne vint à mourir. Mais il est vrai que ces animaux comptent parmi les plus résistants.

Bien plus heureuse fut l'expérience avec Jack le choucas. Nous le prîmes dans une cheminée du château où ses parents avaient installé leur nid. Emmanuel y enfonça une sarclette et la tint tout près du nid. Ce que nous espérions arriva : un des petits choucas sauta dessus et Emmanuel le retira doucement hors de la cheminée.

Le jeune oiseau, tout étonné et aveuglé par la lumière qu'il n'avait encore jamais vue, se laissa prendre et emporter sans manifester la moindre inquiétude.

Jack fut élevé comme un enfant de la famille. Tant qu'il était petit il mangeait du pain trempé dans du lait qu'il réclamait à grands cris en battant des ailes. Il se fit très vite à la situation et prit bientôt des airs autoritaires. Il sautait gaiement sur les meubles en y laissant de larges traînées au désespoir des femmes de chambre. Les chats avaient compris qu'il n'était pas un oiseau comestible et n'essayèrent jamais de le manger.

Quand on leur servait leur repas, Jack tenait à y participer en se mettant à becqueter énergiquement dans l'assiette, tout en donnant de temps à autre quelques coups de bec à droite et à gauche. Les chats s'écartaient et lui cédaient la place.

Quand nous étions à table, Jack venait souvent se poser brusquement sur le bord d'un plat, saisissait un morceau de viande et s'envolait le déguster sur le rebord d'une fenêtre ou sur le dossier d'un fauteuil. Ou bien il sautait sur la nappe et dérobait un morceau dans nos assiettes. Très sans-gêne, il venait boire dans nos verres ou se posait sur nos épaules pour enlever prestement de la fourchette le morceau qu'on allait porter à sa bouche.

Nos parents ne protestaient pas trop et jouissaient eux-mêmes de sa compagnie.

Le soir, Jack s'installait sur le dossier de mon lit au-dessus de l'oreiller que je recouvrais d'un journal par précaution. Quand, la tête sous l'aile, il était bien endormi, je le mettais dans sa cage pour la nuit.

Jack nous suivait partout et ne s'intéressait pas du tout à ses semblables. Il nous accompagnait dans nos promenades, assistait à nos leçons. Quand nous allions à l'église, nous devions l'enfermer, ce qui le rendait furieux. Une fois il réussit à ouvrir sa cage et se lança à la poursuite de nos équipages. Il entra dans l'église en poussant de grands cris, fit quelques tours sous la coupole et se posa lourdement sur mon chapeau. Cela fit sensation. Le père Alexandre interrompit sa litanie et poussa un oh ! interloqué. Dans l'assistance, on entendit pouffer de rire.

Emmanuel saisit Jack précipitamment et l'emporta hors de l'église pour le confier aux cochers. Il faut dire que Jack était très populaire et que ceux-ci furent ravis de s'en occuper.

Un des amusements préférés de Jack était de fouiller dans la crinière de Zinka, la jument du tonneau. Il lui tirait impitoyablement les poils et piochait dans son dos, ce qui ne semblait pas l'incommoder. La vieille jument restait immobile, sans même essayer de lui envoyer un coup de queue.

Jack était très aimé à la cuisine et particulièrement gâté par le chef Yakime.

Plus il grandissait, plus il devenait indépendant et plus il s'absentait de la maison. Quand nous l'appelions il répondait, mais ne revenait pas toujours. Finalement l'instinct prit le dessus ; il fit connaissance d'autres choucas, se mit à les fréquenter et, un jour, ne revint plus.

Malgré les soins que nous prodiguions à nos pupilles, nous avions souvent à déplorer un décès. Il a donc fallu installer un cimetière.

Les petites tombes de nos chers disparus portaient des pierres tombales et des plaques qui ressemblaient fort à des croix. Les chants funéraires que nous composions pour leurs funérailles rappelaient beaucoup ceux de l'église.

Nous trouvâmes un jour une vieille veilleuse qui avait encore ses chaînettes de suspension. L'idée nous vint d'en faire un encensoir. Nous la remplîmes de braise et d'herbes odorantes et obtînmes un encensoir en règle.

Un jour, Stéphane, qui travaillait dans le voisinage, fut attiré par nos chants. Après lui, les journaliers s'approchèrent de notre cimetière, ce qui nous fit redoubler de zèle.

— Qu'est-ce qui se passe ? demanda Papa qui avait remarqué le rassemblement.

— Les enfants disent la messe, dit Stéphane avec sérieux.

Papa s'amusa bien, mais nous interdit de continuer et confisqua notre encensoir.

Lors de ma première enfance et pendant des années, le domaine fut géré par Alexandre Vladimirovitch von Noldé. Il était d'origine balte, son nom l'indiquait, mais de cette origine il ne restait que le nom.

Papa et Maman estimaient beaucoup Alexandre Vladimirovitch pour la noblesse de ses sentiments et sa parfaite honnêteté. Il était malheureux de constater qu'en dépit de ces qualités fondamentales, la marche du domaine laissât tant à désirer.

Cette propriété qu'on qualifiait de mine d'or, tellement ses terres étaient riches et fertiles, ne donnait pas de récoltes particulièrement brillantes et le bétail était assez médiocre. C'était pour le moins étrange qu'avec trente vaches laitières dans les étables à certaines périodes de l'année, il fallait acheter le beurre, chez Mme Régoulsky, par exemple, dont la laiterie était à l'épreuve des saisons.

Quand nos parents en faisaient la remarque à M. Noldé, discrètement, en passant, pour ne pas l'offenser, celui-ci prenait un air tragique, levait les bras au ciel et s'exclamait :

— Ça pourrait être pire ! Dieu merci, ça ne va pas trop mal ! Il y a des propriétés où c'est pire !

C'était juste et on n'insistait pas.

Papa, qui recevait des revues agricoles et était au courant des nouvelles méthodes d'exploitation, parlait parfois de la rotation des cultures et d'engrais chimiques. M. Noldé écoutait, prenait part à la discussion, mais son point de vue était formel :

— Les engrais chimiques ? Pour moi rien ne vaut le fumier !

Quant aux nouvelles méthodes d'exploitation, il faisait semblant de s'y intéresser, mais c'était clair qu'il souhaitait de tout cœur que ces projets inquiétants ne dépassassent jamais le cabinet de Papa.

La prudence pour lui était la meilleure garantie de succès, le mieux étant l'ennemi du bien, c'est connu et tellement vrai. Au sujet de ces projets d'innovation, il avait un raisonnement inattaquable :

— Et qui sait ce que cela aurait donné ?

Le fait indiscutable qu'il existait des propriétés où c'était pire prouvait que chez nous tout allait encore assez bien.

De leur côté, nos parents avaient une excellente raison d'accepter les choses telles qu'elles étaient :

— Au moins, on est sûr d'avoir un gérant honnête, disaient-ils, et c'est l'essentiel.

M. Noldé venait tous les jours voir Papa pour discuter des affaires du domaine. Il restait très souvent à déjeuner.

Je vois encore son triste visage allongé avec ses moustaches tombantes, sa barbiche clairsemée, sa tête chauve, sa silhouette voûtée. Il mangeait du bout des lèvres et quand Maman le priait de se servir un peu mieux, il secouait la tête, levait les bras et s'excusait de ses infirmités digestives.

Il nous faisait penser à un grand corbeau prêt à s'envoler. Quand nous voulions exprimer un refus catégorique, nous imitions les gestes et la voix de M. Noldé, poussions de gros soupirs et répétions comme lui d'une voix pathétique.

— Oh non ! Oh non !

M. Noldé n'était pas marié, du moins officiellement. On ne nous disait rien des choses qui n'étaient pas régulières et ce n'est que bien plus tard que nous comprîmes certaines situations. À l'époque de notre enfance, il devait avoir la cinquantaine et se considérait comme vieux célibataire. Et cependant pas solitaire, puisque la grosse et brave Émilie Koulchitzka, polonaise et catholique, par conséquent au-dessus du commun, semblait bien partager sa vie.

Officiellement, elle était sa gouvernante. M. Noldé qui ne la nommait jamais l'appelait « la femme ». Quand on manquait de quelque chose au château, de beurre par exemple, il proposait toujours d'en parler à « la femme » qui, elle, avec ses deux vaches, avait toujours du beurre à vendre.

Émilie Koulchitzka jouissait d'un grand prestige à la ferme et les employés l'appelaient « maîtresse ». Maman aussi considérait qu'elle n'était pas n'importe qui et méritait toute confiance. Ainsi, aux rares occasions où nos parents devaient s'absenter tous les deux, on l'invitait au château pour nous garder.

— Avec ces femmes de chambre jeunes, on ne sait jamais... disait Maman.

Émilie Koulchitzka avait deux filles, orphelines de père, disait-elle tristement. L'aînée, Tossia, était maladive et tellement timide qu'elle ne se montrait jamais. Elle mourut de phtisie à l'âge de quinze ans et Alexandre Vladimirovitch la pleura comme... sa fille.

Ania était une grosse fillette aux joues roses et aux cheveux gras pendant autour de sa tête comme une frange. Elle était timide et gauche et nous pensions qu'elle était bête. Elle tenait toujours un mouchoir roulé en boule devant sa figure et s'en frottait le nez qui ressemblait tout à fait à celui de M. Noldé.

Ania était toujours là. Nous n'avions pas besoin d'elle, mais elle ne nous gênait pas. Étrangement, tandis que sa mère et Tossia étaient catholiques, Ania était orthodoxe. Aussi l'emmenions-nous avec nous à l'église. Elle participait à toutes nos promenades, tous nos pique-niques, même aux bains turcs et à nos baignades dans l'étang.

Les garçons Zélinski, fils du nouveau prêtre, la rudoyaient un peu quand ils venaient jouer avec nous. Souvent ils se moquaient d'elle, mais elle restait imperturbable et ne s'offensait jamais.

Il y avait un autre personnage parmi les employés du domaine que nos parents jugeaient digne de confiance : le cocher Karpo. Il était là depuis toujours. Je ne sais pour quelle raison, on avait décidé qu'il n'était pas comme les autres, c'est-à-dire honnête et consciencieux. Il avait un air respectueux et dévoué et un don particulier de rassurer.

Quand il venait rapporter une catastrophe, telle qu'un cheval emporté par la morve ou un vol découvert dans les remises, il prenait une expression douloureuse et résignée, soupirait profondément et ajoutait :

— Dieu l'a voulu ! On n'y pouvait donc rien... Mais cela ne se reproduira plus !

Ce qui était probable pour le cheval crevé.

Je crois que Karpo avait gagné la confiance de Maman par son amour des enfants. Il n'en avait pas lui-même et en était désolé. Quand enfin, après dix ans de mariage, Dieu lui envoya une petite fille, tout le village le félicita. Emmanuel et moi devions être le parrain de la petite Annette.

Je devais avoir dix ans à l'époque et me rendais très bien compte de l'importance de mon rôle. Guidée par Maman et notre couturière, j'entrepris un interminable ouvrage au crochet qui devait devenir une cape et un bonnet en laine rose. Quand enfin ce fut prêt, je l'offris à Karpo pour ma filleule.

La première femme de chambre, Mania, qui n'était autre que la sœur du maître d'école, donc au courant des événements du village comme de toutes les nouvelles sensationnelles, rapporta quelque temps après l'information suivante : la toilette rose confectionnée avec tant de peine avait échoué chez le Juif qui tenait l'unique boutique du village. Karpo la lui avait vendue !

On aurait dû le prévoir car chez nous, les paysans ne portaient jamais de vêtements « allemands », comme on disait pour désigner les vêtements non ukrainiens.

Le père Ioan des premiers temps était un vieillard austère, intransigeant sur les questions de la foi, de la morale et des mœurs. Il croyait de son devoir de se mêler de la vie de ses paroissiens et de veiller sur leur santé morale et physique. Ses sermons étaient violents et ressemblaient à des réquisitoires.

Exigeant qu'on fréquentât un peu plus l'église et un peu moins le cabaret, il accusait les paysans d'envoyer leurs enfants plus volontiers aux champs qu'à l'école, fulminait contre la coutume ancestrale de s'approprier tout ce qui était mal gardé, s'élevait avec véhémence contre les rixes et les pugilats des jours de foire et de fête, et fit une fois crûment allusion à un récent événement en déclarant que la faux et la hache étaient des instruments de travail et non des armes pour les règlements de comptes.

L'attitude du prêtre irritait les paysans. Non seulement on ne fit aucun cas de ses recommandations, mais on le bouda en désertant l'église.

À la suite d'un incident quelconque, il se produisit un genre d'insurrection qui se termina par un drame. Le conseil du village adressa une plainte à l'évêché en réclamant un autre prêtre.

Le père Ioan fut mis à la retraite mais resta à Vassilki. En considération de son grand âge et de ses mérites, on lui laissa la jouissance du presbytère, de sorte que le nouveau prêtre se trouva sans logis.

Il fallait construire une deuxième maison, ce dont Papa se chargea. Ainsi le nouveau presbytère, comme l'était déjà l'école, était propriété du domaine. Papa offrit les deux bâtiments au village, mais le conseil communal déclina l'offre, préférant laisser à Papa le soin de les entretenir.

Le nouveau prêtre, le père Alexandre Zélinski, ne ressemblait en rien à son prédécesseur. Il était jeune et doté d'une énorme famille qui augmentait sans cesse. Ses intérêts et ses propos réalistes trahissaient bien plus le souci des problèmes de ce monde que de ceux qui nous attendent dans l'autre. Son visage rubicond, son corps vigoureux, ses cheveux épais, sa barbe rousse formaient un frappant contraste avec l'air austère et la minceur ascétique du père Ioan. Et si l'excès de vertu avait causé la chute de ce dernier, le même danger ne menaçait certes pas le père Alexandre.

Ce n'était pas la coutume chez nous, en Russie d'avant la révolution, de manquer de respect à un prêtre ou de critiquer un membre du clergé, ce qui a bien changé depuis...

On parlait donc du père Alexandre à mots couverts, mais le peu que nous en entendions nous donnait l'impression qu'il ne jouissait pas d'une grande estime de la part de nos parents.

Tout éclata à l'occasion de nos dévotions annuelles que nous accomplissions au début du grand carême de Pâques. Au cours de la confession, alors que Papa était agenouillé et la tête recouverte de l'étole en train de récapituler ses péchés, par conséquent en posture de pénitence et d'humilité, voilà que le père Alexandre se mit à l'accabler de reproches pour n'avoir pas construit le hangar qu'il avait demandé et dont il avait besoin pour la prochaine récolte. Il ajouta que ses péchés ne lui seraient définitivement remis que lorsque cet hangar serait prêt.

Papa trouva cette façon de procéder un peu cavalière et le moment très mal choisi. Sa position de pénitent lui interdisait toute réplique sur le moment, mais il se réservait bien d'y répondre par la suite.

Le résultat ne se fit pas attendre : non seulement notre père ne donna aucune suite au projet du hangar, mais il transféra le lieu de nos dévotions au village voisin, dont le prêtre, le révérend père Vladimir Lévitski, méritait l'estime générale et avait du tact.

Le père Alexandre en fut terriblement vexé et ne manqua pas

l'occasion de faire des reproches à Papa, mais en pure perte.

— Si vous voulez préserver nos bonnes relations, lui dit Papa, abandonnez le sujet.

Le père Alexandre suivit ce conseil, sachant que Papa n'avait qu'une parole et que ses décisions, une fois prises, étaient irrévocables.

Tout cela ne nous empêchait pas d'entretenir des relations amicales avec les enfants Zélinski et, certains dimanches en été, on envoyait une calèche pour les amener au château. C'était nos seuls compagnons de jeux.

Les idées du père Alexandre pour développer la paroisse n'étaient pas toujours très bien inspirées, comme celle, par exemple, dont il vint entretenir Papa en lui demandant son concours.

Notre village, disait le père Alexandre, était trop loin de tout lieu de pèlerinage. La population en était privée, il fallait faire quelque chose pour y remédier. Voici ce qu'il avait imaginé : il y avait un puits dans notre forêt, très bien situé au fond de la vallée. On pourrait y créer un miracle. On collerait l'image de la Vierge au fond du puits et on annoncerait l'apparition miraculeuse au cours de la messe. On organiserait ensuite une procession pour bénir le puits et le consacrer à la Vierge. Et chaque année, à la même date, on ferait un pèlerinage.

Papa trouva l'idée très mauvaise et interdit l'accès au puits.

Une autre fois, le père Alexandre irrita de nouveau Papa par un geste qu'il qualifia de sans-gêne. Notre père avait acheté une machine à écrire et s'exerçait à taper, sans d'ailleurs très bien y réussir. Un jour, un messager apporta une lettre du père Alexandre accompagnée d'une pétition manuscrite qu'il adressait à son évêque. Il priait Papa de lui taper cette pétition à la machine et de la lui renvoyer le plus tôt possible. Papa se mit à l'œuvre, tapa soigneusement le long texte et le renvoya au village.

Quelle ne fut sa surprise lorsque le messager revint en

rapportant la pétition accompagnée d'un mot : le père Alexandre priait Papa de tout retaper dix centimètres plus bas.

Papa prit une plume et traça à travers tout le texte : « Ce que j'ai écrit, je l'ai écrit — comme Ponce Pilate », et renvoya le tout au père Alexandre.

À la fin de l'été, quand les premières fraîcheurs de l'automne commençaient à s'annoncer, on révisait nos vêtements d'hiver. Et on constatait que nous avions considérablement grandi.

Papa et Maman sortaient alors les catalogues des grands magasins Mure et Mérilise de Moscou et préparaient leur commande annuelle. Tout était expliqué et décrit dans ces excellents catalogues. Il n'y avait plus qu'à choisir les articles et passer la commande.

On prenait longuement nos mesures. Pour les chaussures, il fallait se déchausser et poser les pieds sur une feuille de papier. Papa en dessinait le contour. Mais le crayon nous chatouillait et nous faisait sauter et rire, si bien que le dessin était inexact. Papa se fâchait et recommençait en nous interdisant de bouger.

Maman n'avait guère d'imagination pour les vêtements. Une fois adopté un modèle, elle ne cherchait pas à en changer. Ainsi, nous portions toujours le même costume marin, veste droite avec un grand col dans le dos et jupe plissée. Nous les avions en lainage bleu marine pour l'hiver, et en cotonnade blanche pour l'été. Emmanuel avait le même modèle, sauf évidemment que le sien se terminait par un pantalon, long ou court, selon les occasions.

Nous, les filles, portions les cheveux longs à l'anglaise, retenus sur le côté gauche par un ruban assorti à la robe. Chacune de nous avait sa boîte de rubans de différentes couleurs.

Ces cheveux pendants nous agaçaient terriblement. Le nœud glissait sans cesse et on le perdait constamment. Mais Maman n'admettait pas d'autre coiffure.

Elle aimait aussi que, toutes les quatre, nous soyons habillées de façon identique, comme des petites filles de pensionnat. Cela ne me gêna pas jusqu'à l'âge de dix ans, mais, l'ayant atteint et étant grande pour mon âge et déjà un peu coquette, je ne voulus plus porter la même robe qu'Ella qui n'avait pas cinq ans. J'essayai d'introduire quelques modifications dans mes toilettes en exploitant la bienveillance de notre couturière Maria Ioanikiévna.

Pendant des années, elle nous habilla de son mieux, passant chaque année de longs mois au château.

Sans vouloir en rien diminuer ses mérites, je dois avouer que les essayages étaient insupportables. Maria Ioanikiévna parlait à travers un bouquet d'épingles qu'elle tenait dans sa bouche qui exhalait une très mauvaise haleine et nous envoyait des postillons.

Notre garde-robe était toujours assez bizarre et « pas comme celle des autres ». Mais Maman ne prêtait aucune attention aux « autres » et ne se faisait influencer par la mode que dans la mesure où celle-ci lui plaisait. D'habitude, ayant choisi un modèle, elle le modifiait, ce qui, ajouté à l'exécution de Maria Ioanikiévna, donnait un résultat rappelant très vaguement le modèle de la revue.

Nos manteaux d'hiver sortaient, eux aussi, des mains expertes de notre couturière. Ils étaient toujours en drap bleu marine et si abondamment rembourrés d'ouatine, qu'aucune façon ne pouvait subsister. Sur la tête, nous portions de hauts béguins pointus du même tissu, doublés de flanelle blanche, et agrémentés d'un petit volant froncé autour du visage que Maman trouvait très seyant.

Dès les grands froids, nous devions enfiler des pantalons en flanelle, de grosses guêtres noires et des bottillons à agrafes. Ainsi emmitouflés, nous pouvions affronter les pires intempéries.

Généralement nous avions trop chaud quand nous sortions dehors et trop froid quand nous rentrions au château.

La religion jouait un grand rôle dans notre famille, comme d'ailleurs dans toutes les familles de Russie d'alors. La foi, le tsar et la patrie ne se discutaient pas, c'était la base de tout.

Maman était sincèrement chrétienne et Papa s'interdisait toute critique et observait un loyalisme parfait. Mais je n'ai jamais su ce qu'il en pensait vraiment.

On observait les carêmes et Dieu sait qu'ils étaient nombreux et sévères. L'Église orthodoxe ne se borne pas à interdire la viande et la volaille, mais aussi les laitages et les œufs. Par bonheur, les pères de l'Église n'ont pas supprimé le poisson, fort employé par les moines et tout le peuple russe. Mais quand je dis « poisson », je pense « hareng », saur ou salé, triste mets des pauvres, qui ne peut, en vérité, induire en péché de gloutonnerie.

Cette exception faite au profit du hareng, je veux dire du poisson, s'explique peut-être par le fait que les monastères du Nord pratiquaient fort la pêche et, privés par ailleurs de tout aliment comestible par les rigueurs du climat, la pauvreté du sol et le manque de transports, tiraient du poisson leur principale subsistance et le préservaient précieusement à l'aide du sel et de la fumée. Interdire le poisson dans ces conditions pendant la plus grande partie de l'année eût été impossible. Je pense donc que nous devons aux moines ce plat national.

Le peuple russe avant la révolution était très pieux et on faisait grand cas de l'Église et de ses règlements. C'était preuve de respectabilité et d'honorabilité que d'observer les jeûnes. Pour exprimer la déchéance et l'immoralité de quelqu'un, on disait avec mépris : il mange gras pendant le carême !

Mais il est difficile de déjouer la roublardise du genre humain, et même les chefs spirituels les plus autoritaires n'y parvinrent pas dans le domaine de la gourmandise.

Le règlement autorisant le poisson n'exige pas que ce dernier soit de goût médiocre. Il se rapporte à tous les poissons, quels qu'ils soient. Il ne précise pas non plus quelle recette il convient d'employer. Grâce à cette omission, une large voie d'évasion s'ouvrit aux pieux gourmets.

On étudia la question à fond et on fit des découvertes. Les carêmes perdirent beaucoup de leur austérité, devinrent moins longs et surtout moins pénibles.

« Table maigre », affichaient certains restaurants dont quelques-uns, fort réputés, firent leur spécialité.

Les carpes grasses, tendres et savoureuses, les brochets farcis à la juive, les truites pochées aux fines herbes, les délicieux maquereaux et barbues frits de la mer Noire remplacèrent avantageusement les plats de viande interdits. Le hareng lui-même ne fut pas oublié et, ennobli par un astucieux assaisonnement, trouva une place très honorable parmi les hors-d'œuvre.

Les Grecs, nos voisins et coreligionnaires, apportèrent une inestimable contribution à la table maigre en projetant une lumière révélatrice sur les légumes du Midi. Les aubergines, les tomates, les poivrons, les courgettes, et les olives, peu connus dans le Nord, y pénétrèrent auréolés de sauces épicées, remplis de farces de riz, d'oignons et d'herbes fines, dorés à l'huile et parfumés à l'orientale.

Et les pirojkis, russes ceux-là, au chou, au saumon, aux champignons secs ! Sans parler du royal caviar, il y avait de quoi satisfaire la gourmandise la plus délicate. Le carême pouvait changer d'aspect si seulement on savait s'y prendre.

Je dois cependant signaler que les possibilités que je viens de décrire n'étaient pas souvent exploitées à Vassilki. Ce n'était sûrement pas par piété excessive ni par économie, mais simplement par nonchalance et aussi par difficulté d'approvisionnement. L'étang ne fournissait que de petits carassins farcis d'arêtes et des gardons sans goût, sinon celui de la vase. On avait bien essayé de lâcher dans l'étang quelques carpes et un brochet dans l'espoir que les carpes se propageraient et que le brochet mangerait le menu fretin inutile. Mais on ne les revit jamais plus.

Le Dniestr n'était pas poissonneux et il n'y avait aucun poisson sur les marchés de nos bourgades.

Notre chef Yakime était très pieux et les jeûnes lui paraissaient nécessaires pour le salut du corps et de l'esprit. Mais ses talents culinaires s'assoupissaient pendant les périodes maigres et nos menus, déjà épurés de tout ce qui pouvait flatter le palais, prenaient un caractère monacal. Les soupes aux légumes secs, les borchtchs maigres, le riz aux champignons, les croquettes de pommes de terre, les nouilles à l'oignon frit, le gruau de sarrasin et, pour terminer ces tristes repas, des compotes de pruneaux ou des pommes au four... La cuisine se faisait à l'huile de tournesol foncée et âpre, ce qui n'arrangeait rien. Il n'y avait pas de quoi entretenir le feu sacré de l'art culinaire !

Quant à nous, nous traitions ces repas par le mépris, mais nos parents n'y prêtaient aucune attention. Ils considéraient que cette table végétarienne à outrance était excellente pour la santé et, de toute façon, le principe d'observer tous les carêmes était établi une fois pour toutes.

Tous les carêmes sauf un. Papa voulait bien montrer l'exemple en se privant de bonne chère pendant sept semaines avant Pâques et six avant Noël, mais il avait résolument supprimé le carême de l'Assomption.

— C'est la saison des légumes frais, disait-il, et ce serait ridicule de manger des asperges, des petites pois et des haricots verts à l'huile de tournesol.

— L'Assomption de la Vierge est un événement moins important que la Résurrection du Christ, remarquait Maman comme pour excuser les libertés que prenait Papa.

— Ah non ! pas d'hypocrisie ! l'arrêtait celui-ci. La Vierge n'y est pour rien, il ne s'agit que de légumes. Je supprime ce carême parce qu'il tombe trop mal et j'en prends toute la responsabilité.

Les destinées de la cuisine ont d'abord été confiées au chef Philippe, grand vieillard autoritaire, la plupart du temps d'humeur massacrante. Il supportait difficilement ses semblables et paraissait toujours sur le point de tout envoyer au diable et, avant tout, ses casseroles. Il avait des crises de rage à intervalles réguliers qui coïncidaient avec les jours où il s'enivrait, c'est-à-dire souvent. On lui passait beaucoup de choses à cause de son âge, de ses talents culinaires et de l'ordre qu'il savait faire régner à la cuisine.

Lors de ces crises, Philippe allait parfois un peu loin, terrorisait les domestiques et cassait le matériel. Il se mettait d'habitude à lancer les objets les plus inattendus à la tête de la malheureuse Eudoxie, son aide, et la coiffa un jour d'une crêpe chaude. Une fois, quand on lui renvoya un rôti mal cuit, il le saisit et, au lieu de le remettre au four, le jeta par la fenêtre où le chien Hoholouche l'attrapa au vol et disparut dans les buissons.

Il arriva aussi que Philippe s'enfermât dans sa chambre et ne répondît plus aux appels. On s'inquiéta et, craignant qu'il ne fût malade, finit par employer les grands moyens : on approcha une échelle de sa fenêtre pour aller voir ce qui s'y passait.

On le trouva étendu sur le lit, les bras et les jambes écartés, le visage cramoisi, en train de cuver sa vodka. On savait qu'il eût été vain d'intervenir et qu'il ne restait qu'à l'oublier jusqu'au lendemain, quand il apparaîtrait sombre et menaçant, plein de dégoût pour la vie, le monde et ses maîtres.

Un incident provoqua la fin de la carrière de Philippe dans notre maison. Cet incident nous impressionna tant qu'il resta pour toujours dans le répertoire de nos anecdotes familiales. Ce jour-là, Maman comme tous les soirs, attendait son arrivée pour lui commander le dîner. En vain. On envoya une femme de chambre le chercher, mais celle-ci revint en annonçant que le chef l'avait envoyée au diable.

Papa et Maman commençaient à se fâcher et décidèrent

d'expédier l'économe, qui avait plus de poids et de prestige. Après un long moment de suspense, Philippe apparut dans la porte, se planta en face de Maman et lança d'un ton rogue :

— Il paraît que vous avez quelque chose à me dire ?

— Voyons, voyons Philippe, dit Maman d'un ton conciliant, vous le savez très bien. Il faut nous faire un dîner comme tous les soirs.

— Eh bien, cria Philippe, moi j'ai aussi quelque chose à vous dire : il n'y a que les cochons qui mangent toute la journée !

Et, tournant le dos, il s'en fut.

Yakime était un homme très différent. Pour commencer il ne buvait pas, allait à la messe, observait les carêmes et aimait la politesse.

Il avait été recommandé à Papa par le gérant du baron Hasenbrück qui venait de mourir. Le cuisinier du baron se trouvait de ce fait sans place.

Yakime était un petit homme d'une cinquantaine d'années, digne et calme, conscient de sa valeur, mais sans suffisance excessive.

La vie entière de Yakime s'était passée au château du baron Hasenbrück, auquel il vouait un culte profond et impérissable. Il lui devait tout et ne cessait de le proclamer. C'est chez le baron qu'il avait débuté en qualité de marmiton pour terminer sa carrière comme chef attitré du château. C'est chez le baron qu'il avait appris à lire et à écrire, grâce au baron qu'il avait appris la grande cuisine, les usages du grand monde et la vie de château.

Il avait accompagné le baron à Kiev et a pu ainsi visiter Sainte-Laure, ce fameux monastère bâti sur une falaise percée de catacombes dans lesquelles reposent les corps incorruptibles d'innombrables saints.

Le baron avait aidé et conseillé Yakime en toute chose et s'était occupé de ses enfants. Sa mort avait laissé Yakime dans un désert que rien ne pouvait combler.

C'est encore le baron qui lui avait offert un gros calendrier illustré, un certain Noël du temps de ses débuts, en prononçant cette phrase inoubliable que Yakime aimait tellement répéter :

— Lis chaque soir les textes du jour et à la fin de l'année tu liras couramment.

Yakime fit mieux : il lut le calendrier toute sa vie. Il avait bien raison car ce gros calendrier était rempli de littérature variée et de précieux renseignements sur tout. Les nouvelles politiques avaient un peu perdu de leur actualité, mais les textes littéraires et les informations scientifiques restaient valables.

Grâce au calendrier, Yakime s'instruisit. Il jouissait d'un grand prestige auprès des domestiques et aimait leur lire les histoires qu'il connaissait lui-même par cœur mais ne se lassait jamais de recommencer.

Le soir, le travail terminé, il mettait ses lunettes et ouvrait son calendrier. Il lisait toujours à haute voix, qu'il fût seul ou entouré d'un auditoire. Il lisait lentement avec pénétration pour mieux comprendre et apprécier.

Les textes russes étaient souvent durs à démêler pour un Ukrainien, mais Yakime les avait tous maîtrisés. Qu'il s'agît de recettes culinaires, d'anecdotes humoristiques, de citations d'hommes de science, de petits récits ou de vers, Yakime les relisait avec un égal intérêt. Toute son érudition était basée sur ces paroles imprimées, donc vraies.

Pour aider ses auditeurs à comprendre, Yakime traduisait, expliquait et commentait. Le calendrier dans les mains, il les regardait par-dessus ses lunettes et annonçait :

— En France, il n'y a pas de tsar, mais seulement un président. Mais ça ne vaut rien, car un président est un homme ordinaire. Ce n'est pas un Oint de Dieu.

Yakime aimait les phénomènes naturels tels que les éruptions des volcans, les tremblements de terre, les éclipses de soleil, les apparitions de comètes. Il les expliquait à un auditoire attentif et angoissé en jouissant de son effet. Il ne manquait pas d'ajouter quelques sombres prédictions pour l'avenir que personne ne mettait en doute.

— Vous avez vu les étoiles filantes? demandait-il d'un ton sévère. Je vous dirai d'où elles viennent : c'est la queue de la comète de 1912 qui s'est désagrégée et nous retombe sur la tête. C'est très dangereux car elle brûle encore. Si on ne fait pas attention, la prochaine comète va accrocher la terre et alors nous brûlerons tous.

On frissonnait d'épouvante, on faisait le signe de la croix, on regardait par la fenêtre...

— C'est un tremblement de terre qui a détruit la Grèce, déclarait Yakime.

Il ajoutait aussitôt ses prévisions personnelles.

— La prochaine fois ce sera la Russie, car le peuple russe s'est éloigné de Dieu.

Yakime avait des dons incontestables pour la médecine et l'exerçait plus par goût que par amour du prochain. Il avait sa propre clientèle, mais il lui arrivait aussi d'intercepter les malades de Maman qui attendaient à la cuisine qu'on les appelât au château.

Un des remèdes que pratiquait Yakime était un peu violent, mais il le jugeait très efficace dans les cas obscurs que le malade n'arrivait pas à expliquer. Il faisait entrer son patient dans sa chambre, l'installait dans son lit, tirait les rideaux et ordonnait le repos complet. Le malade ne tardait pas à s'endormir. C'est alors que Yakime, muni d'un seau d'eau froide et d'un bâton, faisait irruption dans la chambre, renversait le seau sur le dormeur et lui administrait une énergique raclée. Le malade sautait du lit ahuri et épouvanté, mais, assurait Yakime, guéri.

Deux fois par mois Yakime enlevait son tablier, le pliait soigneusement et le rangeait dans son armoire. Après quoi, il donnait des ordres aux filles de cuisine qui devaient le remplacer pendant deux jours et s'en allait à Barsouki, son village, où l'attendaient sa maison et sa femme.

Il avait aussi un fils dont il parlait avec un mélange de fierté et de tristesse. Le baron, à l'époque où le gamin avait atteint ses douze ans, l'avait envoyé à Vinnitsa pour qu'il y fasse ses études dans une école technique. L'enfant avait hérité de son père le goût de l'instruction et la curiosité du monde. Aussi s'adapta-t-il vite à la vie citadine, devint mécanicien, s'engagea dans une entreprise et ne revint plus.

Noël était un grand événement dans notre vie. Son attente commençait avec les premiers jours de carême, c'est-à-dire quarante jours à l'avance.

Ces longues semaines grises de fin d'automne paraissaient interminables. Le ciel bas et noir deversait des pluies glaciales, la désolation régnait dans les campagnes détrempées et sans vie. Les arbres déplumés se dressaient comme des spectres autour du château envahi d'un froid humide.

La table maigre, privée de tout attrait, et nos leçons monotones complétaient la tristesse de cette mauvaise période de l'année.

Saison des refroidissements, de claustration, de mélancolie. Maman racontait que sa mère détestait le mois de novembre et savait qu'elle mourrait au cours de ce mauvais mois. Ce qui arriva un jour.

Pour nous, il y avait un viatique qui nous aidait à traverser toutes les épreuves : Noël à l'horizon. Sans cette étoile qui se rapprochait chaque jour, nous nous serions abandonnés à une morne apathie.

Les bouleversements commençaient par les grands nettoyages. Une pièce après l'autre était vidée, nettoyée, parfois repeinte. Quand arrivait le tour de nos chambres à coucher, nous déménagions dans les chambres d'amis. C'était passionnant de camper et de dormir dans des lits qui n'étaient pas les nôtres. Tout était sens dessus dessous et nous profitions de la confusion et du désordre pour toute sorte de sorties. On grimpait rapidement au sommet d'une échelle laissée par les peintres, on se cachait entres les meubles déplacés, on sautait par la fenêtre sur la terrasse enneigée.

Pendant ces jours mouvementés, nos cours étaient irréguliers et se passaient où et comme ils pouvaient. Les repas étaient servis avec retard, à des endroits inattendus, et semblaient de ce fait moins mauvais.

Quand arrivait enfin la sixième et dernière semaine du carême, on commençait la fabrication des traditionnels pains d'épices. On sentait tout à fait Noël dans l'air. Pour moi, Noël a une odeur de miel, de cannelle et de clous de girofle.

Nous participions tous les cinq à cette importante opération qui se passait dans la salle à manger. Chacun de nous avait sa petite table en bois blanc, tandis que Maman s'installait à la grande table ovale couverte d'ingrédients. On entendait pendant des heures les lourds pilons broyer la cannelle dans les mortiers en cuivre. La pâte brune et collante pétrie dans d'énormes terrines embaumait le miel et les épices.

Le moment venu, chacun recevait une motte de cette pâte et le travail commençait. Vêtus de tabliers blancs, nous façonnions des cœurs, des croix, des demi-lunes, des bonshommes, des animaux. Emmanuel montrait le plus d'adresse et savait préserver ses mains de la pâte collante en les saupoudrant à temps de farine. Les jumelles, par contre, avaient vite les doigts englués et éclataient en sanglots.

La petite Ella trônait sur sa haute chaise à côté de Maman et tapait avec une cuiller en bois sur un petit tas de pâte sacrifiée en affectant des airs suffisants.

Papa venait voir comment se déroulait le travail et nous donnait des idées, mais il se gardait bien d'y participer. Il ne manquait pas l'occasion de se moquer de Maman qui avait de la farine sur le nez et dans les cheveux.

C'est Maman elle-même qui se réservait le clou de la fabrication, le fameux pavé composé de petites boules collées les unes aux autres. Cuit et recouvert de sucre glace, ce gros pain d'épices ressemblait tout à fait à un pavé en miniature.

Notre zèle ne diminuait que vers le soir quand nous commencions à en avoir assez. Un dernier effort pour badigeonner nos sujets au jaune d'œuf et un soupir de soulagement en les voyant partir au four. Quand, deux heures plus tard, on les rapportait, encore tout chauds et odorants, ils étaient méconnaissables. Grossis, bouffis et défigurés, ils se ressemblaient tous.

Après les pains d'épices, c'était le tour des décorations pour l'arbre de Noël. La grande table était alors jonchée de papiers de soie, de dorures, de pots de colle, de fils argentés, de carton. Nous fabriquions des bonbonnières et des filets en papier que nous remplissions de chocolats, dorions des noix et des pommes de pin. Papa, cette fois, prenait part à nos travaux et sauvait souvent une œuvre en péril.

Quelques jours avant la fête et quel que fût le temps, Maman allait à Kamenetz-Podolsk faire des achats. Si la route était enneigée, elle partait en traîneau, emmitouflée de fourrures et les genoux recouverts d'une énorme peau de mouton. Soixante verstes [1] en traîneau ouvert par des routes à peine praticables étaient un véritable exploit.

Nous attendions le retour de Maman avec impatience et prêtions l'oreille aux bruits du dehors. Lorsque les aboiements joyeux des chiens annonçaient son arrivée, nous nous précipitions vers le vestibule. La joie de revoir Maman saine et sauve était augmentée par la vue des innombrables paquets qu'on déchargeait.

Un deuxième traîneau suivait celui de Maman, transportant un grand sapin ficelé. Nikita et Karpo le portaient dans le salon et le dressaient au centre de l'immense pièce. Papa coupait les cordes, la neige s'éparpillait sur le parquet et une exquise odeur de résine et de bois humide se répandait dans l'air.

1. Une verste = 1,07 km.

À partir de ce moment l'accès au salon nous était interdit. Noël avec sa grandeur et son mystère était entré dans la maison.

Les orthodoxes les plus fervents, ou simplement ceux qui voulaient se distinguer par une démonstration de piété exemplaire, s'imposaient la veille de Noël un jeûne total jusqu'à l'apparition de la première étoile. Chez nous le chef Yakime et presque tous les domestiques observaient cette coutume.

Toujours séduite par tout ce qui était héroïque, je suppliais Maman de me permettre de faire comme eux. Enfin, jugeant que j'étais assez grande pour endurer cette épreuve, Maman me le permit.

Je me promenais toute la journée avec un air de sainteté et regardais ceux qui se mettaient à table avec un mélange de dédain et de pitié.

Dès le crépuscule je courais aux fenêtres pour scruter le ciel : l'étoile était-elle là ? Or le ciel était couvert de nuages et une brume noire pendait comme un voile. Comment faire ? Manger trop tôt voulait dire tout abîmer.

C'était Yakime qui tranchait la question en déclarant que l'étoile était là. On le croyait, même si personne ne l'avait vue.

Au cours de ce dernier souper maigre, on servait la traditionnelle koutia, plat symbolique et peu mangeable, fait de blé bouilli et de miel. Chacun s'en mettait une cuillerée dans l'assiette, mais seule Maman réussissait à l'avaler. Et elle disait invariablement :

— Mais je vous assure, ce n'est pas aussi mauvais que ça...

Nous préférions encore nos pommes de terre à l'huile de tournesol. Et qu'importait ? À minuit, le carême serait fini et demain... Oh demain !

Il faut faire maigre quarante jours pour comprendre ce que veulent dire une tasse de café au lait et un toast beurré. Oh, les inoubliables petits déjeuners de Noël ! Le samovar fumait au milieu des tasses bleues du service des grandes occasions, ressemblant à des crocus sur un fond de neige, la motte de beurre, les brioches !

Mais il faut aller à la messe. Les voitures sont là depuis une heure et les chevaux piaffent d'impatience.

Comme d'habitude, il n'y a que Papa qui soit prêt. Il commence à s'énerver.

— Si on ne part pas tout de suite, la messe sera finie !

On part enfin. L'église est pleine à craquer, on s'écarte pour nous laisser passer. Le service est bien avancé, mais il en reste encore assez pour nous donner des fourmis dans les jambes. Le père Alexandre a traîné tant qu'il a pu, mais maintenant que nous sommes là, il accélère. Le chœur chante fort et faux et Maman jette des regards consternés du côté de Joseph Pétrovitch qui ne progresse décidément pas en dépit de tous ses efforts pour lui inculquer le sens musical.

Nous regardons avec intérêt la famille du père Alexandre. La matouchka est naturellement enceinte, les fils aînés sont arrivés de Kamenetz-Podolsk pour les fêtes, les fillettes ont grandi depuis l'été. Ils seront tous nos hôtes le lendemain et on rallumera l'arbre à leur intention.

Le reste de la journée se passe dans l'attente et même le déjeuner avec sa dinde ne peut nous distraire. Incapables de nous occuper de rien, nous rôdons d'une pièce à l'autre en revenant sans cesse vers la porte du salon pour guetter les allées et venues de nos parents. Ils transportent des boîtes et des paquets qui nous intriguent et nous fascinent.

Le moment solennel arrive enfin. On nous place en file selon l'âge : Ella, toute petite et toute ronde, est en tête ; les jumelles sont côte à côte, car elles sont une seule personne tirée en deux exemplaires, puis moi et enfin Emmanuel.

Papa ouvre la porte toute grande et l'arbre étincelant de ses deux cents bougies apparaît dans toute sa splendeur.

Mais avant tout il faut chanter *Ta Nativité, Seigneur* que nous avions répété pendant tout le carême. Maman se met au piano et nous nous plaçons à nos postes respectifs. Nous chantons mal, les yeux tournés vers l'arbre, et surtout vers les divans où s'étalent les innombrables cadeaux.

Le jour suivant, c'est encore Noël. On allume de nouveau le sapin pour les enfants Zélinski qu'on envoie chercher au village. Ania est naturellement là. Chacun reçoit un cadeau et un sac de friandises.

Le troisième jour est consacré aux enfants de l'école, une quarantaine de gamins guidés par Joseph Pétrovitch. Eux aussi doivent chanter le cantique sous la baguette de leur maître qui agite son diapason et jette des regards autoritaires.

Les enfants défilent autour du sapin, mais leur attention est bien plus attirée par son reflet dans l'énorme miroir qui lui fait face. Curieusement, il se produisait chaque année un phénomène amusant : les gosses s'arrêtaient bouche bée et s'exclamaient : « L'église ! »

Maman distribuait des petits sacs avec les cadeaux et les friandises et les enfants remerciaient gauchement.

Les cadeaux furent par la suite remplacés par l'argent car on apprit que, dès le lendemain, ils échouaient chez le Juif qui en donnait quelques kopecks ou les échangeait contre des choses plus utiles, comme des hameçons, des mèches d'amadou, de la ficelle, des clous.

Le premier arbre de Noël que nos parents offrirent aux écoliers de Vassilki fut installé à l'école. Tout marcha bien et les enfants semblaient ravis, ainsi que leurs parents qui s'entassaient dans la salle.

Papa et Maman quittèrent l'école tandis que les bougies brûlaient encore et se dirigèrent vers leur calèche.

Un effroyable vacarme et des hurlements les firent revenir en hâte. Un spectacle ahurissant les cloua sur place : l'arbre était par terre et l'assistance entière, enfants et parents, pêle-mêle, le déchiquetait. Les branches s'étaient enflammées et la catastrophe paraissait imminente.

Papa ne perdit pas son sang-froid et ordonna l'évacuation de la salle. Épouvantés, les enfants se ruèrent vers la sortie, tandis que Papa, Maman et Joseph Pétrovitch éteignaient le feu. Dieu merci, il n'y eut pas de victimes mais, après cette expérience, nos parents firent l'arbre au château.

La nouvelle année, plus que toute autre chose, devait commencer par une bénédiction. Il y avait donc un *Te Deum* au château la nuit du Nouvel An.

Le père Alexandre arrivait vers onze heures et tous les habitants du château se rassemblaient dans le salon.

L'icône du Christ entourée de cierges était placée sur une table drapée de blanc. Maman installait son chœur et serrait nerveusement son diapason.

— Prions Dieu notre Seigneur ! commençait le père Alexandre. Il faisait signe à Maman car le chœur devait répondre : amen !

Mais le chœur avait du mal à démarrer et très souvent on n'entendait qu'un petit amen hésitant, chanté en solo par Maman.

Il arriva une fois que Mania, la première femme de chambre, qui était totalement privée de sens musical, se bouchât discrètement les oreilles pour ne pas se laisser dérouter par les autres voix. Et pour mieux se concentrer, elle ferma les yeux. Elle ne remarqua donc pas que tout le monde s'était tu et qu'elle chantait seule, fort et faux.

Papa s'amusait beaucoup et même le père Alexandre ne put s'empêcher de rire dans sa barbe.

Après le *Te Deum,* on passait à la salle à manger pour procéder à la célébration profane. Tous les regards étaient à présent fixés sur l'horloge, guettant le coucou qui allait égrener les douze coups de minuit.

Dès l'apparition de l'oiseau, Papa débouchait le champagne. On se félicitait, on s'embrassait et, avec la bénédiction de Dieu, on entrait dans l'année nouvelle.

Le jour de l'an était une date très importante. Fête officielle et jour de réceptions, chez nous, comme dans tous les pays, il était un jour solennel.

Le cérémonial des félicitations commençait dès le matin. Nous devions tous être là, car la courtoisie exigeait que la famille soit au complet.

La première délégation était celle des notables du village que conduisait le maire. C'est lui qui prononçait l'allocution en russe estropié, mélangé d'ukrainien. Puis le groupe entier criait « Bonne Année ! Bonheur ! Prospérité ! » et nous aspergeait de blé.

Le rituel du blé accompli, commençait la cérémonie des saluts. Coutume embarrassante à laquelle on ne pouvait pas se soustraire. Trois saluts jusqu'à terre suivis de baisemain. Emmanuel et moi, en tant qu'aînés, avions droit à un salut et à un baisemain et nos sœurs à un baisemain seulement, vu leur jeune âge.

Les saluts terminés, on déposait un kolatch, pain tressé en couronne, emblème d'amitié.

Le groupe suivant arrivait aussitôt et tout recommençait. Ainsi se succédaient les délégations des employés du domaine, les journaliers, jeunes gens et jeunes filles séparément, les femmes du village, les choristes de l'église, les employés des moulins, les forestiers. Papa remettait une somme d'argent à chaque groupe.

À la fin de la journée, le salon ressemblait à une aire de ferme et les kolatchs (pains ukrainiens) s'élevaient sur les tables comme des pyramides.

Les saluts jusqu'à terre étaient une vieille coutume polonaise qui faisait partie de la bonne éducation. Ces saluts n'avaient rien d'humiliant et étaient l'expression de l'amitié, du respect et de la loyauté. Refuser de s'y prêter eût été la pire maladresse. Papa ne perdait jamais de vue un incident qu'on lui avait raconté lors de son arrivée dans le pays. Un jeune propriétaire venu du Nord refusa de donner sa main à baiser à un paysan.

Celui-ci fut à un tel point blessé, qu'il porta plainte au tribunal pour offense et outrage.

En établissant la réglementation des carêmes, les saints pères de l'Église orthodoxe montrèrent une grande connaissance de la nature humaine. En effet, ils instituèrent le « miassopoust », une semaine sans viande qui précède le grand jeûne de Pâques. Passer du gras au maigre n'est pas facile et il fallait une transition avant de se lancer dans une période de sept semaines de nourriture végétarienne.

Ce n'est donc pas par sévérité excessive, mais par souci de la santé du corps et de l'esprit des croyants qu'on supprima la viande de cette semaine d'entraînement pendant laquelle on consommait encore des laitages et des œufs, mais en songeant déjà au long jeûne.

Malheureusement le vrai sens de cette règle salutaire ne fut pas bien compris, et la semaine sans viande se transforma en semaine de gloutonnerie. C'est, comme on sait, la semaine du Carnaval.

Au lieu de se sentir un pied engagé déjà sur le chemin de la pénitence, comme le recommande l'Église, on crut qu'il fallait au contraire, faire à la bonne chère des adieux à tout casser. On excella en abus gastronomiques, on rivalisa d'art culinaire, on s'adonna à la plus franche débauche de l'estomac.

Ceux qui étaient résolus de tout expier par sept semaines d'abstinence avaient encore une excuse. Mais les gloutons impénitents qui profitaient de l'occasion pour donner libre cours à la débauche étaient doublement à blâmer. Les modestes crêpes destinées à remplacer la viande se transformèrent en triomphants blini [1].

Les blini fleurissaient à toutes les tables et la quantité engloutie était stupéfiante. Un bline correct se mange arrosé de

1. Un bline, des blini.

beurre fondu et de crème fraîche, accompagné de saumon, de caviar, d'anchois de Norvège, d'esprots fumés et de tant de zakouskis [1] les plus fins.

Après ces avalanches de blini richement garnis, on servait un bouillon pour faire descendre le tout et préparer la voie au cochon de lait ou à la dinde farcie. Le repas se terminait par un dessert spectaculaire.

C'était à se demander si on ne voulait pas se rendre malade pour s'enlever le regret de la bonne chère et se mettre à la diète avec soulagement.

Dès le lundi de la semaine du Carnaval, on ne pensait plus qu'aux réceptions et aux festins. On échangeait des invitations, on préparait les banquets. C'était la semaine mondaine par excellence. C'est pendant cette semaine que l'on voyait le plus de monde.

Chez nous, comme partout ailleurs, c'était la période de réceptions. Il fallait en donner plusieurs et composer les listes des invités avec doigté. Il fallait tenir compte de certaines nuances et distinctions sociales et se rappeler les relations que les convives entretenaient entre eux. Il eût été maladroit, par exemple, de placer M. Douratch à côté de M. Chtchavinski, car on savait qu'ils étaient en procès. Ou le père Vladimir du village voisin, Kourilovtzi, auprès du père Alexandre de Vassilki, car c'était de notoriété publique qu'ils n'avaient jamais pu s'entendre sur les limites de certains pâturages. Et notre maréchal de noblesse, M. de Patton, et sa délicieuse épouse étaient bien trop distingués pour subir les histoires de chasse un peu lestes du géomètre Pavlov. Le chauvinisme russe du juge de paix Gansky ne pouvait que blesser le chauvinisme polonais de M. Régoulski. On faisait donc plusieurs banquets avec un assortiment de convives bien équilibré.

Nous, les enfants, n'étions pas admis à ces grands repas. On dressait pour nous une table séparée dans une autre salle à man-

1. Hors-d'œuvre.

ger, ce qui ne nous empêchait pas d'être au courant de tout. Nous connaissions le menu et grimpions aux fenêtres de la cuisine pour voir ce que faisait le chef, guettions l'apparition des équipages dans la grande allée. Celui de nous qui réussissait à apprendre du nouveau courait le communiquer aux autres. Le brouhaha des voix dans le salon, l'odeur de tabac inhabituelle dans notre maison donnaient un air de fête à tout le château.

Ces journées gastronomiques, cette semaine d'abondance rendaient encore plus austère l'entrée dans le grand carême. Toute trace de ripaille disparaissait comme par enchantement. On ne parlait plus que de l'Église, de lectures pieuses et de bonnes actions.

Le triste cacao à l'eau, accompagné de toasts au miel, faisait son apparition au petit déjeuner. Fatigué de ses exploits de carnaval, Yakime servait des repas détestables pendant lesquels nous ouvrions à peine la bouche.

Nous reprenions nos études auxquelles s'ajoutaient pour toute la durée du carême les lectures sur la vie des saints que nous lisions avec recueillement. Je vois encore ces petits livres gris rédigés par les saints pères pour l'édification des croyants. Je n'ai jamais douté en les lisant de la véracité de ces récits. Et je souhaitais ardemment ressembler à cette sainte Pélagie qui avait chanté des prières en plein bûcher, ou au bienheureux Polycarpe qui s'était laissé crever les yeux et couper la langue plutôt que de renier le Christ. J'essayais de m'imaginer moi-même dans une situation identique et ne doutais pas que ma foi, elle aussi, ne fût à toute épreuve.

Une de ces histoires était particulièrement édifiante. Il s'agissait d'une âme qui venait de quitter son enveloppe charnelle et s'acheminait par la voie des airs vers un monde meilleur.

Mais une foule de démons surgissant des ténèbres lui barrait le chemin. L'âme épouvantée se crut perdue, quand les anges qui veillaient sur elle accoururent à son aide et attaquèrent les démons. Une lutte acharnée s'engagea entre les forces du bien et du mal, tandis que l'âme pétrifiée attendait la fin du combat.

C'est à ce moment-là que les bonnes actions qu'elle avait accomplies sur terre tombèrent comme des boulets sur l'ennemi et le firent reculer couvert de honte.

Cette rixe céleste et les émotions de l'âme étaient très bien décrites par le moine auteur du récit. Il était clair à quel point il était prudent de se munir de bonnes actions qui, à un moment critique, pouvaient jouer un rôle décisif pour l'éternité.

Si ces histoires laissaient Emmanuel sceptique, j'y croyais fermement et les racontais à nos bonnes avec flamme et conviction en trouvant un auditoire très réceptif.

Pour Maman l'essentiel était l'humilité et elle aimait citer la prière du pénitent : « Je suis le plus grand pécheur du monde et me remets à la miséricorde de Dieu. »

Mais Papa protestait :

— C'est de l'hypocrisie ! Je sais très bien que je ne suis pas le plus grand pécheur du monde.

La première et la quatrième semaine du grand carême étaient considérées comme les plus propices à l'accomplissement de nos dévotions. La semaine sainte était déjà remplie d'offices importants, comme les douze Évangiles du jeudi et la procession du Saint Suaire le vendredi. Sans parler de la messe de minuit le samedi.

Papa disait que pendant les derniers jours du carême, les préparatifs de Pâques occupaient trop les esprits et, qu'au lieu de se concentrer sur ses péchés, on était tenté de porter son intérêt à la table pascale.

C'était vrai, la faim accumulée pendant sept semaines se transformait facilement en rêves coupables qui troublaient la méditation.

Durant la semaine des dévotions toute la maison se plongeait dans une atmosphère d'austérité redoublée. Aux récits de la vie des saints s'ajoutaient de longs services quotidiens à l'église, d'autant plus ennuyeux que le chœur était remplacé par la voix monotone du psalmiste. Je n'ai jamais compris un seul mot de ces interminables lectures, non pas à cause du slavon qu'en principe nous devions connaître, mais parce qu'il était impossible de les écouter. Au lieu d'agir sur l'esprit, elles avaient le don de diffuser la somnolence et d'alourdir les jambes.

Nous n'arrivions heureusement jamais à l'heure et si le père Alexandre attendait notre arrivée le dimanche, il ne retardait pas le service les jours de semaine, pressé de se libérer lui-même pour vaquer aux travaux de ses champs. En effet, nos prêtres de campagne menaient la vie de paysans.

La confession imminente qui se rapprochait chaque jour nous terrorisait. On l'attendait avec angoisse, comme un examen.

On y allait le samedi soir après les vêpres, dans une église à peine éclairée de quelques cierges. Papa passait le premier, s'agenouillait devant le prie-Dieu drapé de velours noir et sa tête disparaissait sous l'étole du prêtre.

Maman, pénétrée d'humilité et de repentir, lui succédait. Puis c'était notre tour.

Après chaque confession, on poussait un gros soupir de soulagement en se disant qu'après tout cela n'avait rien d'effrayant. Le prêtre avait demandé si on avait observé les saints commandements, si on avait désobéi à nos parents et de quelle autre façon on avait fâché Dieu. On bafouillait, ayant sur le coup oublié la liste de péchés soigneusement préparée pour la confession et on se taisait. Ce qui n'avait pas l'air d'étonner le confesseur qui n'attendait pas de réponse. Il vous ordonnait quelques *Pater* et *Ave Maria* à réciter à la maison, vous mettait les mains sur la tête et déclarait que vos péchés vous étaient remis.

On se sentait subitement libérés d'une obsession et plus léger de plusieurs kilos.

Il était interdit de manger entre la confession et la communion du lendemain, le corps du Christ ne pouvant être reçu qu à jeun. On se serait fait hacher en petits morceaux plutôt que d'avaler une gorgée d'eau.

La messe du jour suivant paraissait plus longue que de coutume, l'estomac vide se faisant sentir. Mais toute chose a une fin, même une messe orthodoxe, et le moment de se trouver devant le calice arrivait quand même.

On quittait l'église l'âme pure et les jambes rompues, Maman émue et remplie de béatitude et Papa content d'en avoir fini.

L'agitation pascale gagnait le château dès les premiers jours de la semaine sainte en atteignant son comble le samedi. L'effervescence régnait surtout chez Yakime qui envoyait au four les koulitchs et les babas, rôtissait le cochon de lait, l'agneau et les volailles, retirait du fumoir l'énorme jambon, préparait les farces et les hors-d'œuvre. Papa et Maman faisaient la paskha de fromage blanc et nous peignions les œufs.

Les babas étaient de vraies tours hautes de cinquante centimètres mais extraordinairement légères, ce qui s'explique quand on pense que pour chaque baba il fallait cent quatre-vingts blancs battus. Les koulitchs étaient plus compacts et plus savoureux. Un bon koulitch pesait dans les douze kilos et était de forme ovale.

Quand ces monumentales brioches étaient prêtes, les domestiques les apportaient de la cuisine et, avec mille précautions, les déposaient dans la salle à manger. Papa et Maman les décoraient de sucre glace, et Maman piquait une rose en papier sur chaque tête.

Toute la journée on apportait d'autres victuailles qu'on disposait sur l'énorme table couverte d'une nappe blanche descendant jusqu'à terre. Papa lui faisait un fond de verdure en rassemblant les plantes en demi-cercle.

Je tiens à rapporter que malgré les extraordinaires odeurs que dégageaient les chefs-d'œuvre de Yakime, l'idée d'y toucher n'effleura jamais nos esprits. C'était comme si tout cela était fait en carton ou peint sur une image. Le seul effet que nous produisait leur contemplation était un dégoût accru pour nos repas de carême que Yakime négligeait plus que de coutume.

Attablés sagement dans un coin de la salle à manger, nous

peignions les œufs. Nous inventions toute sorte de combinaisons de couleurs et de motifs en rivalisant d'idées.

Mais quel qu'ait pu être notre zèle, nos œufs restaient de loin inférieurs à ceux de nos paysannes qui possédaient un art consommé en la matière. Leurs dessins tracés à la cire étaient inspirés de l'antique art byzantin admirablement conservé dans les villages. Les couleurs étaient sombres et le jaune ressemblait à de l'or.

La table pascale devait être installée avant notre départ pour l'église et on s'affairait jusqu'au dernier moment à ajuster le décor.

Cette table était magnifique, un vrai tableau. Au fond, comme une citadelle, trônait le koulitch flanqué de babas, au centre les œufs multicolores sur un lit de gazon, tel un tapis de fleurs ; les paskhas les encadraient comme des pyramides et le beurre était façonné en agneau. Le cochon de lait avait une collerette en papier frisé et tenait une rose dans le groin. Le gros jambon avait une manchette blanche ainsi que les volailles et les saucisses ukrainiennes roulées en spirale. Les jacinthes en pot, cultivées spécialement dans les serres, donnaient une note de grâce à cet étalage de victuailles.

Pâques, comme on sait, a lieu à des dates mobiles. Quand elles étaient tardives, le printemps était là. Les arbres étaient en fleurs et les rossignols chantaient toute la nuit. La longue rangée de merisiers derrière le château encadrait le parc d'un rempart fleuri vaporeux. Tout paraissait féerique cette nuit-là, tout semblait participer à la grande fête des hommes.

L'église était décorée de guirlandes et de branches. Les velours noirs étaient remplacés par des brocarts clairs. Tout le village était à l'église et dans la cour qui l'entourait.

Peu avant minuit, on commençait à se grouper pour la procession : le père Alexandre tenant un crucifix se mettait en tête, derrière lui Papa portant un gros Évangile, M. Noldé avec l'icône du Christ, le maire du village, les notables portant des icônes et des bannières.

Le chœur figurant les anges ouvrait la procession. Joseph Pétrovitch marchait à reculons en agitant son diapason.

Le cortège s'ébranlait vers la porte pour faire trois fois le tour de l'église, symbolisant les trois jours du Christ au tombeau.

On revenait devant la porte et soudain, d'une voix triomphante, le père Alexandre annonçait la bonne nouvelle : le Christ est ressuscité ! Le chœur éclatait en chant de joie et de gloire, la porte s'ouvrait largement pour chacun et pour tous. La mort était vaincue, le Sauveur triomphait et... le carême était fini ! L'assistance mêlée dans un joyeux désordre s'engouffrait dans l'église illuminée. La foule se pressait jusqu'à l'iconostase, l'air était saturé d'encens.

À la fin des matines pascales, il y avait comme un entracte pendant lequel on s'embrassait trois fois en prononçant les paroles consacrées : « Le Christ est ressuscité ! » Puis on allait baiser le crucifix que tenait le père Alexandre au pied de l'autel.

C'était le moment le moins emballant de la nuit solennelle car, après le crucifix, il fallait embrasser trois fois le père Alexandre.

Ce devoir accompli, nous rentrions, tandis que le service continuait jusqu'à l'aube.

Arrivés au château nous étions tout d'un coup terrassés par la fatigue et allions nous coucher sans même regarder la table pascale désormais autorisée.

À vrai dire, elle ne l'était qu'à moitié, car il lui manquait la bénédiction. Dès le matin on rôdait autour, mais sans toucher à rien. Le père Alexandre, exténué par le service de la nuit, tardait à arriver, or la bénédiction était indispensable. Dieu, décidément, participait à toutes les manifestations de notre vie.

Les prières et les chants, à peine éteints dans nos oreilles, recommençaient, cette fois devant des symboles moins spirituels. Ce n'est qu'au moment où le père Alexandre enlevait son étole qu'on sentait que les épreuves étaient définitivement terminées.

On mangeait beaucoup ce jour-là et nos parents nous

laissaient nous empiffrer à notre guise avec la même tolérance qu'ils avaient eue en nous laissant bouder nos repas maigres, ce qui causait souvent des complications gastriques. Mais on considérait que c'était normal, toute la Russie faisait de même et, en plus, s'enivrait. La sainte Russie tout entière était ivre la semaine de Pâques, ce qui prouvait sa piété. Même les bagarres et les scandales faisaient partie de la grande fête.

Yakime avait congé et s'en allait dans son village pour deux jours. Le buffet pascal pouvait supporter de nombreux assauts de fourchettes et on ne demandait à la cuisine que du thé et du café.

Parfois, il y avait des complications plus graves, comme par exemple le malaise qu'éprouva la femme de chambre Akoulina qui avait mangé dix œufs durs en revenant de l'église. On l'avait vue déambuler durant des heures derrière le poulailler et on avait failli envoyer chercher le médecin. Mais quand Maman, alarmée, alla la voir à la cuisine, elle était attablée avec les autres domestiques devant un énorme rôti de veau. Le malaise n'avait donc pas été grave.

Akoulina n'était cependant pas de cet avis et déclara qu'elle avait failli mourir, mais ajouta qu'à aucun prix, même celui-là, elle n'aurait toléré qu'on mangeât le rôti sans elle.

Le lundi était le jour des visites et des félicitations de nos employés et des villageois qui nous apportaient des œufs peints et des kolatchs.

À mesure qu'avançait la semaine de Pâques, le prestige de la bonne chère diminuait et on finissait par ne plus en faire de cas. D'autres intérêts naissaient chaque jour autour de nous, car c'était le printemps.

Les hirondelles revenaient les premières reprendre possession de leurs nids sous les encoignures des balcons. Les étables et les écuries se peuplaient de nouveau-nés, les truies couchées sur le flanc grognaient de satisfaction sous une marée de porcelets, les canes descendaient gravement vers l'étang, suivies de minuscules canetons jaunes qui trébuchaient dans l'herbe tendre. La vie éclatait partout et nous entraînait dans son grand courant de renouveau.

Le menuisier du domaine venait enlever les croisées doubles et on emballait les vêtements d'hiver. Nous regardions avec soulagement disparaître dans de grandes caisses étanches ces affaires lourdes et incommodes, témoins de tant d'embêtements.

Nous reprenions nos cours, il est vrai, mais ils nous paraissaient moins pénibles car leur fin était proche. Nos vacances commençaient le premier juin et, à partir de cette date, notre vie changeait radicalement.

Chaque été, une semaine était consacrée à Grand-Maman qui nous recevait à Rachkov avec nos deux bonnes, nos deux cochers et nos huit chevaux.

C'était un événement important et on s'y préparait longuement. Maman redoutait toujours un peu la critique de sa belle-mère et se donnait beaucoup de peine pour organiser ce voyage de façon irréprochable.

Les vêtements « pour Rachkov » étaient choisis avec soin, nos manières étaient surveillées de plus près et chaque remarque se terminait par le refrain : « Quand tu seras chez Grand-Maman... » Les bonnes désignées pour ce prestigieux séjour recevaient un dressage supplémentaire.

Grand-Maman ne nous avait pourtant jamais montré que de la bonté, de la générosité et de l'affection. Mais son prestige, ses vertus, son grand genre étaient tels qu'on ne pouvait s'empêcher d'en être intimidé.

Ce voyage de quatre-vingt-dix kilomètres demandait à l'époque toute une journée à cause de l'état des routes, des ravins à franchir et de la traversée du Dniestr. C'était trop fatigant pour les voyageurs et les chevaux, et nos parents préféraient faire un arrêt à Kapliovka et y passer la nuit.

Les premiers dix kilomètres, tout allait très bien et on roulait allégrement. La route droite à travers les champs était assez carrossable par beau temps. La poussière, il est vrai, la recouvrait d'une couche profonde et on roulait au milieu d'un nuage opaque et étouffant qui s'abattait sur les passagers et les chevaux avec une implacable persistance. On toussait, on se frottait les yeux, on essayait de se protéger avec des mouchoirs de poche. Les chevaux crachaient une salive noire et leurs robes prenaient une teinte d'argile. Mais tout cela valait mieux que la boue de l'automne dans laquelle on risquait de s'enliser jusqu'à l'essieu.

Les vraies difficultés commençaient à la descente vers le Dniestr. On s'y préparait comme à un saut périlleux. On arrêtait les équipages et tous les passagers descendaient. Les cochers ajustaient les freins et invitaient les chevaux à uriner en sifflant doucement et en claquant la langue.

La vue du haut de la falaise était immense. Il me semblait que rien ne pouvait être plus grandiose et plus beau. À cette distance, Vieille-Ouchitza ressemblait à un tapis effiloché jeté au bord du fleuve. L'espace, les brumes légères estompaient les détails et voilaient leur laideur.

La descente était longue et semée d'obstacles. La route étroite et raide, ravinée par les roues et les pluies, accrochait ses zigzags irréguliers au flanc du ravin en rasant les précipices.

Les roues grinçaient et lançaient des étincelles, les cochers poussaient des cris rauques, les chevaux peinaient et se cabraient sous le poids des véhicules qui leur descendaient sur la croupe.

Lentement, péniblement, on arrivait au bout du calvaire et on s'arrêtait pour laisser souffler les chevaux couverts d'écume.

Vieille-Ouchitza, chef-lieu désaffecté, n'était au temps de notre enfance qu'une grande bourgade sordide dépourvue d'attrait. La large chaussée à peine pavée de gros cailloux dépareillés était la rue principale. Des fossés remplis d'eaux croupissantes et d'ordures la séparaient des trottoirs, simples remblais en terre battue avec çà et là des passerelles.

Les maisons étaient basses, disparates et laides, les boutiques sombres, sans devanture ni enseigne. Tout était minable et sale, rien ne réjouissait l'œil, sauf peut-être la façade nette de la pharmacie et les pots de fleurs qu'on apercevait dans ses fenêtres.

Je vois encore la boucherie, simple baraque en planches toujours éclaboussée de sang, répandant une odeur fétide avec de gros quartiers de viande exposés aux mouches et à la poussière. Rien que de voir cet étalage donnait l'envie de devenir végétarien. Et les épiceries « En gros et au détail » encombrées de sacs et de caisses, sentant le hareng, le pétrole et l'huile rance, et l'unique charcuterie récemment ouverte par un Polonais entreprenant qui ne vendait que des saucisses ukrainiennes et du lard salé.

Seuls les marchés étaient riches en couleurs et reflétaient la vraie vie du pays avec leurs poteries aux couleurs vives, leurs tapis faits à la main, leurs bottes ouvragées, leurs paniers, leurs articles en bois fabriqués par des artisans avec un art naïf et un peu grossier. Les paysannes se mêlant aux commerçants professionnels s'installaient par terre en face de leurs produits étalés sur une carpette. Elles passaient des heures à vendre et marchander tandis que leurs maris buvaient au cabaret. Elles vous tendaient des coquelets attachés en grappes par les pattes, des boules de beurre enveloppées dans des feuilles de chou, des paniers d'œufs.

Acheter n'était pas si simple, il fallait marchander, critiquer, s'en aller, revenir. Tout était couleur, bruit et vie et ne se terminait jamais sans bagarre.

Les notables de Vieille-Ouchitza tels que le maire, le juge de paix, l'archimandrite, le médecin, le chef de la gendarmerie, les avocats, les gros marchands de blé n'habitaient pas dans la ville vétuste et crasseuse, mais avaient des maisons plus cossues entourées de jardins à une certaine distance du centre.

Les ruelles de Vieille-Ouchitza n'étaient pas pavées ni éclairées la nuit. Il était prudent de se munir d'une lanterne pour éviter de glisser dans une marre ou de s'enfoncer jusqu'à la cheville dans le purin.

La population, comme celles de tous nos petits bourgs podoliens, se composait de trois catégories distinctes par la race, la langue et le costume. Le centre était peuplé de Juifs dont les maisons se serraient en formant comme un noyau. Le médecin, les avocats et tous les commerçants étaient juifs. Ils ne se mélangeaient pas aux autres habitants, avaient leur synagogue, leur école, leurs magasins kasher, jusqu'à leur barbier et leur fossoyeur. Ils ne parlaient que yiddish et ne connaissaient que quelques mots de russe et d'ukrainien.

La religion qu'ils observaient scrupuleusement réglait leur vie entière, pénétrant dans les plus petits détails de l'existence. La communauté juive formait un groupe clos et isolé qui frayait le moins possible avec la population. C'est ainsi qu'à travers les âges le type physique, le langage et les coutumes ancestrales de ce groupe particulier se sont préservés.

Le vendredi soir, toutes les fenêtres de la rue principale s'éclairaient de bougies rituelles et les portes se fermaient sur le sabbat. Les hommes revêtaient leurs caftans rayés et leurs calottes bordées de fourrure et attachaient au front la petite boîte sacrée contenant la Loi. Toute la ville se transformait en ville morte.

La population ukrainienne n'avait pas de contours aussi nets et ses éléments évolués se confondaient avec l'intelligentsia russe. Les vrais Ukrainiens, avec leur langue et leur folklore, étaient représentés par les paysans, comme partout ailleurs les plus nombreux et les moins considérés.

Il y avait aussi des semi-paysans vivant généralement dans le voisinage des villes. Artisans ou petits employés, ils étaient peu doués pour le commerce, sauf rares exceptions. Ceux d'entre eux qui avaient fréquenté l'école savaient parler russe ou, plus exactement, un jargon pittoresque pas toujours compréhensible pour les Russes du Nord.

Les paysans dans les campagnes portaient le costume

ukrainien, mais les autres s'habillaient à l'allemande, ce qui voulait dire des vêtements sans caractère national.

En plus des Ukrainiens et des Juifs, il y avait les Russes. Être russe dans nos régions voulait dire beaucoup de choses. De façon générale, cela signifiait vivre en Russie, et paradoxalement « russe » avait le sens d'« étranger ». Étant russe, on était le plus souvent fonctionnaire ou militaire, donc quelqu'un dont il faut se méfier.

Russe ou *moscal* voulait aussi dire vieux croyant. On savait qu'il y avait quelque part des colonies de ces hommes bizarres qui portaient la barbe, s'habillaient à la moscovite, parlaient russe, avaient des églises sans coupoles et faisaient le signe de la croix avec deux doigts. Ils apparaissaient périodiquement dans le pays pour se proposer comme terrassiers ou jardiniers. On ne les aimait pas et on essayait de les éviter. Ces sentiments étaient largement partagés. Ceux-là non plus, en dépit de leurs barbes, n'étaient pas de vrais Russes.

Les sommets de la société de Vieille-Ouchitza se composaient du clergé, des fonctionnaires et des gros commerçants. Les propriétaires fonciers ne s'y mêlaient pas et faisaient clan à part. Le docteur Pistermann et les avocats Guitiss et Bouzgann, en tant que juifs, n'y participaient qu'à moitié, n'acceptaient jamais une invitation à table et ne montraient pas leurs femmes. Supérieurs au reste de leurs coreligionnaires par leur instruction, ils en étaient solidaires quand il s'agissait de religion.

Il y avait aussi les catholiques, ce qui signifiait polonais. C'était la petite noblesse d'origine polonaise éparpillée dans toute l'Ukraine, qui n'était ni russe ni polonaise, mais restait rigoureusement catholique. Classe intermédiaire entre les paysans et l'intelligentsia, elle fournissait des éléments pour tous les postes exigeant un minimum d'instruction.

De façon générale, la couche sociale tant soit peu évoluée était constituée chez nous d'un mélange d'Ukrainiens, de Polonais russifiés et de Russes implantés en Ukraine. Le juge

Gansky, par exemple, se disait russe, mais était de Poltava et n'avait jamais dépassé les limites de l'Ukraine. Le pharmacier Drexler, lui aussi, se proclamait russe, mais ses origines allemandes, même s'il n'avait jamais mis les pieds en Allemagne et ne connaissait pas un mot d'allemand, perçaient par toutes les fentes. C'est à elles que nous devions la bonne tenue de la pharmacie et les pots de fleurs de sa femme. L'archimandrite Grouchko prononçait des sermons patriotiques en glorifiant la Grande Russie, mais son nom, son accent et son physique trahissaient le vrai et typique Ukrainien.

Seul le boulanger ne prétendait pas à l'honneur d'être russe et se montrait tout à fait satisfait d'être turc, un vrai Turc, ayant gardé tout son accent de Smyrne, son faux air farouche et son fez. Il travaillait dur, faisait le pain la nuit, le vendait le jour et ne fréquentait pas les infidèles.

Le maître d'école ne savait pas lui-même s'il était ukrainien ou russe et même s'en fichait. Il enseignait en russe comme l'exigeait le règlement, ce qui n'était pas facile dans une ville peuplée d'Ukrainiens et de Juifs.

Ce jeune homme aux airs désinvoltes et arrogants n'avait pas très bonne réputation, et l'archimandrite, qui devait avoir un œil sur l'école car elle appartenait au diocèse, s'en méfiait nettement. Il le soupçonnait d'être révolutionnaire, chose terrible qui donnait le frisson.

Comme on voit, la nationalité chez nous n'était pas facile à définir. Officiellement tout le monde était russe, et en réalité personne ne l'était vraiment.

Le Dniestr était tout proche et les dernières bicoques de Vieille-Ouchitza se trouvaient à deux pas de l'eau, entourées de dépotoirs et de tas de gravats jamais déblayés, si ce n'est par les flots des crues.

Le gros bac rudimentaire qui assurait la liaison avec la

Bessarabie se trouvait à quelque distance en amont, amarré à un appontement en rondins. On embarquait lentement les équipages en tenant les chevaux par la bride et on calait les roues. Les passeurs repoussaient la lourde embarcation de la berge et prenaient les rames. Maman faisait un signe de croix et murmurait :

— À la grâce de Dieu...

Le grand ravin d'Ouchitza franchi, on retrouvait la route monotone avec sa poussière et ses champs sans fin.

Quand à la tombée du jour, on entrait dans les forêts de Kapliovka chez oncle Rostislav, tout le monde était soulagé et les chevaux ragaillardis accéléraient le pas.

Le château était en pleine forêt au fond d'une vallée, sobre et élégant, avec un toit montant en flèche et des balcons suspendus au-dessus d'un amas de plantes grimpantes. Un jet d'eau au pied de la façade jaillissait d'un bassin ovale et rompait à lui seul, de son clapotis incessant, le silence de ce coin enchanté.

Avec le temps les arbres s'étaient rapprochés et tendaient leurs branches jusqu'aux murs. Le lierre et les rosiers s'accrochaient aux balcons et montaient jusqu'au toit. Les hirondelles nichaient sous les auvents et les rossignols chantaient tout près des fenêtres. Rien ne venait les troubler car les volets restaient clos et les balcons déserts.

Du temps de l'enfance de Papa, la famille se réunissait à Kapliovka tous les étés, mais depuis que Grand-Maman avait donné le domaine à oncle Rostislav, la maison était presque inhabitée.

Le château était resté tel que Grand-Maman l'avait quitté. Les chambres de nos tantes étaient remplies de bibelots, de livres, de photographies et il y avait même quelques vêtements dans les armoires, de vieux chapeaux, des ombrelles.

Oncle Rostislav n'occupait avec ses chiens que deux pièces au rez-de-chaussée, sa chambre et un grand salon où vivaient ses lévriers. Il prenait ses repas dans les cuisines situées en dehors du château où le servait Pétrina, son unique domestique.

À l'âge de dix-huit ans, oncle Rostislav avait fait un voyage au Caucase et eut le coup de foudre pour les cosaques du Kouban et de Tersk. Il s'éprit de leur chevalerie et de leurs coutumes et, pour leur ressembler, adopta leur costume et leur mode de vie. Il ne porta plus dorénavant que la tunique garnie de cartouchières, les pantalons bouffants, les bottes souples sans talon et la toque en fourrure de mouton. Je ne l'ai jamais vu vêtu autrement. Il était grand et mince et cet uniforme pittoresque lui allait fort bien.

Pétrina maîtrisait la cuisine tcherkesse et préparait adroitement des plats bizarres, terriblement poivrés et épicés, qu'il fallait servir dans de petites terrines caucasiennes.

Oncle Rostislav retourna plusieurs fois au Caucase et y fit de longs séjours. C'est de là qu'il importa ses kabardiniers [1] et les fameux reproducteurs de son haras. De là venaient aussi les tapis, les armes, les objets en cuir ouvragé que nous étions habitués à voir à Kapliovka, à Rachkov et chez nous.

Oncle Rostislav était un original et ne faisait rien comme les autres. Loin d'être borné, il n'avait cependant jamais pu faire d'études normales. Ses parents avaient tenté de le faire entrer dans un lycée. Des précepteurs l'y avaient longuement préparé et il se présenta à l'examen d'entrée en troisième au lycée de Kiev, à l'âge de quinze ans. Il nous racontait lui-même l'histoire de cet examen :

— Après avoir passé deux heures sur mon problème, je compris l'essentiel : que je ne le résoudrais jamais. Je levai les yeux pour voir où en étaient les autres et m'aperçus que j'étais seul avec le professeur qui se leva, s'approcha de moi et examina mon travail.

» — Mon garçon, dit-il, je crois qu il est inutile d'insister. Vas donc dans la classe de sixième où les garçons sont en train

1. Chevaux de selle de la Kabardinie, région du Caucase.

de passer un examen d'arithmétique. Tu diras au professeur que tu viens de ma part. Et essaie de faire mieux.

» Je fis comme il me le dit et on me donna un nouveau problème auquel je m'appliquai avec autant de zèle qu'au premier. Mais si le problème était différent, le résultat fut le même et je me trouvai encore une fois seul avec le professeur. Celui-ci regarda à son tour mon cahier et dit :

» — Mon garçon, rentre chez toi et si le cœur t'en dit, reviens l'année prochaine.

» Mais je n'y suis jamais retourné, comme vous l'avez deviné.

Oncle Rostislav n'a donc jamais été dans une école et après cette tentative manquée, n'étudia qu'avec des professeurs particuliers et seulement les matières qui l'intéressaient et qu'il trouvait utiles. Ainsi connaissait-il une foule de choses, l'histoire naturelle, la botanique, l'agriculture, la sériciculture, l'apiculture, la pisciculture et l'élevage.

Il appliqua toutes ces connaissances dans son domaine qu'il menait d'une main de maître. Les kabardiniers de son haras étaient célèbres et remportaient tous les prix aux expositions agricoles ; les carpes miroirs de ses étangs étaient les plus belles de la région ; le miel de ses ruchers se vendait à Kiev et à Odessa. Sa sériciculture démarrait bien et était une innovation dans le pays. Son blé enfin, richesse principale du domaine, était de première qualité. Admirable cavalier, il dressait lui-même ses jeunes chevaux.

Oncle Rostislav était très pieux. Il ne manquait jamais la messe et consacrait beaucoup de temps à la prière. Il observait rigoureusement tous les jeûnes sans exception. Chez nous, on sautait les mercredis et les vendredis et on oubliait souvent les carêmes secondaires. Ainsi parfois à table, quand il était en visite à Vassilki, Maman remarquait qu'il ne mangeait rien.

— C'est mercredi, expliquait oncle Rostislav.

Toute confuse, Maman envoyait un domestique à la cuisine avec l'ordre au chef de préparer d'urgence un plat maigre. Oncle Rostislav protestait :

— Je mange du pain, cela suffit.

— Tu ferais mieux de manger ce qu'on te donne, disait Papa. Je suis sûr que Dieu aimerait bien plus ta délicatesse que ton jeûne qui cause tant de dérangement.

— C'est une question de discipline. Si on donne au diable un doigt, il vous prend bientôt la tête, répliquait oncle Rostislav.

Kapliovka était gérée par Moïse Chiline, ancien menuisier de la propriété, marié à Grounia, ancienne femme de chambre de Grand-Maman. Sérieux et travailleur, Moïse monta en grade et devint gérant. On disait que c'était Grounia qui était en fait la véritable gérante ce qui, vu son caractère, était assez vraisemblable. Toujours est-il que la propriété marchait bien.

On ose à peine de nos jours parler des qualités d'un propriétaire foncier. Ce nom est assimilé à celui d'exploiteur et de vampire. Un seigneur campagnard, selon les principes modernes, ne pouvait être qu'un sinistre tyran. C'est une conviction toute faite, surtout chez ceux qui n'en ont jamais connu. On considérera donc que je suis de parti pris en affirmant qu'oncle Rostislav n'avait rien d'un vampire. Au lieu de mépriser et exploiter ses paysans comme le veut la légende, il les aimait, les aidait et les protégeait par tous les moyens. Il leur parlait en moldave ou en ukrainien, s'occupait de leurs enfants dont presque tous étaient ses filleuls, entrait dans tous les détails de leur vie. Au lieu de se repaître de leur sang, il fonda un dispensaire et une école technique, distribuait gratuitement des semences et des jeunes arbres, luttait pour améliorer le cheptel, donnait du matériel, prêtait de l'argent.

On dira que c'est peu de chose pour expier le crime de posséder des terres. Ah, mais à l'époque ce n'était pas un crime, mais un droit auquel les paysans tenaient les premiers. Il n'y avait pas encore de kolkhozes...

Nos paysans ukrainiens et bessarabiens étaient fiers et indépendants, ils n'avaient jamais connu le servage. C'est après la révolution qu'ils en eurent la révélation.

L'attitude d'oncle Rostislav était d'autant plus méritoire que personne ne l'y obligeait. À vrai dire, son désir secret était très différent de ce qu'on aurait pu supposer en voyant sa vie active. Son vrai rêve n'était ni la beauté du Caucase, ni la réalisation heureuse de ses entreprises, ni même le bonheur de son village. Son aspiration intime, dont il ne parlait pas souvent mais qui ne le quittait jamais, était le monastère.

Le château de Rachkov ne ressemblait en rien à celui de Kapliovka. Gai, exposé au soleil, il couronnait une colline boisée. Les forêts l'entouraient de loin comme un rempart et se rejoignaient plus bas en descendant jusqu'au Dniestr. Sa façade se dressait au-dessus d'une mer de verdure et au-delà du fleuve, jusqu'à l'horizon, s'étendaient les plaines autrichiennes. Si semblables aux nôtres, elles nous paraissaient différentes et nous fascinaient car c'était l'Autriche.

Grand-Maman et tante Naya nous recevaient sur le perron. Nous étions couverts de poussière et osions à peine les embrasser. Tante Naya nous emmenait tout de suite dans nos chambres et nous devions nous débarbouiller.

Tante Naya s'occupait de tout, vaquait à tout et veillait sur le bien-être de sa mère. Pour éviter le bruit et le remue-ménage dans la maison, elle nous envoyait dans le jardin cueillir des fruits, ramasser des champignons ou pêcher à la ligne. On organisait des promenades dans la forêt où nous emmenaient les trotteurs gris pommelé de Rachkov, suivant des chemins forestiers enchanteurs.

Les splendides forêts de Rachkov s'étalaient en nappe continue sur deux mille hectares. Les chênes centenaires semblaient immuables, symboles de continuité. Grand-Maman les aimait tant qu'elle ne permit jamais d'en abattre un seul.

Rachkov était administré par M. André Noldé, frère de notre gérant. À juger d'après les conversations que nous entendions à table, les méthodes des deux frères se ressemblaient, mais Rachkov étant un domaine forestier, cela avait moins d'importance.

La différence entre les deux Noldé était ailleurs : celui de Grand-Maman avait une énorme famille et ses huit enfants étaient tous ses filleuls. Elle ne pouvait donc pas être sévère et encore moins le congédier.

Être filleul de Grand-Maman représentait un avantage dont on commençait à jouir dès le baptême. La marraine se chargeait de pourvoir aux besoins du nouveau-né et, par la suite, de veiller sur ses études. De sorte que tous les employés du domaine, ainsi que de nombreux paysans la dotaient de leur progéniture.

Voyant quelles dimensions prenait la foule de ses filleuls, Grand-Maman décida d'y mettre fin. Mais on trouva le moyen de s'arranger en la déclarant marraine sans la consulter.

Tante Naya avait, elle aussi, sa part de filleuls et profita de son rôle pour les envoyer à l'école. Cette école — don de Grand-Maman, comme l'église — était neuve et bien équipée.

En plus de l'instruction, tante Naya prodiguait le secours médical. Infirmière diplômée et très compétente, elle soignait gratuitement tout le village et envoyait à ses frais les cas graves à l'hôpital de Khotine.

Dès le matin, on voyait une file de malades devant le perron. Une pièce du château était transformée en infirmerie. Les médicaments occupaient une bonne place dans le budget du domaine.

Mais la sollicitude de Grand-Maman ne s'arrêtait pas là. Aucune demande de secours ne restait sans suite, ce qui n'empêchait pas les paysans de la voler, de saccager ses forêts et de la rouler dès que se présentait l'occasion.

Les propriétaires qui, au lieu de combler leurs paysans de bienfaits, les traitaient rudement et sans amitié, étaient plus estimés et mieux servis. Grand-oncle Anatole disait qu'un Russe ne pardonnait jamais un bienfait.

La suite des événements montra comment Grand-Maman fut récompensée. Elle ne s'en étonna guère et en fut même un peu fière. Le Christ n'avait-il pas été crucifié pour avoir dit de s'aimer ? Il était cependant triste que, depuis deux mille ans, l'humanité eût si peu changé.

Tout le château était sens dessus dessous déjà depuis plusieurs jours : on préparait le départ pour deux mois à Odessa.

Tout le monde s'agitait sauf Papa, qui restait impassible et attendait la fin des préparatifs sans trop y participer.

Maman était débordée, car sans elle rien ne se faisait, du moins le croyait-elle et le manque d'initiative chez les autres le confirmait.

Chez nous rien n'était facile et plus la vie paraissait simple, plus chaque entreprise était compliquée. On avait toujours l'impression qu'il s'agissait de soulever une montagne.

Mais la décision était prise, on partirait. On confierait Vassilki à Dieu, à M. Noldé, à la dame Koulchitzka et à Karpo. M. Noldé veillerait sur le domaine, Koulchitzka sur les domestiques et Karpo sur les chevaux.

Il fallait prévoir toutes les catastrophes qui pourraient arriver pendant notre absence, comme par exemple la foudre qui, en tombant sur le château, pourrait causer un incendie, ou les cambrioleurs qui pourraient abattre les chiens et s'introduire dans la maison. Maman cherchait toujours quel autre malheur pourrait arriver, mais ne trouvait que la foudre et les brigands.

Je me mets à la place de nos parents et imagine comme ce devait être difficile d'organiser un pareil départ. Cinq enfants, trois domestiques et tant de bagages ! Les préoccupations étaient de tout genre : ne pas rater le train pour commencer. Notre gare, Romancautzi, était en Bessarabie, donc au-delà du

Dniestr, ce qui voulait dire qu'aux vingt-trois kilomètres de route s'ajoutait la traversée en bac qui pouvait réserver des surprises. Mais si on n'était jamais sûr de l'humeur du fleuve, on était sûr du retard du train. Cela donnait une petite heure de réserve.

Par prudence cependant, on partait très à l'avance. Pour le train de cinq heures le départ était fixé à dix heures du matin, ce qui voulait dire que la caravane se mettrait en mouvement vers midi et qu'on déjeunerait en route. On emportait à cet effet une énorme quantité de provisions où figuraient invariablement des petits poulets panés et des pirojkis à la viande hachée.

Arrivés à Romancautzi, nous nous installions dans la salle d'attente et le chef de gare nous faisait servir un samovar. Papa n'aimait pas manger dans le train et les wagons-restaurants étaient rares sur nos lignes intérieures.

Nous adorions les trains et tout ce qui se rapportait aux chemins de fer. Une locomotive crachant du feu, la fumée et la vapeur nous remplissaient d'extase. J'avoue que toute ma vie j'ai gardé la passion des locomotives.

Les derniers moments sur le quai se passaient dans une attente fébrile, puis soudain le train surgissait dans un fracas de ferraille et hoquetant, soufflant, sifflant s'immobilisait devant la gare. On se ruait vers les wagons comme s'il fallait les prendre d'assaut, ce qui était parfaitement inutile, car le chef de gare attendait que tout le monde soit monté avant de donner le troisième coup de cloche.

Une fois dans notre compartiment, nous restions collés aux fenêtres et dévorions des yeux le paysage fuyant. La nuit tombait et Maman, aidée d'une femme de chambre, installait d'abord la petite Ella, puis les jumelles sur les couchettes. Emmanuel et moi sortions dans le couloir et je me penchais autant qu'il était possible par la vitre baissée. Le mouvement, le vent dans le visage, les ténèbres percées d'étincelles et le sentiment de fuite dans l'inconnu me grisaient. C'étaient des moments intenses et inoubliables.

De toutes les villes de la sainte Russie, nous ne connaissions que Kamenetz-Podolsk et Odessa. Nouvelle-Ouchitza et encore moins Vieille-Ouchitza ne pouvaient prétendre au titre de ville, même si officiellement on les gratifiait de ce nom.

Nous savions qu'Odessa était une vraie ville, mais nous la connaissions très peu. À la gare nous prenions des fiacres qui nous conduisaient à la Petite Fontaine où se trouvait le « Phare », notre villa. La Grande, la Moyenne et la Petite Fontaine étaient des quartiers résidentiels composés de villas et de jardins qui s'étiraient le long du bord de mer sur plusieurs kilomètres.

Nos arrière-grands-parents possédaient une soixantaine d'hectares à la Petite Fontaine et y avaient construit des villas pour leurs enfants. Du temps de notre enfance deux seulement appartenaient encore à la famille, la nôtre et celle d'oncle Anatole, frère de Grand-Maman. Leurs parcs se touchaient et descendaient jusqu'à la mer en se terminant par une plage qui nous appartenait.

Le « Phare » avait été la propriété d'oncle Youri, autre frère de Grand-Maman. C'était une haute maison blanche plantée sur le bord de la falaise et dominant la mer. Les marins jusqu'à ce jour la prennent comme point de repère en s'approchant d'Odessa.

Oncle Youri et tante Lola n'avaient pas d'enfants et passaient pour deux égoïstes. Oncle Youri était célèbre pour ses entreprises fantaisistes dont aucune n'avait jamais réussi, et tante Lola pour son mauvais caractère. Ils n'avaient jamais vraiment habité la villa, mais y avaient entrepris des travaux aussi coûteux qu'inutiles, qui d'ailleurs n'avaient pas été menés à bout. Comme par exemple cette salle de bains singulière avec, en guise de baignoires, deux piscines en marbre vert à fleur de sol qui devaient se remplir d'eau de mer. Mais les pompes n'avaient jamais été mises en place et, quand oncle Youri avait achevé de se ruiner en lançant des paquebots sur la mer Noire, on abandonna les travaux. Grand-Maman lui racheta la villa et la donna à Papa.

À cette époque, oncle Youri n'était plus de ce monde, mais tante Lola vivait encore. Nous la rencontrâmes chez oncle Anatole et lui fûmes présentés. Elle nous effraya par son air rébarbatif et son habitude de ne s'exprimer qu'en français.

Tante Lola possédait une automobile, énorme Ford rouge ouverte. C'était la première fois que nous pouvions nous approcher d'un véhicule de ce genre et nous l'examinions avec curiosité. Le chauffeur qui s'ennuyait proposa de nous emmener faire un tour et nous grimpâmes dans la voiture avec un empressement mêlé de peur.

Cette petite escapade, notre baptême de locomotion automobile, nous laissa une très forte impression. La bizarre odeur d'essence remplaçant celle, si familière, des chevaux, la vitesse vertigineuse qui nous coupait le souffle et les coups de klaxon aux sons déchirants, comme tout cela était bouleversant !

Les boutades de tante Lola étaient célèbres. On citait souvent celle-ci, dont il faut reconnaître la justesse :

— Il ne faut jamais souhaiter la mort à personne, car rien ne fait autant durer les gens !

Tante Lola en épousant oncle Youri n'était pas entrée dans la famille et n'avait aimé que son mari. Après sa mort, en débrouillant les affaires d'héritage, elle n'avait montré qu'un seul souci : « Faire enrager Anatole. » Et Dieu sait pourtant qu'oncle Anatole avait été généreux et secourable pour constamment tirer son frère du pétrin !

Oncle Youri, comme tous nos parents, reposait au cimetière Gagarine-Stourdza que gardaient les religieuses de la confrérie du même nom, fondée par notre aïeule. Nous allâmes un jour visiter ce cimetière où, disait Papa, on se sentait tout à fait en famille. Il nous montra les tombes des ancêtres les plus célèbres et nous raconta leur histoire. Le cimetière, entouré d'un haut mur vermoulu, était silencieux et ombragé. Les arbres se penchaient sur les vieilles croix et les dalles couvertes de mousse.

La dernière demeure d'oncle Youri, mausolée en marbre noir, détonnait par son air lugubre. Les religieuses qui nous accompagnaient nous firent entrer dans la chambre mortuaire où sur un haut catafalque trônait un cercueil drapé de velours mauve. Dans un coin, une petite table et un fauteuil servaient à tante Lola pour ses veillées nocturnes car, expliquèrent les sœurs en baissant la voix, la princesse y faisait de la magie noire. Nous ne savions pas ce que cela pouvait être, mais rien que l'idée de cette vieille femme enfermée toute la nuit avec un cercueil donnait le frisson.

Nous adorions tous la mer, Papa surtout qui avait gardé des souvenirs impérissables des étés de sa jeunesse passés chez ses grands-parents à la villa Priyout. Il parlait avec nostalgie des temps passés quand n'existait pas encore ce boulevard qui alors passait à travers nos propriétés et amenait un public importun et vulgaire, quand l'horrible Arcadia, établissement balnéaire récemment installé à la limite même des terres d'oncle Anatole, avec ses cabines, son restaurant, son kiosque de musique, son jardin d'été, était absent. Maintenant, au lieu d'entendre le bruit des vagues et les sirènes des bateaux au large, on était forcé d'écouter l'orchestre de l'Arcadia et de lutter pour préserver nos plages de l'invasion des promeneurs.

Le gérant de notre villa fit installer une palissade et engagea un gardien. Mais en dépit de ces mesures, on trouvait notre plage couverte de corps nus, les deux sexes mélangés. Ce spectacle nous remplissait d'indignation et de dégoût et nous obligeait de fuir.

Nos rochers se prolongeaient dans la mer en formant un petit archipel. Nous considérions qu'il nous appartenait. C'est là que nous pêchions, comme jadis Papa, des chabots à grosse tête et des petits maquereaux argentés. La mer Noire était très poissonneuse et grouillait de crabes et de crevettes.

Quand nous n'étions pas à la plage, nous explorions le parc à moitié envahi par la broussaille. Éphime, le jardinier, n'entretenait que les parterres devant la façade et l'allée d'arrivée. Le reste était livré à la nature.

Nous découvrîmes sous un cyprès une tombe minuscule surmontée d'un petit monument. La plaque portait cette épitaphe touchante : « Ci-gît Fifiche, ma petite chienne bien-aimée. »

Tante Lola était décidément fidèle à ses morts.

La villa Priyout avait été construite par le comte de Saint-Prix, émigré de la Révolution française. Elle avait la grâce et l'élégance françaises. Sa façade en péristyle était entièrement recouverte de vigne vierge et de lierre qui encadraient ses fenêtres en ogive. Un pavillon salle à manger, lui aussi revêtu de plantes grimpantes, faisait pendant au bâtiment principal. Deux lions vénitiens couchés sur leurs socles de marbre blanc semblaient garder la porte. Un jet d'eau jaillissait d'une vasque ronde au centre du rond-point tapissé de gravier. Des allées ombragées d'arbres centenaires partaient en éventail à travers les pinèdes et les bosquets. L'allée principale aboutissait au bord de la falaise face à la mer.

L'hospitalité d'oncle Anatole et de tante Mary était légendaire. Tous les membres de la famille étaient à l'avance invités et pouvaient rester à Priyout aussi longtemps qu'ils le voulaient. Ainsi la villa ne désemplissait pas de tout l'été de parents parfois très éloignés. Priyout signifie en russe refuge, asile. La villa portait donc bien son nom.

Oncle Anatole et Grand-Maman étaient pour ainsi dire les piliers de la famille sur lesquels s'appuyaient les autres. L'affection qui les unissait créait une atmosphère de vraie parenté qui se répercutait sur leurs enfants. De sorte que même nous, à la troisième génération, ne connaissions que ces cousins-là.

En plus des relations familiales, Papa avait avec son oncle beaucoup d'intérêts communs. Oncle Anatole était un pomologue émérite et une autorité en la matière. Président de plusieurs sociétés de pomologie en Russie et à l'étranger, il se rendait constamment à des congrès et à des expositions, invité comme membre du jury.

Lui-même avait fait ses études universitaires en Allemagne et parlait non seulement l'allemand à la perfection, mais aussi les patois bavarois et wurtembergeois. Il aimait l'ordre, l'efficacité et la solidarité allemands et croyait profondément que la Russie et l'Allemagne devaient entretenir des relations de proche collaboration pour le plus grand bien des deux pays.

Il essaya d'introduire dans le pays certaines coutumes allemandes, comme de planter les routes d'arbres fruitiers dont la récolte était partagée parmi les habitants des communes. Il commença par les routes environnant Okna, son domaine.

Une semaine plus tard il n'en restait plus que quelques moignons déchiquetés. Nos paysans n'hésitaient pas à casser un jeune arbre pour s'en faire un fouet.

— Que faire avec un peuple pareil? disait oncle Anatole avec amertume.

Pour lui l'éducation était la première et la plus urgente nécessité en Russie, et l'absence du sens civique et du respect de son prochain, le premier obstacle à tout progrès.

Sans attendre les décisions gouvernementales, il fonda lui-même plusieurs écoles dans sa région, en particulier une école d'horticulture.

Oncle Anatole faisait tous les ans une cure à Karlsbad ou à Marienbad. Mais la cure n'était qu'un prétexte et la guérison de tous ses maux survenait à l'instant où il franchissait la frontière et apercevait la première pancarte portant la parole clé : « *Verboten.* »

Mais tout cela ne l'empêchait pas d'être un vrai patriote russe et d'aimer profondément sa patrie. Il ne partageait pas l'opinion de son beau-frère, le comte Sollohub, qui disait : « Mourir pour la Russie, mais... vivre à l'étranger. »

Oncle Anatole souhaitait ardemment voir son pays plus prospère et son peuple plus heureux. Il se désolait devant l'inertie, la paresse et l'ivrognerie du peuple russe.

— Si seulement nos paysans employaient pour améliorer leurs exploitations l'argent qu'ils dépensent au cabaret ! disait-il souvent avec contrariété.

Quand il entendait les lamentations au sujet de l'importance que prenaient les Juifs dans le commerce, il s'exclamait avec agacement :

— Eh bien, faites comme eux ! Qui vous en empêche ?

La règle de vie d'oncle Anatole était simple : *Être et non Paraître.* Une autre concernait sa classe sociale : le titre est une obligation et non un privilège.

Étrangement les enfants d'oncle Anatole ne partageaient pas ses goûts, sauf un, son plus jeune fils, Vladimir, qu'on appelait Vodik.

Chaque naissance est pour les parents un coup de dés. Et cette fois-là oncle Anatole et tante Mary avaient tiré le gros lot. Que ce fils ait été beau, racé, rayonnant de bonté et d'intelligence n'est pas assez dire. Il était plus que tout cela. Un être exceptionnel. Une fois rencontré, on ne l'oubliait jamais. « Une tache claire dans la vie sur laquelle l'âme peut se reposer », disait Maman.

Oncle Vodik hérita de son père l'amour de la terre et des plantes, et de sa mère la passion de la mer. Aussitôt après sa licence de droit, il fit son service militaire dans la flotte de la Baltique. Ce devoir accompli, il songea à acquérir des connaissances plus approfondies en agronomie. Il souhaitait aller à l'étranger et hésitait entre la France et l'Allemagne.

— Si tu veux t'amuser, dit son père, va à Paris. Si tu veux travailler, va à Bonn.

Ayant bien considéré les deux alternatives, oncle Vodik entra à l'Académie d'agriculture de Bonn.

À présent il s'occupait des propriétés de ses parents. Les pépinières d'Okna fournissaient des arbres fruitiers à tout le sud de la Russie, les troupeaux d'agneaux caracals produisaient des milliers de peaux d'astrakhan qu'on envoyait tanner à Leipzig. Avec les cultures de blé, les campagnes de reboisement, les moulins, l'élevage, il avait de quoi occuper son temps et son énergie. Aussi était-il plongé dans les activités de l'énorme domaine. Et si son frère aîné était officier de la Garde impériale et le deuxième diplomate, il ne leur enviait pas leur vie brillante et se plaisait bien plus à la campagne.

Il passait cependant un mois chaque hiver avec ses parents à Saint-Pétersbourg, surtout pour faire plaisir à sa mère. Il aimait bien revoir parents, amis et camarades, mais commençait bientôt à s'ennuyer dans la capitale. Il savait par surcroît que son arrivée était guettée par les mères de famille et que mille projets d'avenir germaient autour de sa personne. Cela l'agaçait et il était content de plier bagages.

Okna, ce qui veut dire mine en moldave, n'était qu'à deux cents kilomètres d'Odessa, de sorte qu'oncle Vodik faisait souvent des apparitions à Priyout, à la joie générale. Lui seul parmi les grandes personnes ne nous intimidait pas. C'est vrai que tout en étant le cousin germain de Papa, il était de quinze ans son cadet et se trouvait de par son âge entre les deux générations.

Le Phare était très sommairement meublé et les pièces étaient presque vides. Nos parents considéraient que dépenser une fortune pour remplir une maison de vingt chambres qu'on n'habitait que deux mois tous les deux ans aurait été absurde. Ainsi n'y avait-il que le strict nécessaire et nous avions l'impression de camper. Mais comme on était venus pour la mer, tout le reste n'avait aucune importance. On se contenta d'équiper la cuisine pour que Yakime soit satisfait. Les dépendances, comme à Vassilki et à Priyout, se trouvaient derrière la maison.

Yakime jouissait beaucoup de son séjour à Odessa. Il faisait des promenades le long du bord de mer, allait écouter la musique à l'Arcadia, visita le cimetière de notre famille et descendit dans le caveau d'oncle Youri.

Nos deux femmes de chambre, Mania et Véra, s'acclimatèrent très vite et Arcadia devint pour elles un point d'attraction puissant. Elles y couraient dès qu'elles pouvaient. La foule endimanchée, l'orchestre au kiosque, l'eau de Seltz au sirop — autant de merveilles qu'elles n'avaient jamais vues auparavant.

Pour moi le souvenir le plus émouvant de nos étés d'Odessa est resté celui des dîners chez tante Mary, à la villa Priyout. La longue table sous l'orme gigantesque éclairée de flambeaux, les nombreux convives, les papillons de nuit tournant autour des chandeliers, les grandes coupes de cristal remplies de fruits formaient un tableau vivant se détachant sur un fond sombre de verdure. La maison s'estompait dans l'arrière-plan et la fontaine cachée par les ténèbres clapotait comme une musique de fond.

Les langues étrangères occupaient une place importante dans nos études et comme tous les enfants de notre milieu, nous avions des gouvernantes, principalement en été.

Les Anglaises étaient considérées comme les plus distinguées et nous devions imiter leurs manières et leur sang-froid.

Les Françaises étaient d'un niveau plus bas et il fallait se borner à leur emprunter leur langue.

Quant aux Allemandes, elles étaient préposées à nos personnes physiques et considérées comme bonnes d'enfants.

Nous ne facilitions pas la tâche à nos gouvernantes et les

évitions autant que possible en les traitant parfois de façon un peu cavalière, en montant sur les arbres ou le toit à l'heure des leçons, par exemple.

Maman ne conférait aucun pouvoir de représailles à nos malheureuses étrangères et très vite, elles abandonnaient la partie.

Maman avait été très impressionnée par la triste et édifiante histoire de Marcel Prévost, *Les Anges gardiens,* qui relate les activités des gouvernantes étrangères dans les familles trop crédules. Aussi prenait-elle les plus grandes précautions pour nous préserver de ces abus. Le choix de nos gouvernantes était toujours précédé de laborieuses vérifications. L'histoire du séjour chez nous de Mlle Alice Mollin en illustre l'efficacité.

Maman s'adressa cette fois-là à une organisation franco-russe à Odessa, réputée comme tout à fait sérieuse. Pour encore plus de sûreté, elle chargea une tante par alliance de Papa, qui était anglaise, d'aller voir la directrice du Home en question pour la prier de désigner une jeune Française distinguée et instruite à laquelle on pouvait confier les enfants.

Tante Dora se rendit au Home sans tarder, eut un entretien avec la directrice et put bientôt informer Maman du succès de sa démarche. Une jeune personne, répondant à toutes les exigences et enchantée elle-même de passer l'été à la campagne, arriverait prochainement à Vassilki.

— Mes enfants, nous dit Maman, tante Dora m'écrit que Mlle Alice Mollin est très timide. Faites-lui bon accueil pour la mettre tout de suite à son aise.

Nous étions tous sur le perron quand Karpo l'amena de la gare.

Une grande fille aux airs désinvoltes sauta lestement de la voiture en criant d'une voix enjouée :

— Bonjour messieurs-dames ! Me voilà ! Mais dites donc, vous en avez de sales routes ! J'ai failli y laisser mes tripes !

Je me rappelle l'expression interloquée de Maman et les yeux rieurs de Papa.

Le dilemme se posa dès ce moment : comment faire ? Il était évident qu'une erreur s'était produite et que ce ne pouvait être la personne dont avait parlé la directrice du Home. Cependant, maintenant qu'elle était là, on ne pouvait pas la renvoyer.

Maman décida de réduire au minimum nos relations avec Mlle Alice, ce qui alla tout seul, car elle s'intéressait à tout sauf aux enfants.

Curieusement, de toutes nos gouvernantes, c'est elle qui nous laissa le souvenir le plus vivace.

Alice avait une vitalité débordante et ne pouvait rester une minute inactive. Elle commença par tout inspecter et tout critiquer. Elle alla voir la cuisine, la buanderie, la laiterie, la basse-cour, le jardin potager, jusqu'à la ferme « pour voir comment ça se passe chez vous autres » et pour tout comparer avec ce qu'elle connaissait de la campagne française.

À table, elle n'arrêtait pas de bavarder et racontait des histoires grivoises ou ses propres expériences parisiennes avec une étonnante franchise.

— Qu'est-ce qui vous a donné l'idée de venir en Russie ? demanda une fois Papa.

— Eh bien, une amie à moi y était allée et m'avait conseillé de faire comme elle. C'est quand même mieux d'être gouvernante, même chez les Russes, que femme de chambre !

— Ah... ?

— Oui, je travaillais dans un hôtel. C'est dur, vous savez, et qu'est-ce que j'ai pris comme emmerdements !

— Et vous avez pensé qu'en Russie...

— Mon amie m'avait dit : vas-y. T'es parisienne et les Russes n'y verront que du feu.

— Ne croyez pas, mademoiselle...

— Taratata, monsieur, je sais ce que vous allez me déballer. Mais les Russes ne sont que des Russes, quoi que vous en disiez. La Russie, vous savez... Tandis que la France, c'est le soleil sur terre !

Si le patriotisme d'Alice était à toute épreuve, ses connaissances géographiques l'étaient beaucoup moins. Mais elle en tirait plutôt avantage, car cela lui permettait de se figurer les choses telles qu'elle les souhaitait.

— J'ai vu la Russie, allez ! Je l'ai même trop vue.

— Vous n'avez vu qu'Odessa, protestait Papa, ce n'est pas toute la Russie. La Russie est très grande.

— Oh grande... Toujours pas comme la France !

— Voyons, voyons, mademoiselle, la Russie est quarante fois plus grande que la France.

— Oh là là, comme il y va ! Vous vous payez ma tête ?

— Pas du tout. Je vous montrerai une carte et vous verrez vous-même.

— Vos cartes russes, vous savez... Ils y mettent tout ce qu'ils veulent.

Un doute désagréable la gagnant tout de même, elle abandonna la question.

— Les Russes mangent n'importe quoi. Tenez, votre fameuse kacha, chez nous on la donne aux cochons.

— Et chez vous on mange des grenouilles et des escargots. Chez nous même les cochons n'en voudraient pas.

— C'est une question de civilisation.

Et s'adressant à Maman :

— Votre chef n'a aucune idée des pommes soufflées. Je vais lui montrer comment on les fait.

— Je vous en prie, mademoiselle, laissez le chef tranquille.

Mais Papa approuva.

— Laisse donc faire Mlle Alice. C'est une occasion pour Yakime d'apprendre des recettes françaises.

Maman consentit à contrecœur et prévint Yakime des projets d'Alice. Loin de s'offenser, celui-ci en fut enchanté. Curieux de tout ce qui venait du vaste monde, il accueillit Alice avec plaisir. Ce n'étaient peut-être pas les frites qui l'intriguaient, mais Alice elle-même. On savait que Mlle la Française était très drôle et parlait le russe de façon tordante. Karpo, paraît-il, avait rigolé tout le temps en l'amenant de la gare.

Alice alla donc plusieurs fois à la cuisine et produisit de très belles pommes soufflées que Papa loua beaucoup. Elle fit aussi quelques tartes et assaisonna la salade. Mais au bout de quelques jours, elle en eut assez et déclara que la cuisine était trop mal aménagée, que le bois brûlait mal et que Yakime avait des défauts trop enracinés, même s'il était un brave homme.

— J'en ai marre ! déclara-t-elle et elle cessa de parler de cuisine.

Notre attitude avait changé. Au lieu d'éviter Alice, nous lui courions après, mais non pour lui parler français, mais pour l'entendre parler russe. Le plus drôle était quand elle se mettait à poursuivre les femmes de chambre en leur reprochant leur mauvaise tenue.

— T'as l'air d'une souillon, ma pauvre fille ! criait-elle en mélangeant le russe, le français et les gestes. Et lave-toi un peu plus souvent, pour l'amour de Dieu !

Un jour elle annonça son intention de laver à fond le grand tonneau dans lequel on gardait l'eau.

— Il est dégueulasse, votre tonneau !

Papa essaya de lui expliquer que ce tonneau était noir à cause du goudronnage, mais elle ne voulut rien entendre. Nikita dut le vider et le rouler au milieu de la cour. Alice se munit d'une brosse et d'un seau de lessive et y entra à quatre pattes. Nikita éberlué devait maintenir le tonneau en place et passer des seaux d'eau.

Alice avait revêtu un costume très sommaire, genre de petit peignoir passé sur la chemise, dont les pans traînaient dans l'eau savonneuse. Agacée, elle sortit du tonneau, se débarrassa de son peignoir et le jeta dans les bras de Nikita. Elle n'avait plus à présent que sa chemise et ses longs pantalons à volants en dentelle, comme on les portait à l'époque. Nikita sidéré écarquillait les yeux.

Mais Alice n'y prêtait aucune attention, tout absorbée par son travail. Son derrière se trémoussait en cadence et c'était tout ce qu'on voyait de sa personne.

Nikita raconta pendant des années l'extraordinaire évenement en ajoutant chaque fois :

— On ne voyait que son cul ! Ma parole, je l'ai vu comme je vous vois !

Alice avait une vraie hantise des puces. Il faut avouer qu'il y en avait. Les moyens de lutte contre ces agaçants insectes, comme la poudre de Perse et les branches d'absinthe, ne leur faisaient pas grand effet. Elles se promenaient sous nos vêtements, entraient dans nos lits et nous dérangeaient à tout moment. Il arrivait qu'au milieu de la nuit, réveillés en sursaut, nous appelions Maman au secours et elle se levait, allumait une bougie et venait chercher la puce. Le lit ouvert, on restait assis en bouddha sur l'oreiller pendant que Maman promenait la bougie le long des draps pour capter le détestable insecte qui sautait éperdument dans tous les sens.

Nos leçons étaient souvent interrompues par la nécessite urgente d'attraper la puce qui ne nous laissait pas étudier.

Habitués à vivre à la campagne, nous considérions que les puces étaient un mal inévitable comme les mouches et les moustiques. Mais Alice en faisait un drame. Elle accusait les domestiques de les propager dans la maison et les poursuivait pour les saupoudrer de poudre insecticide. Souvent à table elle sursautait en poussant un cri, repoussait sa chaise, soulevait sa jupe.

— Aïe, sale bête, je t'ai encore loupée ! Mais attends, je finirai par t'avoir !

Nous éclations de rire, mais Maman était outrée.

— Oh, mademoiselle, vous pourriez attendre la fin du repas...

— Attendre ? Vous plaisantez ! D'ailleurs ça me coupe l'appétit.

La blanchisserie était un autre sujet de préoccupation pour Alice.

— Il est tout gris votre linge, disait-elle en faisant la grimace. En France chaque paysanne sait laver son linge, mais en Russie on n'en a aucune idée. Laissez-moi y mettre la main et vous m'en direz des nouvelles.

Elle s'empara un jour de la buanderie et y entreprit des réformes révolutionnaires qui terrorisèrent les blanchisseuses. Nikita fut de nouveau mobilisé pour charrier l'eau et chauffer les cuves.

— Rincer le linge au ruisseau ! s'exclamait Alice, mais c'est de la folie ! L'eau n'y est pas claire du tout, pleine de bêtes, d'herbes pourries, de toute sorte de saloperies ! J'ai vu les vaches y boire, les cochons sans doute y vont aussi. Vous n'avez aucune notion d'hygiène.

On avait beau lui expliquer que l'eau était courante et venait d'une source pure, pour elle c'était le cloaque.

Le résultat de l'entreprise fut moins brillant qu'elle ne l'avait espéré et elle abandonna bientôt la blanchisserie en ordonnant à Émilie, première blanchisseuse, de suivre les indications qu'elle lui avait données.

Il y eut par la suite un petit drame qui se déroula dans la chambre d'Alice, quand Émilie lui apporta son linge qu'elle avait, pensait-elle, très bien lavé.

Nous eûmes deux versions de l'incident, d'abord celle d'Émilie, qui vint trouver Maman en sanglotant. Mlle la Française lui aurait jeté le linge à la figure et l'aurait mise à la porte.

Alice, quand Maman lui demanda des explications, s'exclama :

— Taratata ! Je ne lui ai rien jeté du tout, sauf peut-être une petite chemise. Je lui ai simplement dit : Pleure, ma fille, tu feras moins de l'autre bout !

On attendait l'arrivée de Grand-Maman, tante Naya et oncle Rostislav. Maman était très inquiète : quelle impression allait produire Alice ? On la pria de ne rien entreprendre et de nous lire les œuvres de Mme de Ségur, ou bien de faire des confitures dans le jardin où on lui installerait un fourneau de plein air.

L'idée des confitures l'emballa. Mais comme elle ne pouvait rien faire en silence, elle emmena Véra pour trier les baies et Nikita pour s'occuper du chaudron. Nous étant assurés que les lectures n'auraient pas lieu, nous restâmes auprès du champ d'opérations.

— Ne vous approchez pas trop, les gosses, ordonna Alice en agitant une louche dégoulinante de sirop. Je veux faire du bon boulot !

Dès que Grand-Maman fut arrivée, on la mit au courant de la situation. Contrairement aux appréhensions de Maman, la spontanéité d'Alice éveillait la sympathie. Même la sévère tante Naya ne put s'empêcher de rire quand Alice, nullement intimidée, se mit à raconter ses démêlés avec les domestiques.

— Où habitiez-vous à Paris ? demanda Grand-Maman.

— À Puteaux. C'est là que ma mère a son bistrot.

— Ah bon...

— Maman, vous savez, n'arrête pas de bourlinguer. Ce qui compte pour elle, c'est les sous. Elle se fout du reste.

— Ah, vraiment ?

— Je tournais un peu autour du comptoir, moi aussi, mais c'était surtout pour lipper les verres !

— Votre mère est contente de vous savoir en Russie ?

Alice haussa les épaules.

— Pour ce que ça lui fait... Il y a des choses qu'elle ne peut pas comprendre. Je lui ai écrit que j'étais placée et que je donnais des leçons. Et elle m'écrit : Mais quelles leçons peux-tu donner ?

Et Alice éclata de rire.

— C'est pas que j'aime pas Maman, je sais que je lui en ai fait voir de toutes les couleurs ! Je l'entends encore me lancer de derrière son comptoir : Ah ! chameau !

Il y eut une fois une querelle tordante entre Alice et oncle Rostislav. Alice prétendait que les Russes étaient paresseux et sales.

— Et qu'est-ce que vous en savez ? protestait oncle Rostislav, où avez-vous été ? Savez-vous, par exemple, que le bain de vapeur est chose courante chez les paysans russes ? Tandis que les paysans français n'aiment pas se laver. « L'eau pique » est chez vous une expression populaire et ça en dit long. Tenez, ajouta-t-il en se levant, je vais me baigner dans l'étang pour vous prouver que l'eau ne pique pas.

— Dans l'étang ! Dans une eau stagnante et pourrie ! En compagnie de grenouilles et de rats ! Je vous disais bien que les Russes étaient sales.

Mais la curiosité prenant le dessus, elle ne tarda pas à prendre l'allée de tilleuls qui menait à l'étang. Et, oh surprise ! on la vit apparaître en costume de bain orné de volants sur le petit pont de la maisonnette lacustre qui faisait office de cabine de bain.

De nous tous Alice préférait Papa, il la laissait parler et riait de bon cœur de ses plaisanteries. Elle crut l'avoir séduit et se mit à le poursuivre : elle tournait devant la porte de son cabinet de travail ou allait lui demander des renseignements sur n'importe quoi, ou encore affectait un intérêt soudain pour les plantes exotiques, ou lui demandait un livre qu'elle abandonnait le plus souvent dans le hall ou le salon. Elle venait aussi lui montrer ses toilettes et, prenant des poses avantageuses, lui demandait :

— N'est-ce pas que je suis bien cambrée ?

En voyant Papa tailler les jeunes arbres, elle soupirait :

— C'est pas pour demain, ceux-là ! Quand ils auront des pommes et des poires, je mangerai, moi, les pissenlits par la racine !

Les visiteurs chez nous étaient rares et un équipage franchissant le portail produisait toujours l'effet d'une bombe. Papa était généralement le premier à l'apercevoir, son cabinet donnant sur le rond-point d'arrivée. Son premier souci était de prévenir Maman et celle-ci s'efforçait de garder son calme pour faire face à l'événement.

Il arrivait cependant qu'un visiteur produisît une explosion de joie. Tel fut le cas lors de l'arrivée inattendue d'oncle Vodik.

Occupé à tailler ses pommiers auprès du portail, Papa le vit le premier. Quelle surprise! Mais pourquoi venait-il à pied?

Oncle Vodik raconta son aventure en riant. Il se trouvait dans notre région et voulut en profiter pour nous rendre visite. Il loua un équipage et partit.

La journée était belle, la route carrossable et le cabriolet roulait allégrement. Il ne restait qu'à franchir le dernier ravin au fond duquel coulait la capricieuse Ouchitza, quand les choses se gâtèrent. Après une récente averse, la petite rivière s'était subitement gonflée et déferlait en tourbillons sous le pont de bois qu'il fallait traverser.

Les poutres vermoulues ne devaient plus tenir, car soudain, sous le poids de la voiture, tout s'effondra. Cabriolet, chevaux, passagers se trouvèrent dans le lit de la rivière. On s'en tira sans grand dommage, mais la voiture perdit une roue. Oncle Vodik ne prit pas les choses au tragique et continua le voyage à pied.

Nos parents avaient pour lui une affection particulière et nous, les enfants, l'adorions. La joie fut donc générale.

Nous étions en juillet et par conséquent en plein battage, grand événement qui mobilisait toutes les forces du domaine. À nos employés s'ajoutaient de nombreux journaliers ainsi que les volontaires qui, selon la coutume, venaient offrir leur aide par solidarité. On leur offrait en revanche un repas formidable avec de la vodka à volonté, ce qui donnait à ces journées un caractère de fête. Au vacarme des machines se mêlaient des chants et des éclats de rire. Au village on faisait de même en allant d'une ferme à l'autre pour s'entraider.

Sachant combien son cousin s'intéressait aux activités agricoles, Papa proposa une visite à la ferme, qu'oncle Vodik accepta avec empressement. Toute la famille naturellement fut de la partie.

Le grondement de la batteuse s'entendait de loin. La grosse locomobile lançait des nuages de fumée et de vapeur, pouffait, sifflait, comme si elle voulait se mettre en mouvement et s'échapper de l'énorme courroie de transmission qui l'attachait à la batteuse.

Une foule d'ouvriers s'affairaient sur l'aire. Les bœufs gris-perle de Vassilki, célèbres par leur taille et leurs cornes géantes, tiraient à pas lents des charrettes chargées de gerbes hautes comme des tours. Des hommes passaient les gerbes aux ouvriers juchés sur la batteuse qui les enfournaient dans l'énorme entonnoir. D'autres charriaient la paille battue qui jaillissait du flanc de la machine en vagues mouvantes.

Le mécanicien, noir de cambouis et de suie, surveillait la marche de la locomobile. Deux aides, aussi noirs et crasseux que lui, jetaient des bûches de bois dans le foyer incandescent.

Après avoir longuement contemplé le battage, nous descendîmes vers l'étang, la tête encore pleine de vacarme et les narines remplies de poussière. Le silence et une fraîcheur humide régnaient autour de l'eau. Maman proposa une pêche aux écrevisses qui eut lieu le soir même au feu d'un brasier.

On en prit une grande quantité et oncle Vodik déclara qu'il n'en avait jamais vu d'aussi grosses. Le compliment était mérité car nos écrevisses ressemblaient à de petits homards.

Yakime eut l'occasion de se distinguer avec sa fameuse soupe aux écrevisses qui faisait toujours très grand effet.

Le lendemain on supplia en chœur oncle Vodik de prolonger son séjour à Vassilki. Pour le tenter, Maman proposa un pique-nique en forêt, une promenade à cheval, une pêche au filet... En vain, il avait rendez-vous avec un ami, propriétaire près de Mohilev sur le Dniestr. Par amour de l'aventure, il avait décidé de faire le voyage en bateau, mode de transport tout nouveau lancé par un commerçant entreprenant de Vieille-Ouchitza. La navigation sur le Dniestr était difficile et longue et les deux bateaux mis en service tout à fait rudimentaires. Celui qui partait ce jour-là s'appelait *Slava Bogou !* ce qui veut dire « Dieu merci ! » et le deuxième qui partait le lendemain *S nami Bog !* — « Dieu est avec nous ! » Ces embarcations descendaient le fleuve lentement, les zigzags du Dniestr étant innombrables, et aboutissaient à Ackermann sur la mer Noire.

Ce voyage intriguait Maman. Elle projetait déjà de suivre l'exemple d'oncle Vodik à notre prochain départ à Odessa. Cela devait être passionnant de glisser sur mille kilomètres dans un bateau à aubes.

Toute la famille, bien entendu, accompagna oncle Vodik à Vieille-Ouchitza pour assister à son départ.

Parmi les personnes impressionnées par notre jeune cousin, la moindre n'était pas Fräulein Paula, notre gouvernante allemande. Mais le choc qu'elle éprouva fut peut-être bénéfique pour cette âme mélancolique, oppressée par un chagrin d'amour.

Fräulein Paula était une Munichoise de vingt-quatre ans. Elle était très belle avec un visage régulier, pâle et triste. À son chagrin sentimental s'ajoutait un terrible mal du pays, le *Heimweh,* que nous considérions comme un genre de maladie chronique et incurable qui frappait les étrangers.

La mélancolie et la tristesse me semblaient très poétiques et je m'imaginais que moi aussi j'étais mélancolique et triste. J'aimais beaucoup Fräulein Paula et passais beaucoup de temps avec elle. J'écoutais l'histoire de son roman avec sympathie et émotion.

Fräulein Paula aimait un jeune Bulgare qu'elle avait espéré épouser. Il avait toutes les qualités sauf une : la fidélité. Parti de Munich, il ne donna plus signe de vie et plus le temps passait, plus il devenait vraisemblable qu'il n'en donnerait plus. La *Mutti* de Paula jugeait très sévèrement le comportement du jeune homme et conseillait à sa fille de l'oublier. Pour lui changer les idées elle imagina de l'envoyer à l'étranger. La Russie fut probablement choisie comme le grand moyen capable de vous secouer à fond. Je crois que, sous ce rapport, l'entreprise avait réussi.

Le chagrin cependant ne se volatilisa pas, bien au contraire, il devint chronique.

Das Herz ist gestorben,
Die Welt ist leer[1]...

Schiller illustrait à merveille l'état d'âme de Fräulein Paula.

Et voilà que tout à coup, tombant du ciel, apparaît ce jeune homme, rayonnant et séduisant. Avec sa gentillesse habituelle et sans se douter de l'effet qu'il produisait, il la charma en quelques minutes. Dans son mauvais allemand, en trébuchant sur les déclinaisons et en confondant les *Der, Die, Das,* il raconta ses études à Bonn, parla de la Bavière et de Munich.

Fräulein Paula changea d'expression, se coiffa de façon plus seyante et remplaça sa sévère tenue sombre par une jolie robe faite par sa mère pour les occasions. On aurait dit que soudain elle enlevait le deuil.

Allait-elle tomber de Charybde en Scylla et commencer un nouveau calvaire sentimental ? Non, car le temps manquait pour transformer l'étincelle en incendie. La secousse fut cependant suffisante pour faire reculer les tourments du passé.

Nous partîmes donc tous, dans trois voitures, à Vieille-Ouchitza pour voir oncle Vodik s'embarquer. On arriva sans encombre au débarcadaire, mais... pour voir que le *Slava Bogou !* voguait déjà au milieu du fleuve ! Nous nous mîmes à crier et à agiter les bras dans l'espoir qu'il s'arrêterait et enverrait une barque. Mais non, le capitaine mit les mains en trompette et hurla plusieurs fois :

— Demain ! Demain ! *S nami Bog !*

Cela voulait dire qu'il ne restait aux retardataires qu'à prendre le bateau du lendemain.

Nous fûmes ravis de ce contretemps et oncle Vodik fit bonne mine à mauvais jeu. Sachant qu'il s'intéressait à la jurispru-

---

1. « Quand le cœur est mort,
Le monde est vide. »

dence, Papa proposa d'aller au tribunal où justement se tenait une séance. Les audiences judicières étaient chez nous pleines de couleur et d'imprévu.

La place était encombrée de charrettes et de groupes de gens debout et assis. Plaignants, accusés, témoins attendaient leur tour de comparaître pour l'examen de leur affaire. Deux gendarmes bon enfant déambulaient de long en large veillant sur l'ordre public.

À notre entrée, le juge Andriévski leva les yeux avec étonnement mais les reposa aussitôt sur les papiers qui jonchaient la table et ne dit rien. Le clerc nous indiqua des chaises et nous nous assîmes en silence. L'avocat Bouzgann était en scène en train de prononcer sa plaidoirie.

Bouzgann était un petit homme frisé, le nez orné de grosses lunettes. Il n'était pas un avocat véritable et en principe n'avait pas le droit de plaider. Mais vu la pénurie dans ce domaine de personnes qualifiées et le besoin qu'en éprouvait la population, les autorités fermaient les yeux sur ces petites irrégularités.

La compétence de Bouzgann était très fantaisiste et son russe assez pittoresque. Il suppléait à ces lacunes par une éloquence passionnée et des gestes très expressifs. Les paysans le trouvaient très fort et il ne manquait pas de clients.

Curieusement les Juifs dans nos régions avaient beaucoup de mal à parler russe, ceux en particulier qui n'avaient pas fréquenté l'école. Odessa foisonnait d'enseignes de ce genre : « Cuisine à la tête d'un chef talentueux », « Ici on coupe et rase sans différence », « Tailleur expérimenté dans le meilleur goût ».

Bouzgann était donc en train de plaider et, arrivé à la conclusion, faisait vibrer sa voix avec emphase.

— Je demande la justice ! Je réclame le juste châtiment du criminel qui a privé mon client des fruits de son existence !

Les yeux de Bouzgann lançaient des éclairs.

— ... Mais la main de la justice sera plus longue que le crime et c'est elle qui dira le dernier mot !

Je remarquais qu'oncle Vodik s'amusait et ne comprenais pas pourquoi. Le discours de Bouzgann me paraissait très émouvant.

Quand les témoins déposèrent — parmi eux des femmes parlant ukrainien —, il me demanda ce que signifiait telle ou telle expression locale et je me gonflai d'importance.

Maman n'était pas venue au tribunal, mais profitant de l'occasion, alla au marché avec mes sœurs et Fräulein Paula. J'avais hésité, je m'en souviens, entre la tentation du marché et celle de la compagnie d'oncle Vodik. J'aimais déambuler devant les foules quand je me sentais élégante. On me croira à peine, mais je me rappelle la robe que je portais ce jour-là : blanche à pois rouges, toute droite et froncée, tout à fait « fillette ». J'avais remarqué que Fräulein Paula avait changé de coiffure et avais réussi à changer la mienne en me faisant deux petites tresses attachées par des nœuds rouges. Maman, dans le remue-ménage du départ, n'y avait pas fait attention.

Le jour suivant Papa fut formel : lui seul accompagnerait oncle Vodik au bateau, de sorte qu'on ne rata pas le *S nami Bog !* Le départ eut bien lieu.

On parla beaucoup d'oncle Vodik par la suite pour le louer en chœur. Et soudain, dans un élan d'enthousiasme, je m'exclamai :

— Je l'épouserai !

Tout le monde éclata de rire. Mais on eut tort, car douze ans plus tard je l'épousai en effet.

Le problème de nos études se posait chaque année plus sérieusement, pour Emmanuel surtout. Les filles, évidemment, seraient élevées à la maison, comme l'avaient été nos grands-mères, nos tantes et Maman. L'idée même d'une école paraissait saugrenue. Maman avait une phrase qui résumait tout : « Je ne veux pas que mes filles courent les rues. » Ainsi, dans nos esprits, le fait d'aller au lycée, même accompagnées d'une bonne, avait quelque chose de frivole et de dangereux.

Mais pour Emmanuel c'était différent et nos parents étaient d'accord : il devait entrer dans un lycée. Et qui pourrait l'y préparer ?

La première personne qui logiquement venait à l'esprit était le maître d'école du village. On aurait pu supposer qu'il possédait un minimum d'instruction pour remplir ce rôle. Mais à cette époque il y avait encore très peu d'instituteurs qualifiés et la plupart de ces postes étaient occupés par un personnel pourvu d'un très modeste bagage intellectuel. Tel était le cas pour Joseph Pétrovitch.

Le russe dont il se servait était très peu académique et rempli d'expressions locales. Ses lettres ne témoignaient pas une connaissance approfondie de la grammaire. Non seulement la phonétique l'emportait trop souvent sur l'orthographe, mais il y avait trop peu de majuscules. Le soupçon nous vint qu'il ne savait pas les faire, ce qui était quand même un peu excessif.

De toute évidence le niveau de son instruction était insuffisant pour préparer un garçon à son examen de quatrième. Joseph Pétrovitch n'était lui-même jamais arrivé aussi loin.

Un certain été on avait eu recours à l'aide de Georges Zélinski, fils aîné du père Alexandre, qui était en train de terminer le séminaire de Kamenetz-Podolsk. Mais ces leçons ne pouvaient avoir lieu qu'en été quand Georges était lui-même en vacances.

Sur ces entrefaites et vu l'impossibilité de trouver une autre solution, Papa déclara qu'il s'occuperait lui-même des études d'Emmanuel, au moins provisoirement, pendant qu'on chercherait un précepteur à domicile.

Je me rappelle qu'Emmanuel allait prendre ses leçons avec appréhension et que Maman prêtait l'oreille avec inquiétude, car la voix de Papa, habituellement si faible et peu sonore, s'élevait de façon anormale, tandis que celle d'Emmanuel ne s'entendait plus du tout.

J'eus une courte expérience personnelle de l'enseignement de Papa. Maman le persuada de me donner quelques cours de russe et d'arithmétique, elle-même n'étant pas très forte en ces matières.

Je ne sais plus combien de temps durèrent ces leçons et ne me rappelle clairement qu'une seule. Il s'agissait de grammaire russe, matière epineuse entre toutes.

En face de moi, Papa tenant une grammaire ouverte.

— Je lis, dit-il, tu...

Je restai interloquée : que voulait dire Papa ?

— Tu..., répéta Papa avec impatience.

Je me taisais toujours et la tête commençait à me tourner.

— Tu ! criait Papa de plus en plus énervé.

Je ne voyais plus que du brouillard.

— Je lis, tu... Imbécile !

Une lueur traversa ma tête : Papa voulait dire que tandis qu'il lisait, je restais, moi, une imbécile. Mais je ne savais pas ce qu'il fallait y ajouter.

— Alors tu ne veux pas réfléchir ? Dieu, que tu es bornée ! C'est peine perdue, tu ne seras jamais capable que de garder des oies !

Là-dessus il jeta la grammaire, se leva et alla s'asseoir à son bureau, me laissant complètement ahurie.

Il fallait évidemment conjuguer le verbe « lire », mais c'est seulement dans ma chambre que je le compris.

Heureusement que Papa se fâcha dès le début et que nous ne sommes pas arrivés aux problèmes d'arithmétique. De ma vie, je n'ai jamais résolu aucun problème et ce n'est pas sa méthode qui m'aurait aidée.

Emmanuel avait l'esprit plus résistant mais ça ne devait pas marcher très fort non plus, car on parlait de plus en plus de ce professeur qui devait arriver de Kiev. Il arriva enfin.

Sergué Ivanovitch Smirnov était étudiant à l'université de Kiev, en train de préparer sa thèse. Ce n'était pas un esprit précoce, puisqu'il avait déjà vingt-cinq ans Mais il était, il faut le dire tout de suite, légèrement handicapé : il ne voyait et n'entendait qu'à moitié, ou plus exactement, son œil gauche était malade et il portait un cache-œil en velours noir pour le préserver de la lumière. Quant aux oreilles, la droite était bouchée et il fallait lui parler dans l'autre en haussant la voix.

Sergué Ivanovitch était très grand, maigre et un peu voûté. Une calvitie précoce se dessinait nettement au milieu de ses cheveux roux frisés.

Ses petits défauts physiques n'inquiétèrent guère nos parents ; au contraire, ils les assimilèrent à des vertus.

— Borgne et dur d'oreille, voilà un jeune homme qui ne fera pas le freluquet.

M. Smirnov était en effet très sérieux et en même temps sentimental. Je me rappelle qu'à l'occasion d'un grand naufrage qui endeuilla le monde et remplit les journaux, il se montra si bouleversé qu'on eut peur pour sa santé. Il s'enferma plusieurs jours dans sa chambre pour pouvoir pleurer à son aise, se fit servir ses repas dans sa retraite et y fit venir Emmanuel pour ses leçons.

Sergué Ivanovitch avait un énorme appétit et mangeait n'importe quoi, car, disait-il, il ne distinguait pas les goûts, mais quand il apprit que, chez nous, on observait de longs carêmes, il en fut épouvanté. La viande, affirmait-il, lui était indispensable pour étudier.

On lui servit donc du beurre et du lait au petit déjeuner et des plats de viande aux repas. Yakime lui en voulut pour l'avoir obligé de toucher au gras pendant le carême.

— À cause de M. l'Étudiant, se plaignait-il, je dois respirer des odeurs défendues quand je fais maigre comme un bon chrétien.

M. Smirnov n'était pas particulièrement sympathique, mais il sut gagner l'amitié de Maman par la musique. Il aimait et sentait la musique. Souvent le soir, il se mettait au piano. Ses longs doigts couraient sur le clavier et en tiraient des mélodies tendres et tristes ou des fragments de morceaux reconstruits de mémoire. Il s'excusait invariablement de jouer si mal, n'ayant jamais étudié, et ajoutait que c'est ainsi qu'il savait prier.

Sa voix rauque et indocile n'était pas de grand secours pour le chœur de Maman, mais il y participa comme accompagnateur. Sa demi-surdité ne le gênait pas pour la musique.

Il prenait d'ailleurs ses petites infirmités avec bonne humeur et racontait en riant comment il avait trouvé un système pour échapper au ridicule quand il était en société.

— Pour ne pas faire répéter la question, je réponds avec un air vague : Je ne sais pas... Seulement ça ne marche pas toujours. Une fois à une soirée estudiantine, une jeune fille me demanda : Comment vous appelez-vous ? Et je lui répondis : Je ne sais pas...

Sergué Ivanovitch nous accompagnait dans nos promenades, patinait avec nous sur l'étang gelé, nous faisait des bonshommes de neige. Mais chez lui c'était moins un amusement qu'un exercice nécessaire à l'entretien de la santé.

À la fin de l'hiver, à mesure qu'approchait la date des examens, Emmanuel et son professeur redoublèrent de zèle, chacun se préparant à son épreuve.

— Si j'échoue, disait Sergué Ivanovitch, je reviendrai à Vassilki pour un autre hiver. Si je réussis, vous ne me reverrez plus.

Il partit en juin accompagné de tous nos vœux.

Nos parents décidèrent qu'Emmanuel passerait ses examens à Khotine. On choisit cette petite ville à cause de sa proximité de Kapliovka, ce qui nous permettait d'habiter chez oncle Rostislav. Toute la famille voulait accompagner Emmanuel.

Je prenais très à cœur le sort de mon frère, il me semblait que ma vie en dépendait. Je me rappelle que le jour de la première épreuve, tandis que Maman, très émue elle-même, emmenait Emmanuel à Khotine, je m'enfermai dans une pièce vide du rez-de-chaussée et me jetai à genoux pour supplier Dieu de le faire réussir. Je vois encore les branches des acacias en fleur se penchant dans les fenêtres et j'entends le chant du rossignol qui accompagnait ma prière.

Mais Dieu ne m'entendit pas ce jour-là, car Emmanuel échoua, comme d'ailleurs Sergué Ivanovitch.

On discuta beaucoup de l'avenir d'Emmanuel avec Grand-Maman. Depuis l'échec du pauvre garçon, dont était responsable le problème d'arithmétique, tout le monde voulait le réhabiliter. Il avait échoué ? Tant mieux ! De toute façon, cela n'avait été qu'un genre d'essai et le lycée de Khotine n'avait jamais été envisagé pour ses études. Il allait se préparer mieux au cours de l'hiver prochain pour se présenter de nouveau. Mais où ?

Emmanuel était le filleul de Grand-Maman et son petit-fils unique. Elle l'aimait beaucoup et s'intéressait à ses études. Elle souhaitait pour lui un établissement de premier ordre.

Le lycée Nicolas-Ier de Moscou paraissait tout indiqué. C'était une école privilégiée, pourvue d'un internat luxueux. Moscou était un peu loin, il est vrai, mais quarante-huit heures en wagon-lit n'étaient pas, en somme, tellement pénibles.

Emmanuel, cela va sans dire, n'était pas responsable de son échec et on se demanda si Sergué Ivanovitch avait été à la hauteur. On verrait tout ça en automne. Pour l'instant Emmanuel devait se reposer et passer de bonnes vacances.

On ne trouva pas d'autre professeur, pour la simple raison qu'on n'en avait pas cherché. M. Smirnov revint donc à Vassilki en septembre, toujours le même, avec une oreille sourde et un œil caché. Cette fois je lui fus aussi confiée.

Nos leçons se passaient dans une des chambres de la mezzanine. Je les trouvais monotones et m'y rendais sans plaisir. J'avoue que je profitais souvent de la surdité de Sergué Ivanovitch quand je ne savais pas très bien ma leçon. Je parlais d'une voix indistincte et faisais semblant d'oublier laquelle était sa bonne oreille.

Mais mes manigances se retournèrent contre moi et révélèrent à la même occasion certains côtés ténébreux de l'âme de Sergué Ivanovitch, qu'on n'avait pas soupçonnés.

Un beau matin, alors que je récitais la description de l'Oural et me proposais de me servir de ma stratégie, je fus frappée par son air étrange.

— Plus près, plus près mon enfant, murmurait-il, je ne t'entends pas bien.

Je m'approchai davantage et allai recommencer, quand tout à coup, il saisit ma tête et m'embrassa sur les lèvres. Je reculai brusquement ne comprenant pas ce que cela voulait dire, tandis que Sergué Ivanovitch bredouillait :

— Tu ne veux pas m'embrasser ? Tu ne m'aimes donc pas ? Moi, tu vois, je t'aime bien... Chaque fois que tu auras bien étudié, je t'embrasserai pour te récompenser. Mais c'est un secret entre nous, tu ne le diras à personne, personne... Tu me le promets ?

Je fus flattée de tant de confiance, même si la récompense ne me tentait pas.

Les jours suivants, il recommença et, à présent, les prétextes se multipliaient : Sergué Ivanovitch m'embrassait pour me louer, me punir, m'encourager. Il n'attendait plus que je m'approche pour réciter, mais me devançait en m'attirant vers lui. Et telle était la naïveté de mes dix ans, que je n'y voyais qu'une nouvelle méthode que je trouvais très agaçante.

Le soir avant le dîner nous avions l'habitude de jouer dans le grand couloir. Il y avait partout des coins sombres où nous nous amusions à nous cacher.

Sergué Ivanovitch se joignait à nous, faisait le loup-garou et nous attrapait en poussant de grands cris. Je m'aperçus qu'il me poursuivait plus souvent que les autres et me traînait dans les coins noirs pour me couvrir de baisers. Ce jeu finit par me dégoûter et une fois, tandis qu'il courait après moi, je m'arrêtai au milieu du couloir en criant :

— Laissez-moi ! Vous ne faites que m'embrasser !

Il se trouva que Maman, passant par là, m'entendit.

— Viens avec moi ! ordonna-t-elle et elle m'emmena dans sa chambre.

Je racontai comment se passaient mes leçons et Maman en fut horrifiée.

Il y eut une explication orageuse entre elle et Sergué Ivanovitch et mes leçons furent arrêtées. On le garda cependant jusqu'à la fin de l'année à cause d'Emmanuel qui ne pouvait rester sans professeur.

Sergué Ivanovitch adopta une attitude de dignité blessée et s'enferma plus souvent dans sa chambre pour méditer et pleurer sur les infortunes du monde et les siennes.

Pour protéger notre innocence, on nous cachait tout ce qui n'était pas pour nos oreilles, de sorte que nous ne savions rien des choses qui ne nous regardaient pas. Mais on a beau faire, il y a toujours quelque chose qui échappe au contrôle le plus strict. Ainsi un jour, nous remarquâmes que la jolie Véra entrait dans la chambre de Maman en courant l'air bouleversé et les larmes aux yeux.

Mania tournait devant la porte visiblement très intéressée. Nous la pressâmes de questions et elle nous confia que pour une raison inconnue, dit-elle, Véra avait giflé Sergué Ivanovitch.

La suite fut encore plus surprenante, car ce n'est pas Véra qui reçut une réprimande, mais encore une fois notre malchanceux répétiteur !

Nous étions trop jeunes pour comprendre la gravité de l'événement qu'un beau jour annonça Papa : la Russie était entrée en guerre. Si je me souviens bien, c'est le côté héroïque qui frappa le plus mon imagination. La Russie, fidèle à ses traditions, allait défendre les Slaves opprimés et faire triompher le droit et la justice.

À table on ne parlait plus que de la mobilisation générale, de notre armée qui était la meilleure du monde, de nos soldats dont le courage et l'endurance étaient légendaires. La victoire était certaine et en douter aurait été offenser la patrie.

La vie continua comme auparavant malgré la proximité du front autrichien. Les télégrammes militaires, qui paraissaient en première page dans les journaux, ne relataient que nos victoires et notre avance sur le territoire ennemi.

Mais plus que ces nouvelles officielles, c'est le départ de plusieurs jeunes gens du village et de certains de nos employés qui nous donnait le sentiment que la guerre était chose réelle. Papa, officier de réserve, était pour l'instant dans l'attente, ses cinq enfants lui donnant une dispense. Mais oncle Rostislav avait aussitôt rejoint l'armée active et devait se trouver sur le front autrichien avec son régiment de Tersk.

Les nouvelles arrivaient mal, les rumeurs qui couraient d'un village à l'autre étaient contradictoires, souvent fantaisistes, presque toujours fausses. Les journaux étaient remplis d'exagérations et de récits patriotiques qui n'avaient que peu de rapport avec la réalité.

Et soudain, surgie d'une source inconnue, se répandit une nouvelle alarmante : les Magyars, ayant rompu le front, avançaient sur notre région, sabre au clair. Le massacre semblait imminent et un souffle de terreur parcourut le pays.

Nous étions à l'écart des routes et isolés par le Dniestr et ses ravins. Nous ne pouvions pas fuir. Où d'ailleurs ? En se lançant dans l'inconnu, on risquait de tomber de poêle en braise.

Pour échapper aux Magyars, Maman imagina une manœuvre que Papa qualifia de naïve et ridicule. Elle décida de déménager dans la maison de notre forestier, située à l'orée de la forêt, pour pouvoir en cas de danger se cacher dans le bois.

— Il ne faut pas tenter le sort, disait Maman, les Magyars sont prompts à faire marcher leurs sabres.

— Mais la forêt n'est qu'à trois kilomètres du château, s'ils viennent, ce dont je doute, ils n'auront qu'un saut à faire pour te trouver. Les gens qui se cachent sont toujours suspects et tu t'imagines bien que ton déménagement chez le malheureux forestier sera l'anecdote du village. En ce qui me concerne, je ne bougerai pas de chez moi, car je n'aime pas me rendre ridicule.

Pendant deux jours, Maman resta indécise, mais les bruits persistaient. Le clerc du domaine venait de rentrer de Vieille-Ouchitza où il avait parlé avec les commerçants juifs, toujours les mieux renseignés, lesquels avaient vu des paysans, qui eux, avaient été en Bessarabie, et avaient vu la cavalerie hongroise se diriger vers notre région.

Devant tant de précision et pour éviter le pire, Maman décida de ne plus attendre et de quitter le château tant qu'il en était encore temps.

On envoya chercher M. Noldé et, après une longue concertation, on établit le plan d'action.

Le forestier reçut l'ordre de libérer son isba et de déménager au village ; l'économe de préparer des vivres ; Yakime de faire une grande fournée de pain ; Stéphane de fournir des réserves de fruits et de légumes ; les femmes de chambre de coudre des housses en toile qui, remplies de foin, serviraient de lits de camp. Bref, le château entier et toutes ses dépendances déployèrent une activité fébrile et, croyait Maman, secrète.

Papa observait toute cette agitation, haussait les épaules et remarquait :

— Sais-tu seulement s'il y a assez de place chez le forestier ? Et où ira le pauvre vieux avec sa baba pendant que vous camperez dans sa maison ?

— Il ira au village, chez son frère. Lui au moins n'a rien à craindre des Magyars.

— Et comment le sais-tu ? S'ils coupent les têtes pour l'amour de l'art, toutes les têtes seront bonnes.

Mais Maman n'écoutait plus et le départ eut lieu dans un grand remue-ménage. À une certaine distance, pour ne pas éveiller de soupçons, suivaient les voitures transportant nos bonnes et nos bagages.

Notre forêt n'était pas grande mais très accidentée et par endroits impénétrable. Au fond du ravin qu'elle recouvrait, serpentait un torrent sautant à travers les plaques de schiste et les rochers.

La vieille isba du forestier se trouvait au bord du bois, la façade tournée vers les champs. Une palissade en osier tressé entourait la petite bâtisse trapue avec sa cour et ses granges. Nos cochers eurent du mal à faire entrer nos équipages dans l'étroit enclos.

Quand tout fut déchargé, les voitures repartirent et Maman, aidée de nos bonnes, se mit à organiser notre bivouac. Les minuscules fenêtres laissaient à peine entrer la lumière du soir. On alluma une lampe à pétrole qu'on suspendit à un clou.

Le sol de terre battue de l'unique pièce fut entièrement recouvert de nos paillasses et on ne savait plus où poser les pieds. La petite Ella, qui ne comprenait rien à tout ce bouleversement, faisait des caprices et pleurait. Le caniche Mars s'agitait et sautait d'un coin à l'autre, aboyait devant la porte et n'obéissait plus à personne. Emmanuel et moi, incapables de rester en place, courions à tout moment vers le portail pour voir si les Magyars étaient là. Les femmes de chambre qui devaient dormir dans la grange, poussaient des cris dans l'obscurité en trébuchant dans le foin.

Dans la pénombre du soir tombant, deux têtes ébouriffées surgissaient furtivement derrière la palissade, celles de deux gamins, petits-fils du forestier, qui étaient restés sur les lieux pour observer le sensationnel événement qu'ils allaient raconter à leurs copains au village.

Je crois que Maman, débordée par les difficultés de l'entreprise, n'eut plus le temps de penser aux Magyars. Ce n'est certes pas en raison de nouvelles plus rassurantes qu'elle décida de rentrer au château, car il n'y eut pas de nouvelles. Mais les quarante-huit heures héroïques de notre exode ont dû lui donner l'impression que la situation s'était améliorée et le drame écarté.

Elle envoya chercher les voitures et, après des préparatifs chaotiques, nous reprîmes le chemin du retour. Pour dédommager le forestier du dérangement, on lui laissa toutes nos provisions inemployées.

— Eh bien, dit Papa en nous voyant arriver, comme tu vois j'ai toujours ma tête et c'est toi, il me semble, qui avais perdu la tienne.

Il est juste de rapporter que nos deux parents en fin de compte ont eu raison, Papa en ceci que les Magyars n'étaient pas venus, Maman en cela qu'effectivement ils avaient franchi la frontière et s'étaient comportés comme des sauvages. Nous le sûmes de source directe et voici comment.

Un beau jour, ce devait être trois semaines après le début de la guerre, les quatre chevaux gris de Rachkov stoppèrent devant le perron et Grand-Maman et tante Naya, épuisées et couvertes de poussière, descendirent de la calèche.

Rachkov, comme je l'ai dit plus haut, était sur la frontière même, protégée, croyait-on, par le Dniestr. Grand-Maman détestait les défaitistes et n'écoutait pas les racontars alarmants. Elle ne voulait pas fuir et considérait de son devoir de continuer l'exploitation du domaine, plus que jamais nécessaire à la patrie en guerre. Le calme d'ailleurs régnait et rien ne justifiait la panique.

Or on n'avait pas prévu la mobilité de la cavalerie hongroise. Un détachement de hussards pénétra en Bessarabie par le nord et tomba comme la foudre sur Khotine.

Le cocher de Grand-Maman mérita ce jour-là la palme de fidélité et de présence d'esprit. Ayant remarqué un peloton de cavaliers sur la route, il courut à l'écurie et attela les chevaux. Au moment où les Magyars entraient dans le parc par l'allée principale, Grand-Maman et tante Naya en sortaient par le chemin de la forêt.

Leur départ précipité ne leur laissa pas le temps de faire leurs bagages. Tout était resté sur place, vêtements, documents, bijoux.

Ce qui suivit, Grand-Maman ne le sut que plus tard, lorsque l'employé envoyé par le gérant arriva à son tour à Vassilki. Arrivés au château, les Magyars eurent le plaisir de trouver les portes ouvertes, comme si on les attendait. Naturellement, ils s'y installèrent. Pas pour longtemps, car l'avance des troupes russes les obligea à décamper. Le gardien de nuit, poussé par la curiosité, observa leur retraite caché dans les buissons.

Quand il se fut assuré que le dernier cavalier était hors de vue, le brave homme courut au château. Les portes, cette fois encore, étaient largement ouvertes et le spectacle ahurissant. Les hussards n'avaient pas perdu leur temps, toutes les armoires, commodes et placards avaient été vidés et une pyramide d'objets les plus divers construite au centre de la salle de réception. Le tas avait été arrosé de pétrole et allumé. Le château se remplit de fumée, mais ne flamba pas, le tirage n'était peut-être pas bon.

Les divans et les fauteuils avaient été consciencieusement éventrés à la baïonnette et les énormes miroirs muraux avaient servi de cibles de tir, ainsi que les portraits et les tableaux. Quant aux bijoux et à l'argenterie, on se contenta de les emporter.

Ayant reçu ces bonnes nouvelles, Grand-Maman ne retourna plus à Rachkov et, après avoir passé quelques jours chez nous, partit avec tante Naya à Kiev.

Peu de temps après, nous eûmes une autre surprise : le haras entier d'oncle Rostislav arriva par la route à Vassilki. Effrayé par l'apparition des Magyars et craignant la proximité du front, Moïse Chiline décida de mettre les chevaux à l'abri.

Héberger une centaine de chevaux, pour la plupart jeunes et fougueux, n'était pas sans difficulté et M. Noldé s'affola. On construisit en hâte des enclos et des abris mais le personnel qualifié manquait et on laissa les chevaux sans dressage. C'était magnifique de voir ces kabardiniers galoper dans les prés, la crinière au vent.

L'été tirait à sa fin. Nous devions reprendre nos études. Emmanuel allait passer son examen, cette fois à Moscou. Il partit avec Papa fin septembre et, ayant réussi, entra au lycée Nicolas-Ier en troisième.

C'était un établissement de premier ordre. En plus de son installation luxueuse, le lycée s'enorgueillissait de la qualité de son enseignement qui se terminait par la licence de droit. Les règlements pour le comportement des élèves étaient très stricts. Les jeunes gens devaient observer une attitude digne et noble dans les lieux publics, céder la place aux dames, respecter les gens âgés, ne jamais apparaître dans un cabaret, une boîte de nuit ou tout autre endroit louche, en un mot garder à tout moment un comportement et une tenue de gentlemen.

Tout cela était très bien et j'étais heureuse pour Emmanuel. Mais, après son départ, je me sentis désemparée. Je rôdai dans le parc et la maison et rien ne me faisait plus plaisir. Il reviendrait certes à Noël, mais c'était loin. Et son nouveau prestige me diminuait à mes propres yeux. Voudrait-il seulement passer son temps avec moi comme avant ? Ma condition de fille et mon insignifiance m'opprimaient. C'est sans doute pour me donner un peu d'assurance que je pensais tant à la guerre.

Le front était dans les Carpates et le régiment d'oncle Rostislav se trouvait à Dorna-Vatra. Je brûlais de patriotisme et sentais que ma place était sur les champs de bataille.

Je pensais beaucoup à Jeanne d'Arc et lus tout ce qu'il y avait sur elle dans les livres d'histoire. Maman, qui avait un faible pour les héros militaires, en parlait avec une grande admiration, contrairement à Papa qui disait que les exploits guerriers allaient mal aux femmes et que c'était heureux que le cas de Jeanne d'Arc pouvait être considéré comme une exception.

Je regrettais que l'héroïne ait été si vieille — dix-neuf ans !

Voilà qui diminuait son charme. Mais j'espérais que les historiens s'étaient trompés et que la Pucelle n'avait en réalité que seize ans.

Ces histoires de voix et d'apparitions m'impressionnèrent moins et je n'y crus qu'à moitié. Mais peut-être, après tout... ?

J'essayai de vérifier si par hasard les voix ne me parlaient pas aussi et je me promenai dans les coins les plus isolés du parc en dressant l'oreille. Les vieux arbres à couronnes penchées me semblaient les plus propices pour les visions et je restai adossée à un tronc toute prête à recevoir un message.

Mais non, rien. Je n'entendis que les pies jacasser dans les branches et les grenouilles coasser dans l'étang.

Une fois j'aperçus une tache blanche au fond d'un fourré... Je retins mon souffle. La Vierge avec l'Enfant ? Mais non, c'était l'aide-jardinier Basilko avec sa faux sur l'épaule.

J'écrivis une lettre à oncle Rostislav en le suppliant de m'accepter comme ordonnance. Il répondit en louant mes sentiments patriotiques et j'en conclus qu'il était d'accord.

Je consultai des cartes dans le cabinet de Papa et lui posai des questions auxquelles il répondit avec sa gentillesse habituelle et sans le moindre soupçon.

Pour me sauver je prendrais la jument Zorka. Elle était vigoureuse et docile. Je m'habillerais en cosaque en puisant dans la malle d'oncle Rostislav laissée en dépôt chez nous. Les pantalons seraient évidemment trop longs, mais à la guerre comme à la guerre !

L'entrée d'Emmanuel au lycée produisit un choc qui fit vaciller les vieilles coutumes et une nouvelle idée commença à germer dans l'esprit de Maman : est-ce que l'éducation familiale était vraiment la meilleure pour les filles ? Je crois qu'elle se rendit compte qu'il me fallait des camarades autres que les bonnes avec lesquelles je passais trop de temps. La question des cours se posait ainsi de façon plus aiguë. Il fallait m'instruire et me faire passer des examens. Pas pour un usage pratique, bien sûr, mais enfin...

On décida d'engager une institutrice, une de ces demoiselles qui, ayant terminé leurs études dans une des institutions de noblesse, étaient placées par leurs directrices dans des familles considérées. Il s'agissait généralement d'orphelines qui ne savaient où aller.

C'est ainsi qu'après de longues discussions et un laborieux échange de lettres, je reçus une répétitrice fraîchement émoulue, âgée de dix-neuf ans. Lisa Golovine arriva de Moscou un beau jour, fin septembre, toute timide, toute naïve, deux tresses dans le dos et portant pour la première fois de sa vie des vêtements civils. Orpheline, elle avait passé toute sa vie entre les murs de son internat et n'avait vu le monde qu'à travers ses fenêtres.

Je pris tout de suite un air protecteur et conduisis ma jeune maîtresse à la ferme pour lui montrer les vaches, les chevaux et surtout les cochons qu'elle n'avait jamais vus que sur les images. Une fois, quand elle faillit s'évanouir devant un gros crapaud, je pris la bête et la portai à mes lèvres pour prouver qu'elle était inoffensive.

On me croira à peine, mais vivant à la campagne entourés d'animaux, nous ne savions rien de certains mystères de la nature, qui pourtant se déroulaient ouvertement de tous côtés sous nos yeux. Nous avions bien remarqué que les chats, les chiens, les dindons, les jars et même les grandes bêtes comme les chevaux et les taureaux, s'amusaient à sauter sur leurs femelles. Mais nous pensions que c'étaient des jeux stupides qui se transformaient souvent en disputes. Chez les chiens ça finissait toujours mal et nous tâchions d'arrêter ces ébats sauvages.

Un jour, en cherchant un livre à la bibliothèque, je tombai sur un manuel d'élevage de chevaux. Il y avait des planches en couleurs illustrant l'anatomie des juments et des étalons avec des explications très précises. La réalité qui tout d'un coup apparut sous mes yeux me fit un effet terrible.

Je remis le manuel en place et gardai le silence sur mes découvertes, consciente d'avoir mangé le fruit défendu. Mais je n'arrêtai plus d'y penser et observai nos amis les bêtes avec un intérêt nouveau. Une idée enchaînant l'autre et la logique aidant, j'arrivai à la conclusion que les hommes ne valaient pas mieux...

Quand Lisa Golovine arriva, j'étais déjà au courant et, voyant sa naïveté, me demandai si elle était aussi instruite que moi. Je n'allai jamais jusqu'à aborder ce sujet brûlant, mais pour tous les cas, adoptai un air compétent et entendu.

La pauvre Lisa, ou plutôt Elisavéta Pétrovna, car Maman tenait à ce qu'on gardât les distances, fut ahurie par la vie à la campagne, par le froid, l'isolement et peut-être les carêmes... Dieu sait si la vie des institutions de la noblesse était austère, mais notre table maigre devait malgré tout la frapper. Dans les pensionnats on observait aussi certains jeûnes, mais ni si souvent ni avec autant de rigueur.

Trop timide pour demander un menu différent comme l'avait fait Sergué Ivanovitch, elle eut par la suite recours à Karpo. Je la surpris plus d'une fois dans le vestibule tandis qu'il lui remettait des paquets. Et j'eus vraiment l'impression que c'était tantôt une motte de beurre, tantôt un saucisson.

Je remarquai aussi qu'Elisavéta Pétrovna allait souvent rendre visite à l'économe à la laiterie et s'arrêtait longuement parmi les jarres de crème.

Nos leçons se déroulaient sans histoire et de façon assez ennuyeuse, mais je les préférais à celles de Sergué Ivanovitch. Elisavéta Pétrovna me parlait beaucoup de sa vie à l'institution Alexandre-III, en dépeignant en particulier son côté décoratif. Au prestige du lycée d'Emmanuel, s'ajouta celui de l'internat d'Elisavéta Pétrovna et je finis par me sentir frustrée en vivant à la campagne comme une sauvage. Pourquoi ne pouvais-je pas entrer, moi aussi, dans un pensionnat?

Au début Maman fut horrifiée à cette idée, mais avec le temps l'éventualité perdit beaucoup de son horreur et devint même une chose possible.

Nous partîmes pour Kiev, Maman et moi, un jour de fin septembre. La guerre se sentait partout, les trains étaient remplis de militaires. Aux points de jonction on attendait des heures pour laisser passer les convois.

Les officiers qui partageaient notre compartiment m'apparaissaient comme des héros auréolés de gloire. J'aurais voulu leur dire combien je les admirais, j'aurais voulu les encourager et les bénir.

Au fond de moi-même cependant, j'avais un autre sujet d'angoisse : l'examen imminent qui m'empêchait de fermer l'œil. J'essayais de réviser mes connaissances, mais tout s'embrouillait dans ma tête et je me disais avec épouvante que je ne savais plus rien.

L'institution des demoiselles nobles de Kiev se trouvait en haut d'une colline dans le quartier Lipki (Tilleuls), dans le voisinage du palais de l'impératrice douairière Maria Féodorovna. Le bâtiment en fer à cheval et son parc étaient entourés d'un haut mur.

On pénétrait dans la grande cour rectangulaire qui précédait la façade par un portail monumental flanqué de deux pavillons de garde que surveillait un concierge féroce et barbu.

Malgré la terreur que m'inspirait l'examen, je regardais la majestueuse façade avec convoitise. J'avais décidé d'entrer dans cette école, même si Maman n'en était pas encore convaincue.

Les examens se passaient dans l'immense salle de réception à double jour où se dressaient au-dessus d'une estrade couverte de velours rouge les portraits en pied de l'empereur et de l'impératrice.

Pour la période des examens, on avait rempli la salle de tables et de chaises et des jeunes filles en uniforme du cours pédagogique recevaient les candidates et les conduisaient aux tables indiquées.

Depuis que Maman, après m'avoir embrassée et bénie, m'avait quittée au seuil de l'escalier, je me sentais comme lâchée en haute mer. Étrangement mon trac avait disparu.

Mon premier examinateur était Herr Drescher, professeur d'allemand. Il me fit une excellente impression avec son air gentil et timide, ses lunettes et sa petite barbe en pointe. Dès l'abord je remarquai qu'il avait du mal à parler russe et passai tout naturellement à l'allemand. Herr Drescher eut un mouvement de surprise et s'exclama :

— *Aber Sie sprechen ja ganz gut deutsch*[1] *!*

Ce n'était donc pas fréquent parmi ses élèves.

Herr Drescher me dicta quelques phrases, me posa quelques questions sur les règles de grammaire et, ne cachant pas sa satisfaction, me planta la note maximale qui était 12.

Pour le français, cela alla tout aussi bien : Mme Voisin, qui n'avait pourtant pas l'air commode, me posa des questions sur mes lectures et, s'étant assurée que j'avais lu Gustave Aimard dans l'original et connaissais par cœur des poèmes de Lamartine et de Victor Hugo, me donna à son tour un beau 12.

Pour l'histoire et la géographie, ce fut moins brillant, mais j'obtins quand même de très belles notes. Je ne ressentais plus aucune inquiétude et souriais en moi-même des affres que j'avais traversées.

Il était midi passé quand on m'appela à la table du professeur de mathématiques, vieux monsieur à barbiche, l'air morose et hostile, inspecteur des cours, comme je l'appris plus tard, du nom de Popov. Il me dicta les données du problème, me jeta un regard inamical et s'en alla.

À mesure que je couvrais les pages de chiffres et de ratures, mon enthousiasme fondait et plus je m'efforçais à me concentrer, moins je comprenais le problème. Il s'agissait de deux

1. « Mais vous parlez très bien l'allemand ! »

trains marchant en sens inverse et à différente allure. Le diable seul savait où ils devaient se rencontrer. Je multipliai les heures par les verstes, puis les verstes par les heures, les remplaçai par les vitesses et restai perplexe devant les résultats.

Il ne restait plus grand monde dans la salle. Les examinateurs devaient être en train de déjeuner. J'étais fatiguée, j'avais faim et j'avais envie de pleurer.

Enfin M. Popov réapparut et examina mon cahier.

— Ah bon, fit-il, ah bon ! Dites-moi maintenant quelle est la racine carrée de 3 ?

Je battis des paupières.

— Bon, écrivez l'équation...

Tiens, je ne saurais la reproduire, n'ayant fait aucun progrès depuis.

Après un cruel moment durant lequel il ne cessa de me fixer à travers son pince-nez, le détestable bonhomme soupira hypocritement et proféra :

— Merci. C'est nettement insuffisant. Vous vous représenterez en octobre.

Maman, bien entendu, ne m'en voulut pas et m'emmena à l'opéra voir *Le Démon,* de Rubenstein, comme elle me l'avait promis pour me récompenser de mon examen.

Je fus éblouie par le spectacle, la salle, la foule élégante qui se pressait dans les foyers. Tout cela éclipsa le mauvais souvenir de mon premier examen, et augmenta l'attrait de cette vie merveilleuse et inconnue que menaient les citadins.

L'institution, il est vrai, ressemblait à une prison. Mais j'avais entrevu quelques élèves qui, en ordre parfait, rangées par deux, défilaient dans la grande cour. Il y avait dans ces institutions du ministère de l'impératrice Marie, fondatrice de ces écoles, beaucoup d'orphelines qui restaient à l'internat toute l'année.

Leurs longues robes bleu électrique avec leurs pèlerines et tabliers en batiste blanche étaient très seyantes. Je ne souhaitai plus rien autant que d'endosser moi-même ce bel uniforme.

Est-ce à cause de la perspective de mon entrée probable à l'institution des demoiselles nobles de Kiev, ou simplement parce que ma silhouette commençait à se transformer, mais Maman décida qu'il n'était plus convenable pour moi de monter à cheval à califourchon. Je ne ressemblais plus à un gamin et il fallait se rappeler que j'étais une demoiselle. Je n'avais pas treize ans, mais j'étais grande et on pouvait facilement me donner deux ans de plus.

On commanda une selle de femme en chamois gris perle et Maria Ioanikiévna entreprit de me coudre une amazone. La façon était inspirée des souvenirs de Maman datant de l'époque où elle-même évoluait en tenue de cavalière au manège de Saint-Pétersbourg sous la double surveillance de M. Stepanov, son professeur d'équitation, et de Miss Blackwell, sa gouvernante.

Maria Ioanikiévna exécuta de son mieux le modèle que décrivait Maman. Je ne crois pas qu'elle y réussit, mais la robe me moulait à merveille et m'arrivait aux talons, ce qui me faisait paraître plus grande. J'en fus ravie et me pavanai devant Madeleine et Angeline qui, elles, continuaient à monter sur leurs poneys sans selle comme bon leur semblait. Mais elles étaient si menues et gracieuses que la nécessité de les affubler d'amazone ne se présentait pas.

Pour grimper sur ma selle je devais déployer beaucoup d'adresse et avoir recours à l'aide de Basilko qui me prêtait son genou après avoir attaché mon cheval à un piquet de la palissade. Ma jupe battait le flanc du cheval, le faisant loucher et danser.

Emmanuel me trouvait ridicule, mais enfin, puisqu'il le fallait... J'essayai de m'entraîner pour me sentir à mon aise, mais n'y parvins jamais.

Un soir, tandis que nous traversions la ferme, ma jument

soudain prit peur, fit un bond et partit à fond de train. Les sangles de ma selle s'étant relâchées, je glissai sur le côté. Ma robe s'enfila sous le ventre de la jument en finissant de l'affoler. La selle se retourna et je m'écroulai sur la route, tête la première. Mais ma jupe resta accrochée à l'étrier et je fus traînée comme un ballot. Je ne me serais peut-être plus relevée si les journaliers qui marchaient sur la route n'avaient pas arrêté le cheval.

Ma robe était très abîmée. Le résultat néanmoins fut heureux : Maman se rendit compte que cet accoutrement n'était bon que pour le manège et me permit de reprendre mes pantalons et ma selle anglaise.

Le haras d'oncle Rostislav était toujours là et nous avions des chevaux de selle magnifiques. Nous faisions de grandes randonnées et revenions souvent au clair de lune. Les champs endormis s'étendaient sans fin illuminés de lueur bleue, la route argentée serpentait à perte de vue. Les sons frémissants de la nuit et le trot régulier de nos chevaux rompaient seuls le grand silence.

Je compte ces heures parmi les plus heureuses de ma vie, et c'est elles qu'évoque pour moi le nom Ukraine.

Le front était toujours dans les Carpates et nos troupes semblaient piétiner. Les journaux cependant continuaient à annoncer que les Autrichiens se rendaient par milliers ne voulant pas se battre contre les Russes. Mais Papa croyait qu'ils ne voulaient pas se battre tout court...

On ne savait pas dans quelle mesure c'était vrai. Toujours est-il que le commandement militaire offrit des prisonniers pour les travaux des champs. Nous en avions une quinzaine, tous Autrichiens de Galicie. Les propriétaires en étaient responsables, devaient les entretenir convenablement et, avant tout, les empêcher de se sauver, ce qui n'était pas difficile, car ils n'en avaient aucune envie.

Ils vivaient dans une maison indépendante à la ferme, faisaient leur cuisine eux-mêmes et fréquentaient avec succès les filles du village. Plusieurs d'entre eux se marièrent, ce qui était défendu. Deux de nos bonnes se laissèrent tenter malgré les avertissements de Maman. Quand, un an plus tard, bien des choses changèrent, tous ces prisonniers s'évanouirent en fumée. Les femmes, elles, restèrent là, ahuries, désemparées et... enceintes.

Mais pour l'instant, la vie chez nous continuait comme par le passé.

Nous reçûmes un jour une lettre d'oncle Rostislav datée de Kapliovka où il se trouvait en permission. Pour le revoir et en même temps visiter Rachkov presque abandonné, Papa décida de faire le voyage et nous emmena, Emmanuel et moi.

Cette année-là, l'été était pluvieux et les routes étaient détrempées. Le voyage s'annonçait long et pénible, mais une fois la décision prise, on se lança.

Nous parvînmes tant bien que mal jusqu'à la plaine bessarabienne, mais c'est là que commencèrent les difficultés. La calèche cahotait à travers les flaques et les fondrières, penchait d'un côté ou de l'autre, menaçait de se renverser. Les chevaux pataugeaient dans la boue, glissaient, trébuchaient et nous envoyaient des éclaboussures noires en plein visage.

Le voyage dura toute la journée et, à la tombée du soir, nous étions encore à vingt kilomètres de Kapliovka.

Soudain, au milieu d'une grosse mare, la voiture s'enlisa. Les chevaux se débattirent dans la boue liquide, se cabrèrent. La voiture ne bougea pas. Karpo debout devant son siège hurlait et cinglait les malheureuses bêtes de coups de fouet. Mais tout fut inutile.

Papa se pencha et examina la masse visqueuse qui nous emprisonnait.

— Eh bien, Karpo, qu'en dis-tu ?

— Ça va mal, monsieur, fit celui-ci en hochant la tête.

Il allait recommencer à fouetter les chevaux.

— Non, non, dit Papa, cela ne sert à rien.

— Il va falloir aller chercher du secours, dit Karpo.

— Dételle les chevaux et va à Kapliovka. Demande qu'on nous envoie des bœufs.

— J'y vais, fit Karpo en poussant un gros soupir de circonstance. Ah, pauvre monsieur, vous passerez une bien mauvaise nuit !

Il était évident que les bœufs n'arriveraient que le lendemain.

— Heureusement que tu as tes bottes, dit Papa.

Mais non, Karpo les retira, les relia avec un bout de ficelle et les suspendit à son cou. Puis il retroussa ses pantalons jusqu'aux genoux et sauta du siège.

Il détela l'un après l'autre les quatre chevaux, les réunit par les brides, sauta sur le dos de l'un d'eux et les sortit du bourbier.

— Bonne nuit, monsieur, dit-il en soulevant sa casquette et sans la moindre ironie.

Délivrés de leurs traits, les chevaux se ranimèrent et sentant l'écurie, partirent d'un bon trot dans un nuage d'éclaboussures.

La nuit tombait opaque et mouillée. Une chouette quelque part lança un cri plaintif. Les grenouilles dans les fossés coassaient par rafales. À l'horizon une faible lumière s'alluma dans un hameau. Une pluie fine se mit à tomber doucement dans un léger froufrou.

L'aube nous trouva ankylosés et transis, mais le temps s'était éclairci. Les premières charrettes paysannes apparurent sur la route. Arrivés à notre niveau, les conducteurs arrêtaient leurs chevaux, examinaient notre voiture dételée avec curiosité, hochaient la tête avec commisération, puis contournaient l'endroit fatal en prenant par les champs. Un vieux paysan descendit de son siège, nous regarda longuement et demanda :

— Mais que faites-vous là ?

— Nous voyageons, dit Papa, vous ne voyez pas ?

Les bœufs de Kapliovka, ainsi que nos chevaux, arrivèrent vers dix heures. Plusieurs hommes participèrent au sauvetage. On passa une courroie sous notre calèche, on y attacha une paire de bœufs de chaque côté et, avec des huées et des cris, on tira. La voiture fit un grand flop et sortit du trou.

Nous arrivâmes à Kapliovka sains et saufs et sans autre accident.

Rien n'avait changé. La fontaine clapotait toujours devant le perron, les oiseaux gazouillaient autour des fenêtres, les lévriers rôdaient dans les pièces, l'odeur de miel et de tabac turc se mêlait à celle des sapins. Pétrina s'affairait avec les petites terrines de plats épicés.

Oncle Rostislav nous parla de la guerre, des combats auxquels il avait participé, de la vie de campagne. Je crus distinguer une note amère dans ses récits et devinai que la vie avec les cosaques, qu'il avait tant aimés et auxquels il avait tant voulu ressembler, l'avait déçu. Tant il est vrai qu'au contact avec la réalité le rêve s'envole et l'image que l'on s'était faite soi-même et avec laquelle on avait vécu se transforme soudain en caricature. Jouer au cosaque dans son domaine n'était apparemment pas la même chose que faire partie en temps de guerre d'un régiment en action, en compagnie d'hommes grossiers avec lesquels on n'a rien de commun sauf un uniforme d'emprunt.

Si, grâce à l'énergie de Moïse Chiline, la propriété continuait à marcher, les écuries étaient vides. Oncle Rostislav nous raconta une navrante histoire qui avait coûté la vie à un homme et entraîna la ruine de tout le haras.

Parmi les étalons primés de l'élevage, le plus remarquable était Kérime. C'était un cheval indomptable et infernal. Dès qu'il voyait un palefrenier s'approcher de son box, il se mettait à trembler de tout son corps en lançant des regards furibonds. Son box était spécialement aménagé pour l'empêcher de molester ses voisins. Seul oncle Rostislav savait le calmer, le seller et le monter.

Les réquisitions de chevaux pour l'armée avaient continué dès le début de la guerre et se faisaient de plus en plus exigeantes. Il se trouva qu'une commission se présenta un jour où oncle Rostislav était à Kapliovka en permission.

L'officier fut séduit par la beauté de Kérime et le voulut à tout prix. Oncle Rostislav le prévint que l'étalon était inutilisable et même dangereux. L'officier ne voulut rien entendre et ordonna à ses hommes de s'en emparer. Fou de peur et de rage, Kérime se cabra, rua, mordit à droite et à gauche et envoya un tel coup de sabot au soldat qui tenait la bride, que le malheureux roula par terre et ne se releva plus. L'officier sortit un revolver et abattit Kérime.

Avant de s'en rendre compte, saisi de fureur et de désespoir, oncle Rostislav gifla l'officier.

Celui-ci l'arrêta et l'envoya à l'état-major, mais l'affaire n'eut pas de suite, sauf un blâme de la part du général. On laissa oncle Rostislav repartir au front, mais l'officier outragé se vengea en mettant la main sur tous les chevaux de l'élevage. Il ne resta à notre pauvre oncle que sa monture personnelle.

De Kapliovka, nous allâmes à Rachkov. Le château était encore debout et extérieurement indemne, mais le chaos régnait à l'intérieur. Après les Magyars, les paysans avaient continué le pillage.

Devant la façade les deux sapins géants qu'aimait tant Grand-Maman étaient toujours là et, comme deux sentinelles fidèles, semblaient veiller en attendant son retour.

Le château de Kapliovka revint dans mes rêves durant toute ma vie. Inconsciemment je l'ai toujours cherché, mais en vain. Nulle part je n'ai trouvé une demeure répondant comme celle-là à mon désir.

Cette fois, je réussis à mon examen. J'eus la chance pour moi : le détestable inspecteur Popov était absent et un jeune et sympathique professeur d'histoire naturelle le remplaçait. Il fit tout pour me mettre à mon aise et me guida si bien durant l'épreuve, que j'obtins facilement un résultat satisfaisant.

J'appris plus tard que les élèves payantes, comme je l'étais moi-même, étaient cette année les bienvenues. Les pupilles de la nation étaient nombreuses et les crédits restreints. En plus de ses élèves habituelles, l'institution devait accueillir les réfugiées venant des écoles sœurs de Varsovie et de Belostok où sévissait la guerre.

J'étais donc admissible, mais la rentrée n'était que deux semaines plus tard et nous repartîmes à Vassilki.

Je croyais que maintenant c'était chose décidée et que je pouvais me considérer comme faisant partie de l'Institut des jeunes filles nobles de Kiev. Mais non, de nouvelles complications vinrent remplacer les anciens préjugés, celles-là liées aux événements. Le front s'effondrait, que nous réservait l'avenir ? C'était déjà angoissant de savoir Emmanuel à Moscou, et maintenant moi à Kiev...

Comme personne ne pouvait donner une réponse au problème, Maman le confia à Dieu ou plutôt, plus modestement, à la Vierge, ma patronne. Sur deux billets elle écrivit « Oui » et « Non », les plia, les mélangea et en prit un les yeux fermés. Puis allumant les veilleuses, elle plaça le billet qui contenait mon destin derrière l'icône de la Vierge Marie. Après un moment de prière et de recueillement, elle retira le petit papier. C'était non.

Le suspense était fini. Tout à présent paraissait moins grave. Et quel est donc chez les Russes cet attrait des contradictions ? Dès le lendemain, en oubliant l'opinion de la Vierge, nous commençâmes à faire nos bagages...

— Que Dieu te garde..., murmura Maman d'une voix entrecoupée par l'émotion. Tu commences une nouvelle vie.

Je lui jetai un dernier regard et plongeai dans la pénombre d'un immense couloir où m'attendait une surveillante.

Mes premiers pas dans les murs de l'institution me dirigèrent vers les vestiaires où les dames garde-robe me prirent en charge. Quand j'en sortis deux heures plus tard, je n'avais sur moi de privé que ma croix de baptême.

Le premier sentiment que j'éprouvai en rejoignant ma classe fut l'ahurissement. Comme toutes les nouvelles, je fus entourée, questionnée, jugée. Les quarante filles en uniformes identiques me parurent toutes semblables et je ne retins aucun nom.

Mon désarroi et mes réponses naïves provoquèrent des éclats de rire. Je devais sembler originale, pas comme les autres. Il m'a fallu beaucoup de temps pour le devenir — et encore! j'étais trop spontanée, trop naturelle, trop gauche, trop franche. Je manquais de vernis, défaut qu'on tolère mal en société. Mon premier contact avec cette classe grouillante fut mon premier contact avec le monde.

J'eus du mal à m'habituer à marcher en rang, à plonger en révérence sans trébucher sur ma robe, à observer vis-à-vis de nos surveillantes une soumission hypocrite. J'ai dû faire beaucoup de gaffes car on m'appela l'« Enfant de la Nature ».

Chaque classe avait ses deux surveillantes qui étaient de service à tour de rôle. Mlle Tarassov était du jour français et devait nous parler en cette langue. Le jour allemand appartenait à Mlle Tokarjévitch, mais celle-ci, par ordre de la directrice, était dispensée de nous parler en allemand pour ne pas blesser nos sentiments patriotiques en temps de guerre.

La journée commençait par l'apparition de l'une de ses surveillantes. On les voyait avec un égal déplaisir. À partir de leur premier : « Mesdames, dépêchez-vous ! », on commençait à manœuvrer pour les éviter.

La toilette terminée, on se plaçait en rangs et, classe après classe, on descendait dans la salle de réception pour la prière du matin. C'était un tableau plein de style que ces trois cents filles en longues robes, rouge bordeaux pour les petites et bleu électrique à partir de la quatrième, rangées par classes dans l'immense salle. Une élève devant un pupitre lisait les prières. L'inspectrice sanglée dans son uniforme présidait la cérémonie et aussitôt celle-ci terminée, nous passait en revue. À son signe de tête chaque classe, l'une après l'autre, plongeait en révérence comme une vague. Si le mouvement n'était pas simultané et parfait, il fallait recommencer.

Le petit déjeuner était bien médiocre : du mauvais thé, du pain gris et aigre avec un soupçon de confiture. Avant la guerre, paraît-il, cela avait été mieux, on recevait alors du pain blanc et du beurre. À présent les repas étaient mauvais et nettement insuffisants.

Les règles de la maison étaient très strictes, presque militaires. Toutes les mesures étaient prises pour nous isoler du monde. Même s'approcher des fenêtres donnant sur la rue nous était formellement interdit. Le grand et beau jardin qui s'étendait derrière le bâtiment était toujours fermé et nous faisions nos promenades dans la cour en tournant autour du rond-point comme des prisonniers.

Quand je regarde en arrière je pense à cette vie de caserne sans amertume. Le prestige, l'allure, jusqu'à cette discipline exagérée donnaient à l'établissement une majesté à laquelle nous tenions. Par contre, les relations qui régnaient entre les élèves et leurs supérieurs m'ont laissé un ineffaçable ressentiment. C'était comme deux mondes hostiles, condamnés à vivre côte à côte, sans jamais trouver un contact humain.

La princesse Ouroussov, notre directrice, avait adopté le système de la trique, même si ce n'était qu'au sens figuré. Personne jamais ne l'a vue sourire, personne n'a entendu une parole cordiale sortir de sa bouche. C'était une grosse dame d'une soixantaine d'années avec un visage aux bajoues pendantes, des yeux proéminants et une expression de colère figée à jamais. Quand on avait la malchance de la rencontrer dans le couloir, on devait immédiatement plonger jusqu'à terre, tandis qu'elle vous dévisageait avec l'air de vouloir vous mordre.

La petite et boulotte inspectrice, Mlle Bolonchine, essayait de lui ressembler en prenant des mines féroces et en cherchant à inspirer la peur. Elle non plus ne savait ni sourire ni prononcer une parole amicale.

L'animosité entre les dirigeantes et les dirigées émanait du sommet. Les surveillantes, ou comme on les appelait les dames de classe, étaient toutes recrutées parmi les anciennes élèves des institutions de noblesse, vieilles filles aigries qui se vengeaient de leur sort sur leurs pupilles. Une de ces dames, Mlle Matvéeva, chargée à l'époque de mon arrivée en cinquième, était carrément misanthrope et traitait les fillettes avec une cruauté allant jusqu'à l'indécence. Je me demande encore comment la direction pouvait le tolérer.

Le centre nerveux de l'étage des classes était le couloir. Voie desservant tous les points stratégiques de l'établissement, il suscitait un puissant intérêt. C'est par là que passaient les nouvelles, c'est là que circulaient les professeurs. Chaque classe avait ses antennes, ou plus exactement ses spécialistes de l'information. Grâce à elles, on apprenait l'heureuse nouvelle de la maladie d'un professeur, on était prévenues de l'apparition de l'inspectrice dans les parages.

Sortir dans le couloir n'était pas si simple, même pour aller aux toilettes. Il fallait auparavant demander la permission à la surveillante installée près de la porte. Celle-ci vous examinait d'un air soupçonneux, puis, comme à regret, faisait un signe d'assentiment.

L'église, elle aussi, se trouvait à cet étage. Le samedi soir, une demi-heure avant les vêpres, la grande porte s'ouvrait et les élèves avaient le droit d'aller prier ou de mettre des cierges. On disait avec ironie que les seuls endroits soustraits à la surveillance permanente étaient l'église et les cabinets.

Parmi les élèves, surtout dans les petites classes, nombreuses étaient celles qui supportaient mal la vie de l'internat. Les crises de désespoir noir étaient fréquentes et d'autant plus cruelles qu'il fallait les cacher. C'est bien pour cela que dans l'église sombre, on entendait si souvent des sanglots.

Je n'échappai pas à la règle générale et traversai une pénible période d'acclimatation. Cette institution à laquelle j'avais rêvé me devint odieuse et je comptais les jours qui nous séparaient de Noël.

Avant la guerre, racontaient mes camarades, l'institution donnait des bals auxquels on invitait les jeunes cadets des écoles militaires. Mais à présent les bals étaient supprimés. Les cadets, futurs officiers, s'exerçaient à manier les armes, non à danser.

Les bals étaient remplacés par des soirées musicales auxquelles se produisaient les jeunes filles capables de déclamer des vers, jouer du piano et chanter. On dessinait et peignait des programmes destinés à la directrice, aux professeurs et aux invités de marque. Les élèves avaient le droit d'inviter leurs familles.

Les études étaient la préoccupation principale dans la vie de l'école. On parlait beaucoup de notes et de la place qu'on pendrait au classement. Dans chaque classe il y avait des ambitieuses, des bûcheuses, des cancres. Il y avait aussi des sujets doués qui excellaient en musique et en dessin.

Contrairement à l'étiquette de l'établissement, peu de filles appartenaient à l'aristocratie. La plupart faisaient partie de la petite noblesse dont les pères étaient des militaires ou des fonctionnaires. La notion de classe sociale n'existait pas entre camarades. Ce qui comptait était d'appartenir à la même institution, et on ne cherchait pas à en savoir plus.

Cette institution détestée par les unes, supportée plus ou moins bien par les autres, avait aussi ses ferventes partisanes. Sous sa surface rigide une vie intense battait son plein. Des liens d'amitié se nouaient et se dénouaient, des ambitions, des rivalités, des intrigues, des haines foisonnaient. Mais je n'ai jamais remarqué de ces relations équivoques dont certains auteurs ont fait leur sujet préféré. Il existait bien l'adoration, vieille coutume des internats, mais c'était un genre, une pose. Les petites adoraient une élève quelconque des grandes classes, lui couraient après au risque de se faire attraper par la surveillante, écrivaient des lettres enflammées ou demandaient des autographes. Les plus jolies parmi les grandes étaient entourées de véritables cours de « fans » et ne pouvaient s'empêcher d'en être flattées.

Noël, cette année-là, fut différent des Noëls précédents. Emmanuel et moi étions sortis de l'enfance et du fait de nos écoles, de nos uniformes et de nos voyages, nous avions acquis un prestige tout nouveau. Maman subitement nous considéra presque comme des adultes. Je m'émancipai très vite, imposai mes idées à notre couturière et allai jusqu'à me friser la frange avec le fer à friser de Maman. Elle-même ne l'employait pas et, oh surprise ! me laissa m'en servir sans faire d'objections.

Curieusement, maintenant que j'étais hors des murs de mon institution, celle-ci m'apparaissait bien plus attrayante et je n'étais pas fâchée d'y retourner.

Emmanuel et moi n'étions pas les seuls à nous transformer. Ania, la compagne de nos jeux d'enfants, n'était plus la même. L'épaisse et gauche fillette d'antan était devenue une jeune fille élancée avec un charmant visage de madone. Nous la vîmes à peine, car son intérêt à présent était loin du château. Nikita nous renseigna en clignant de l'œil :

— Ania va avec Karbovski...

Cela voulait dire qu'elle sortait avec le clerc du domaine et on apprit bientôt qu'ils étaient fiancés.

Le bouleversement qu'allait causer le mariage et l'intention des futurs époux de déménager à Nouvelle-Ouchitza affectèrent de près le domaine. Un beau matin M. Noldé arriva tout ému pour présenter sa démission. Il faillit éclater en sanglots en priant Papa et Maman de lui pardonner d'abandonner Vassilki, comme s'il avait fait le serment de lui consacrer toute sa vie. Nos parents l'assurèrent de leur compréhension et promirent de lui garder toute leur amitié. Et pour le libérer plus vite, Maman décida de le remplacer pendant qu'on allait chercher un autre gérant.

Papa était sceptique, mais voyant que Maman en avait envie, la laissa faire.

Maman n'était pas compétente en matière d'agriculture, elle ne parlait pas ukrainien et ne le comprenait pas toujours. Mais elle possédait en revanche un énorme désir de bien faire et une inépuisable énergie. C'était d'ailleurs la saison morte et il n'y avait pas beaucoup d'ouvriers.

Maman résolut de s'adjoindre un homme de confiance qui serait son porte-parole. Son choix tomba sur Karpo.

Cette promotion suscita quelques murmures, mais Maman n'en tint pas compte. Quant à Karpo, il resta le même, humble et respectueux, parlant à voix basse et se retirant à reculons.

Il faisait son rapport chaque soir : les dépenses, les achats, les sorties de fourrage, les saillies. Tout était marqué sur des bouts de carton par des petits bâtons, car Karpo était illettré. Maman convertissait ces inscriptions rudimentaires en chiffres et les portait dans ses registres. Parfois, pour voir les choses de près, elle se rendait elle-même à la ferme.

Tout semblait marcher au mieux lorsque d'inquiétants racontars parvinrent aux oreilles de nos parents. Karpo? Pas aussi honnête que le croyait Madame... Et fermant les yeux là justement où il aurait fallu les ouvrir. On prétendit qu'il ne soufflait mot de la disparition soit d'un porcelet, soit d'un mouton, ou encore de matériel ou d'outils. L'avoine et le foin n'aboutissaient pas toujours dans les râteliers du bétail.

Maman ne voulut pas écouter ces bavardages malveillants et les attribua à la jalousie. Elle fut cependant impressionnée par les confidences du jardinier Stéphane. Une truie venait de mettre bas neuf porcelets. Il les avait comptés lui-même, car il voulait en acheter deux pour les engraisser. Deux semaines plus tard, il alla voir la nichée : il en manquait deux.

Karpo expliqua que la truie en avait étouffé deux en se couchant, mais Stéphane n'en crut pas un mot et mena sa petite enquête. Il apprit qu'il y avait eu un baptême chez le compère de Karpo et cela donnait à penser...

Nikita, de son côté, s'aperçut que le vieux gardien avait une drôle de démarche en rentrant au village le soir : il traînait les pieds, alors que toute la journée il avait marché alertement. Nikita le suivit et remarqua que les bottes du bonhomme laissaient derrière elles un filet de grains. Le gardien remplissait ses bottes de blé avant de partir, ce qui alourdissait sa démarche. Un trou dans la semelle le trahit.

Or il se trouvait que celui-là encore était un parent de Karpo, dont il répondait, assurait-il, comme de lui-même.

Quelque chose n'allait pas avec les vaches laitières qui donnaient vraiment trop peu de lait. Maman se rendit à la ferme et constata qu'elles avaient les flancs creux.

Papa rassura Maman en lui rappelant que tout cela n'était pas nouveau et que, du temps de M. Noldé, la laiterie ne marchait pas mieux. Il ajouta que le mariage d'Ania était arrivé fort à propos, et s'il souhaitait de tout cœur une retraite heureuse et méritée à notre fidèle gérant, il espérait aussi un peu de renouveau à Vassilki.

Quand M. Voyékovski entra en fonction, Maman poussa un soupir de soulagement. Le nouveau gérant était polonais, ce qui avec son âge avancé lui donnait un prestige supplémentaire. Il était très beau avec sa barbe blanche et ses traits réguliers. Il était veuf, mais pas seul : une compagne, dont on sentait la présence sans jamais la rencontrer, s'occupait de sa maison. M. Voyékovski l'appelait « cette personne » et il semblait qu'il était tout autant sous son joug que M. Noldé l'avait été sous celui de « la femme ».

Au cours de l'été 1916, les Russes ne prenaient plus de prisonniers par milliers, mais reculaient pour ne pas se laisser prendre. D'autre part, on finit par savoir que notre armée manquait d'armement et le gouvernement d'efficacité. Le résultat était le chaos. On s'interdisait malgré tout d'être défaitiste, la Russie devait vaincre et vaincrait. C'était dur, bien sûr, et il y avait des moments dramatiques.

Nos villages restaient paisibles et ne reflétaient pas le cauchemar du front. Pour dire la vérité, on s'intéressait davantage aux problèmes quotidiens, au temps, aux récoltes, au prix du blé qu'à cette guerre dont on savait si peu. Les journaux ne pénétraient pas dans les villages, et quand ils y arrivaient, un sur dix pouvait les lire, mais d'habitude ne lisait pas. On apprenait les nouvelles au marché, mais les histoires à sensation qu'on entendait depuis deux ans n'impressionnaient plus autant.

Papa rapportait des nouvelles plus précises de Nouvelle-Ouchitza. Elles n'étaient pas encourageantes, mais, je le répète, on était si sûr que tout finirait bien, que l'idée d'un désastre ne venait même pas à l'esprit.

Papa avait beaucoup d'amis à Nouvelle-Ouchitza et était constamment invité, le plus souvent par ses collègues de la cour d'assises, les Doumitriou en particulier.

Le juge Doumitriou était, comme son nom l'indique, d'origine moldave, mais tout à fait russifié et imprégné de sa ville natale qui était Odessa. Le type moldave lui était cependant resté, car il était lent, flegmatique et têtu.

Sa femme par contre, petite-bourgeoise d'Odessa, était remuante, coquette et gaie. Elle n'avait que dix-neuf ans, mais était déjà mère d'un bambin de trois ans. Avec une franchise presque enfantine et en riant la première, elle racontait sa petite aventure. Sa mère louait une chambre meublée et c'est le jeune stagiaire auprès du tribunal Doumitriou que le sort lui donna pour locataire.

— J'avais quinze ans, racontait Moussia, et je ne voulais pas aller au lycée. Alors ma mère m'obligea à l'aider dans la maison. C'est en faisant la chambre d'Antoine... Mais qu'est-ce que ça fait, puisqu'on s'est mariés !

Moussia était très hospitalière et avait toujours un tas de gens à sa table. Sans être jolie, elle plaisait aux hommes, au juge Sorokovenko en particulier, qui ne quittait pas ses jupes, ce que le juge Doumitriou ne remarquait pas.

Le charme que Moussia exerçait sur leurs maris inquiétait beaucoup les dames de Nouvelle-Ouchitza. Même Maman ne fut pas épargnée, car elle apprit, et de Papa lui-même, l'ahurissante sommation de la jeune écervelée :

— Si vous voulez me plaire, mon vieux, allez vous faire raser la barbe !

Est-ce que Papa, avec sa faiblesse de caractère, allait se prêter aux caprices d'une petite effrontée ?

Une autre fois, mais c'était moins grave, Moussia s'exclama :

— Vous avez un château, un domaine, un étang. Qu'attendez-vous pour nous inviter ?

Et Papa se rendit compte, qu'en effet, il fallait leur rendre leurs dîners, ainsi qu'aux Pantéléev, président du tribunal et son épouse, et, tant qu'on y était, aux Lazarev et Sorokovenko, bref toutes ces personnes que fréquentait Papa à Nouvelle-Ouchitza et que Maman ne connaissait même pas.

Cette invasion ne lui promettait aucun plaisir, mais elle se résigna pour Papa. Elle commanda des tas de vivres, fit préparer les chambres d'amis, prévint les femmes de chambre et avant tout le chef Yakime. Le gérant envoya trois voitures à Nouvelle-Ouchitza pour amener nos invités.

À peine arrivés, ceux-ci bouleversèrent le château. Moussia, très curieuse, voulut tout voir, la ferme, l'étang, la forêt. Il fallut organiser une pêche aux écrevisses qui se passait toujours la nuit avec un brasier au bord de l'eau.

Les écrevisses qui vivent dans l'eau opaque et la vase

gluante, sont pour une raison inconnue fascinées par le feu. Accourant en masse sous les taches lumineuses, elles se jettent sur l'appât. Les cannes s'alourdissent sous leur poids et on les retire lentement hors de l'eau. Absorbées par leur festin, les bêtes voraces ne lâchent pas prise et on les cueille par grappes dans des épuisettes. Les femelles et les écrevissons étaient rejetés dans l'étang, les autres enfermées dans des paniers garnis d'orties.

Moussia voulut aussi monter à cheval. C'était pour moi l'occasion de me distinguer. Je trouvais le juge Sorokovenko très séduisant et étais furieuse qu'il ne m'ait même pas remarquée. J'enrageais de mon âge et tournais devant le miroir en m'exerçant à prendre des airs adultes, me coiffais de différentes manières, bombais le torse pour augmenter mon buste. Que n'aurais-je donné pour avoir au moins six mois de plus !

Moussia, elle, portait de si jolies robes ! Cette toilette en dentelle blanche lui allait si bien et soulignait l'éclat de ses cheveux noirs.

Nous partîmes donc en cavalcade, moi loin devant en éclaireur, Papa, Emmanuel, Moussia et Sorokovenko chevauchant à une allure raisonnable et à une bonne distance derrière, et, affalé sur sa selle comme un sac, le juge Doumitriou.

Moussia avait mis le pantalon de son mari qui lui allait très mal. En outre, elle ne savait pas monter et son allure n'avait rien de gracieux. Ce n'était pas comme moi, par exemple, qui ressemblais à un jeune cosaque. Mon cheval était vif et nerveux, tandis que pour elle, on avait choisi une bonne jument placide pour éviter les accidents.

Un accident arriva tout de même, pas au cours de la cavalcade, mais alors que Moussia et Sorokovenko étaient en barque au milieu de l'étang.

Est-ce à cause d'une manœuvre maladroite ou simplement une fente dans le fond de la barque ? Celle-ci chavira et les deux amis se trouvèrent dans l'eau.

Sorokovenko ne perdit pas sa présence d'esprit, empoigna Moussia qui poussait des cris stridents et nagea vers la petite île qui se dressait au centre de l'étang.

Les ouvriers qui travaillaient dans le voisinage entendirent les cris et accoururent sur les lieux de la catastrophe. Voyant que les naufragés avaient réussi à atteindre l'île, ils se mirent à renflouer la barque, ce qui prit un certain temps.

Les lamentations de Moussia avaient cessé entre-temps et les deux rescapés avaient disparu dans les buissons. On aurait presque dit qu'ils n'étaient pas pressés de regagner la berge.

Quand enfin on les ramena, ils prirent le chemin du château trempés et salis par la vase. Et il fallait voir la robe de Moussia !

Arrivée dans sa chambre, elle se déshabilla et appela Véra.

— Lave-moi tout ça, dit-elle, et demande à madame de me donner de quoi me changer.

La garde-robe de Maman n'avait rien de commun avec celle de Moussia. Maman soupira, mais fit de son mieux. Elle sortit de l'armoire une robe qu'elle-même ne mettait qu'aux grandes occasions. Son linge était sobre, sans falbalas, ses chaussures de modèle raisonnable à talons plats.

Moussia apparut au dîner affublée de tout cela. Sans se gêner elle qualifia la robe de « drôle » et mal faite et baptisa les chaussures de « galoches ».

Plus tard Papa remarqua une fois de plus que Maman négligeait trop ses toilettes et c'est à une occasion comme celle-là qu'on s'en apercevait.

M. Lazarev, qui n'était pas très sympathique, un peu rustre et d'humeur morose, se mit à critiquer non pas la conduite de Mme Doumitriou, il s'en fichait, mais l'état de la barque, qu'il appela scandaleux.

— Chez moi, dit-il, cela ne serait jamais arrivé ! Je ne comprends pas comment vous laissez se détériorer ainsi votre matériel ! Je vais vous la réparer, votre barque, ce n'est pas difficile, donnez-moi des ouvriers.

Dès le lendemain matin la barque fut tirée au sec et M. Lazarev se mit à l'œuvre. Quand ce fut terminé, il annonça non sans suffisance :

— À présent vous pouvez vous en servir sans risquer une baignade !

Et pour mieux illustrer ses paroles, il décida de faire la démonstration lui-même et emmena sa femme.

Mme Lazarev n'aimait rien autant que donner une leçon aux autres, à Moussia en particulier. Elle monta dans la barque lentement, dignement et s'installa à la poupe, tandis que son mari donnait un vigoureux coup de rames.

Ils arrivèrent jusqu'au milieu de l'étang... mais pas plus loin, car c'est là que se produisit l'étrange phénomène : la barque, au lieu d'avancer, commença à s'enfoncer. Les rames battirent éperdument, prirent une position verticale et Mme Lazarev, perdant sa réserve distinguée, se mit à hurler.

Les ouvriers heureusement étaient toujours là, suivant l'évolution de l'embarcation. L'endroit du naufrage n'était pas profond et si on ne voyait plus la barque, on voyait très bien les têtes des accidentés.

La femme de chambre Véra vint de nouveau trouver Maman.

— Il y a une autre dame tombée dans l'eau. Elle demande des vêtements pour se changer.

C'est ainsi que deux de nos invitées exposèrent les œuvres de Maria Ioanikiévna, malheureusement ni pour sa gloire ni pour celle de Maman.

Mme Pantéléev, grande matrone d'âge mûr, pédante et remplie d'importance, profita de l'occasion pour faire la morale. Je le sais pertinemment car c'est à moi qu'elle adressa son discours. Nous étions assises sur un banc de pierre au bord de l'étang, face au théâtre même des récents événements.

— Vous voyez, ma chère petite fille, dit-elle d'un ton docte, vous voyez vous-même à quoi mène l'inconduite. Est-ce convenable pour des mères de famille et épouses de magistrats, de se mettre dans de pareilles situations ? Avez-vous remarqué l'attitude de Mme Doumitriou tandis qu'elle se trouvait dans l'île et la manière dont M. Sorokovenko la réconfortait ?

Et soudain, emportée par ses propres soucis, et oubliant qu'elle s'adressait à « une petite fille », Mme Pantéléev reprit en perdant son sang-froid :

— C'est la faute des maris ! S'ils avaient un peu plus d'autorité et de souci de la dignité de leur rang, pareils scandales nous seraient épargnés ! Nos maris sont trop faibles, n'est-ce pas ? Ils se laissent trop facilement berner ! Quel exemple pour leurs enfants ! Moi, quand j'avais vingt ans...

Mme Pantéléev laissa errer ses yeux sur la surface immobile de l'étang et son visage prit une expression rêveuse.

— Mais laissez-moi vous raconter. M. Pantéléev est mon troisième mari, vous le savez peut-être. Et cependant en l'épousant j'étais vierge ! Oui, parfaitement, une fleur ! Ça vous étonne ? Eh bien vous allez voir : j'avais dix-huit ans lors de mon premier mariage et j'étais très amoureuse de mon fiancé. Il était très beau, très fin, trop fin... Hélas ! On l'a vu par la suite. Imaginez-vous qu'en rentrant en calèche de l'église, j'eus le plus grand choc de ma vie. Mon jeune époux s'effondra tout d'un coup sur mes genoux. Je crus que c'était pour me baiser les mains et me penchai pour lui baiser le front, quand je m'aperçus avec horreur qu'il était mort ! Une crise cardiaque, dit plus tard le médecin, à cause de l'émotion. Quelle preuve d'amour ! Pour m'aider à supporter mon malheur je suivis des cours d'infirmière et m'engageai dans un hôpital militaire. C'est sur un lit d'hôpital que je trouvai mon deuxième mari. Son cas était très grave et il n'y avait pas beaucoup d'espoir de le sauver. Le médecin croyait que l'amour l'aiderait à lutter contre la mort. Il put se lever pour aller à la chapelle, mais aussitôt après regagna son lit et ne le quitta plus que pour le cercueil. J'étais donc deux fois veuve en épousant M. Pantéléev et toujours intacte ! Ça c'est vraiment de la pureté !

Je subissais à cette époque une mutation bizarre, j'avais l'impression de changer de peau. Comme si j'étais en train de sortir d'un cocon et que j'allais déployer les ailes.

J'étais remplie de contradictions dans lesquelles je me perdais moi-même. Je continuais à me croire un garçon manqué, mais me rendais compte de ma féminité.

Il me plaisait comme avant de monter à cheval à la cosaque, d'affecter des airs intrépides, de tirer des coups de pistolet, d'entreprendre des exploits périlleux au risque de me casser le cou, mais en même temps j'avais le souci de mon aspect physique, de mes robes, de mes cheveux.

J'avais depuis quelque temps cette affreuse coquetterie des fillettes entre deux âges qui, voulant plaire, se rendent ridicules. Sentant ma gaucherie je faisais des gaffes et, m'en apercevant, prenais un ton effronté, m'offensais sans raison, m'enflammais pour des riens. Une discussion avec moi était impossible, tellement je gesticulais et criais.

Mais à d'autres moments j'étais submergée de mélancolie et, me sentant abandonnée par le monde entier et surtout par ma famille, je me sauvais dans quelque coin isolé du parc pour souffrir dans la solitude. J'aimais passionnément la nature et elle seule pouvait me soulager.

Je rôdais le long de l'étang au clair de lune, m'asseyais sur un banc de pierre tout près de l'eau pour écouter les rossignols chanter dans les saules. Le ruisseau clapotait sous la digue, les lucioles traversaient la nuit comme des traits de feu et mon cœur se gonflait de nostalgie, de bonheur et de tristesse. C'était douloureux et délicieux en même temps.

Emmanuel grandissait sans souffrir, du moins en apparence, aussi ne lui parlai-je pas de mes tourments intimes. Je sentais que les jumelles m'étaient plus proches avec leur âme d'artiste.
leur âme d'artiste.

Je les entraînais souvent à travers la campagne pour de longues promenades sans but. Nous suivions les lisières envahies d'herbes folles et de coquelicots. Les blés autour de nous ondulaient comme des vagues.

Nous connaissions, nous aimions chaque détail du paysage, chaque hameau, chaque croisement de chemins. Vassilki, Vassilki, berceau de notre enfance!

Chacun sait que seules les choses de notre enfance sont réellement vraies. Toute ma vie pour retrouver les points cardinaux il m'a fallu me transporter en pensée sur la terrasse de notre château face à l'étang. C'était le sud. Et tout de suite surgit l'image qui pour moi est l'est : le soleil tout rose au-dessus d'un champ de blé et Maman devant ses fenêtres regardant venir le jour. Et l'ouest pour moi est notre village se découpant sur un ciel embrasé par le soleil couchant dont les rayons obliques enflammaient l'étang.

La vie à l'institution, cet hiver, devint encore plus austère. Le bois manquait pour nos grands poêles en faïence et nous grelottions sous nos pèlerines en batiste. La nourriture, déjà mauvaise et insuffisante, se réduisit et empira. Et sans cesse, comme un glas, venaient résonner les nouvelles tragiques d'un père, d'un frère, d'un ami tombé au front. Les messes funèbres nous réunissaient à l'église et nous en sortions bouleversées et abattues.

Notre classe tout entière participa au deuil de notre camarade Katia Samsonova, dont le frère, jeune pilote de ligne, périt dans le ciel avec son avion. Nous connaissions toutes le beau André et toutes nous le pleurâmes comme un frère. Quand notre chœur, dont je faisais partie, chanta pour lui la déchirante prière *Souvenir éternel,* les voix étaient étranglées de sanglots.

À présent les réceptions étaient attendues avec angoisse et on scrutait les visages de celles qui en revenaient. Sur le front, ça allait mal, notre armée reculait.

L'institution débordait de réfugiées fuyant les régions envahies, parmi lesquelles il y avait un grand nombre de Polonaises. Celles-ci se tenaient en groupes séparés, ne cachant pas leurs sentiments hostiles.

La guerre se faisait sentir dans tous les domaines, les vivres manquaient, les chemins de fer étaient perturbés, la poste fonctionnait à peine, l'ordre lui-même vacillait.

Je n'avais à Kiev que tante Olga Rosen qui venait me voir certains dimanches. Elle aussi avait payé son tribut à la guerre : son mari venait de revenir une jambe en moins.

Elle-même travaillait dans un hôpital militaire comme infirmière chirurgicale. Après une journée exténuante passée dans le cauchemar de la souffrance et de la mort, elle se pressait de rentrer chez elle pour soigner son propre blessé.

Maman me fit savoir que ni elle ni Papa ne pourraient venir me chercher à Noël et qu'elle chargeait tante Olga de me retirer de l'internat. Je voyagerais avec Emmanuel qui s'arrêterait à Kiev en venant de Moscou.

Quand je vis oncle Grégoire claudiquant sur sa jambe de bois, j'éprouvai une émotion que j'eus du mal à dominer. Lui-même par contre semblait d'excellente humeur et à ma grande stupéfaction déclara :

— Je repartirai au front dès que ma prothèse sera prête. Il y a encore mille choses que je puis faire. Je me suis déjà porté candidat pour les services sanitaires de première ligne.

Son loyalisme et son courage étaient indestructibles.

Il m'examina à travers son pince-nez et ajouta :

— Quand tu reviendras après Noël je m'occuperai de tes toilettes. Celles que tu as là laissent fort à désirer.

Il tint parole et quand le moment fut venu, m'emmena dans les magasins appropriés et m'habilla de pied en cap. Papa, qui avait approuvé le projet, fournit les fonds nécessaires. À présent je n'avais plus à redouter les regards curieux et critiques de mes camarades.

Ce fut la dernière fois que je revis oncle Grégoire. Il réussit à obtenir une affectation pour un train sanitaire, repartit au front et ne revint jamais.

Que le front soit effondré et l'armée russe transformée en bandes de fuyards, qu'un désordre catastrophique se soit emparé du gouvernement, nous ne pouvions l'ignorer, mais sans nous rendre compte que le pays roulait vers l'abîme. C'est pourquoi l'abdication de l'empereur nous produisit l'effet d'une bombe.

Mlle Tokarjévitch nous l'annonça d'une voix solennelle, ferme et métallique et lut le manifeste de l'abdication sans ajouter le moindre commentaire ni exprimer ses propres sentiments.

Notre première réaction fut celle du désarroi. Puis, à mesure que passait le temps, un remous se produisit dans les esprits. Des tendances commencèrent à se former. Des divergences d'opinion et d'âpres discussions se mirent à éclater allant jusqu'aux querelles. Pour la première fois entre ces murs on sentit l'influence des différences sociales.

Les plus loyales, ne pouvant du jour au lendemain renier tout ce en quoi elles avaient cru, restèrent fidèles au drapeau. D'autres, au contraire, piétinèrent avec joie les emblèmes du passé. Il y en eut aussi qui essayèrent de concilier l'attitude chevaleresque avec l'opportunisme. La plupart étaient désorientées, ne sachant à quel camp se rallier. Je fus frappée en constatant que les adversaires les plus acharnés de la famille impériale étaient ceux qui en avaient le plus profité.

À travers les murs de notre forteresse, nous sentions l'effervescence gagner la ville. Des bruits insolites de bagarres, de vociférations et de coups de feu nous parvenaient par les fenêtres. Malgré la surveillance accrue, nous nous efforcions de les ouvrir pour guetter les sons du dehors.

Nous apprenions les nouvelles aux réceptions et grâce aux journaux que les filles de salle nous apportaient en cachette.

Quant aux professeurs, ils affectaient des airs affairés et

aussitôt leurs cours terminés, se précipitaient vers la porte pour échapper aux questions. Le père Siméon, notre prêtre, se bornait à nous recommander l'assiduité à nos études, la prière et la discipline, éludant tout autre sujet.

Une explosion dans le quartier nous jeta un soir dans la panique. Brûlant de curiosité et d'angoisse, j'entrepris une expédition défendue par excellence : je me faufilai par l'escalier de service jusqu'aux combles et sortis sur le toit. De mon poste d'observation entre deux cheminées je pus voir une place grouillante de monde. Même à cette distance j'entendis le tumulte d'une foule agitée que deux hommes perchés sur un camion haranguaient en brandissant des drapeaux rouges.

Je dégringolai l'escalier toute bouleversée par la sensation qu'un danger grave nous menaçait tous.

Dans cette institution immuable depuis un siècle, commençait à entrer l'esprit de fronde. Les règles qui jusqu'ici avaient été acceptées, sinon toujours suivies, paraissaient à présent insupportables. Un incident montra que les jeunes filles en pèlerine n'étaient plus aussi dociles que par le passé.

Notre correspondance était rigoureusement censurée. Non seulement nos propres lettres mais également celles que nous recevions de nos parents étaient lues et au besoin interceptées. Ce système horripilant nous poussait à une contrebande dont les parents eux-mêmes se rendaient complices. La direction le savait, mais ne s'avouait pas battue. Nous devions d'office écrire une lettre par semaine à nos familles.

Il arriva un jour que Zlata Volkovitch, une de nos fortes têtes, eut un démêlé avec l'inspectrice au sujet d'une lettre censurée. Or Zlata avait beaucoup d'influence dans la classe étant le chef du clan le plus important. Celui-ci se réunit et décida qu'une lettre spécialement composée pour l'occasion serait recopiée par toutes les camarades.

C'est ainsi qu'un beau matin l'inspectrice trouva quarante lettres identiques sur son bureau. Certains fragments du texte anodin me reviennent encore dans la mémoire : « Les feuilles jaunies tournoient dans le vent, puis lentement s'abattent sur la terre humide. »

Par ordre de la directrice nous fûmes conduites dans la salle des réceptions et alignées sous les portraits impériaux. La directrice en personne se chargea de nous admonester.

Après avoir fustigé notre arrogance, notre dérèglement et notre ingratitude, elle passa à nos obligations envers la patrie qui, au moment de ses douloureuses épreuves, avait plus besoin que jamais de fidélité et de discipline. Nous devions avant toute chose songer à préserver l'honneur de notre institution et non miner son autorité par des actes aussi stupides que déloyaux.

Le discours de la directrice, malgré sa violence, tombait dans le vide. Les grands mots avaient perdu leur poids et sonnaient creux.

Pour nous faire réfléchir à notre comportement inadmissible, nous fûmes privées de réception. La sentence prononcée, la directrice se retira suivie de regards narquois.

La vie continua en apparence la même, sauf qu'à présent l'intérêt principal se portait sur les événements extérieurs. On spéculait interminablement sur l'éventualité de l'arrivée à Kiev des révolutionnaires. Que deviendrait l'Institut ? Une main inconnue avait déjà tracé à l'encre rouge sur le mur longeant le jardin : Mort aux chiots bourgeois !

Ces paroles peu amicales nous rappelèrent qu'aux dires des personnes bien informées, un certain Lénine en haranguant les ouvriers dans une usine à Petrograd aurait déclaré du haut d'un camion que la classe bourgeoise — nobles, clergé, militaires, fonctionnaires, commerçants, enseignants, médecins, artisans et le reste de la racaille exploiteuse et ennemie du peuple — devait être impitoyablement exterminée. Cela faisait beaucoup de monde et nous devions en faire partie.

Seuls devaient survivre dans notre pays les ouvriers et les

paysans. Les autres habitants du territoire ne pouvaient être considérés comme faisant partie du peuple.

L'auteur de l'inscription sur notre mur devait être un adepte de ce Lénine.

Tout cela ne promettait rien de bon. Ces gens-là étaient capables de faire sauter notre école. Comment ferait-on pour se sauver à temps ? Et si les bolcheviks venaient la nuit ? Ils nous surprendraient en chemise !

Et ô éternel féminin ! il y avait des filles qui prenaient des précautions... en se coiffant de façon plus seyante avant de se coucher.

Les jeunes filles originaires de Kiev étaient moins inquiètes : elles retrouveraient leurs familles, puis on verrait. Mais celles qui venaient de loin attendaient des lettres avec impatience et suppliaient leurs parents de les emmener. Les orphelines qui n'avaient personne au monde se voyaient à l'avance perdues.

Cet état d'inquiétude était en grande partie provoqué par les désordres, souvent sanglants, qui se produisaient en ville. Officiellement la Russie avait un gouvernement, dit provisoire, passablement révolutionnaire, mais pas assez au gré des Rouges. Les deux tendances luttaient pour le pouvoir et l'air sentait la poudre.

Et soudain ce fut un coup de théâtre : les troupes allemandes entrèrent à Kiev.

Il n'y eut pas de combats pour la simple raison que les Allemands ne rencontrèrent pas de troupes russes. Il n'y eut pas davantage de résistance civile. La population désorientée par les événements ne savait plus qui était l'ennemi.

Dès son arrivée le commandant allemand déclara qu'il ne venait pas en conquérant, mais en protecteur de l'Ukraine indépendante.

Kiev est le berceau des villes russes, dit-on dans les manuels d'histoire et c'est vrai.

Kiev est la capitale de l'Ukraine, lit-on dans les manuels de géographie et c'est également vrai.

Admettons que Kiev est une ville russe et tout le pays autour ukrainien.

Je croyais à l'époque que Kiev était la plus belle ville du monde, opinion un peu gratuite, puisque je ne connaissais aucune autre ville du monde. À présent que j'en connais beaucoup, je maintiens encore que Kiev est une des plus belles villes du monde, du moins le Kiev que j'ai connu.

D'abord par sa situation géographique particulièrement pittoresque : de ses hautes collines, la ville domine une vaste plaine qui, comme un éventail géant, s'ouvre vers l'est. À ses pieds, majestueux et puissant, coule le Dniepr.

C'est à travers ces plaines que déferlaient jadis les hordes des envahisseurs. Du haut des fortins de la ville les défenseurs de Kiev suivaient avec épouvante l'approche de l'ennemi. Le fleuve était l'ultime défense des citadins.

Les Allemands, eux, firent leur entrée par l'ouest et sans rencontrer d'obstacles. Les temps avaient changé.

Le Dniepr cependant joua cette fois encore son rôle : c'est lui qui marqua la frontière entre l'Ukraine et le Nord russe, livré à la révolution.

Le séparatisme ukrainien, malgré son authenticité, n'était pas pris au sérieux. On le traita d'artificiel, même de burlesque. On appelait l'Ukraine la « Petite Russie », ce qui suggérait sa subordination à la « Grande Russie ».

À présent que la Grande Russie se trouvait dans un grand pétrin et que les Allemands se chargeaient d'en préserver l'Ukraine, le séparatisme ukrainien apparut sous un angle nouveau et bien moins fantaisiste. Les Allemands trouvèrent vite des collaborateurs.

Les patriotes authentiques ainsi que les séparatistes frais émoulus espéraient se désolidariser de la Russie avec l'aide des Allemands. Et ceux-ci, de leur côté, tentaient de créer un État fantoche leur servant d'allié et de zone d'influence.

Le premier effet de cette conjoncture fut le retour de l'ordre. Les services publics devinrent plus normaux, les chemins de fer se mirent à fonctionner et les bruits alarmistes se calmèrent.

Maman put venir elle-même me retirer de l'internat à la fin de l'année scolaire et Papa alla récupérer les jumelles à Odessa.

Maman souhaitait depuis longtemps visiter le monastère de Sainte-Laure et ses célèbres catacombes. Profitant d'une belle journée, nous y allâmes, elle et moi.

L'origine de ce haut lieu est très ancienne, mais sa découverte relativement récente. Un éboulement de la falaise mit au jour une étonnante ville souterraine creusée comme une fourmilière dans le flanc d'un massif calcaire. D'innombrables grottes, galeries, couloirs s'étageaient sur plusieurs niveaux. Qui avait habité cette ville des ténèbres ? Quand et pourquoi ? La légende veut que ce fussent des chrétiens persécutés. Les corps incorruptibles trouvés dans les grottes en fournissaient la preuve.

L'histoire cependant ne signale pas de persécutions capables de reléguer sous terre tant de croyants. Les Tatares eux-mêmes, pourtant sauvages, ne le furent pas assez pour s'en prendre à la population pour ses croyances. À l'époque où ils furent les maîtres de la Russie, on n'était plus au siècle de Néron et pas encore à celui de Staline.

N'est-ce pas plus vraisemblable que ceux qui se cachaient là fuyaient simplement les razzias, très à la mode à l'époque, la guerre et les incendies ? Mais en somme, puisque le peuple préférait croire aux saints et les vénérer, le gouvernement avait raison de leur en donner la liberté.

Les longues files de pèlerins munis de cierges suivaient le moine guide dans le dédale des catacombes. Rien que l'idée de s'égarer dans ce labyrinthe donnait froid dans le dos, car on n'en sortirait jamais.

Les grottes où reposaient les saints les plus vénérés étaient illuminées de cierges. Le moine racontait la vie et les exploits du Bienheureux ou de la Bienheureuse étendus dans leur châsse et couverts de brocarts. Seul un petit fragment de peau appartenant à une main brune et desséchée apparaissait dans un médaillon encadré d'argent. Les pèlerins les plus fervents, femmes du peuple pour la plupart, se jetaient à genoux, se signaient à grands gestes et baisaient la relique.

On s'arrêtait également devant les grottes plus vastes ornées d'icônes et de crucifix. Le moine expliquait que c'était des églises secrètes de la confrérie.

Ces saints tant vénérés par le peuple russe reposaient dans leurs grottes depuis des siècles, mais leur repos touchait à sa fin. Quand peu de temps plus tard, Dieu fut déclaré inexistant, logiquement il fallut porter ses saints au dépotoir. C'est ce qu'on fit immédiatement. Et on se pressa de rapporter au public que la plupart, après avoir été dépouillés de leurs brocarts, se révélèrent n'être que des momies en paille. D'autres étaient bien des corps humains, mais on insista sur la propriété de la roche de l'endroit qui, sèche et, calcaire, préservait de la corruption.

Ces faits sont connus. Ce qui l'est moins, c'est la suite.

Je ferai ici un saut dans le temps jusqu'à l'année 1965. Je rencontrai un jour au cours de cette année-là un jeune ingénieur d'origine russe qui venait de rentrer de Kiev où son usine l'avait envoyé en qualité d'expert. Curieux de voir de ses propres yeux les choses dont ses parents lui avaient tant parlé, le jeune homme se rendit à Sainte-Laure. Je lui cède la parole :

— Il y avait à Sainte-Laure deux buts d'excursion : le musée des Sans-Dieu et les catacombes. Je me rendis aux deux. J'étais seul au musée, ou plutôt nous étions deux : le guide et moi. Je vous dispenserai de la description des caricatures grotesques, grossières et dépourvues d'intérêt que j'y ai vues. C'était à se demander si ce n'était pas exprès que l'on s'y prenait si mal. Le peuple russe a tout de même le goût inné du beau.

» J'allai ensuite visiter les catacombes. Une foule immense de pèlerins, pardon, de touristes, attendait le moine guide. Les moines, très peu nombreux, suffisent à peine pour ce service.

» Nous descendîmes dans le labyrinthe souterrain avec des

cierges. Seules les grottes « habitées », si je peux m'exprimer ainsi, étaient éclairées. Les saints gisaient dans leurs châsses dorées recouverts de brocarts et entourés de cierges. Le moine nous racontait leur vie et leurs exploits. Les paysannes, très nombreuses dans notre groupe, s'agenouillaient, faisaient de grands saluts jusqu'à terre, puis baisaient pieusement la petite rondelle de peau qui apparaissait dans un médaillon encadré d'argent.

Je m'exclamai :

— Mais que me racontez-vous là ? Les saints ont été enlevés dès le début de la révolution !

— Oui, dit l'ingénieur, on me l'a dit. Mais que voulez-vous, il a bien fallu rééquiper les catacombes face à la demande.

Le duel historique entre Kerenski et Lénine battait son plein. Kerenski voulait continuer la guerre et essayait par des harangues enflammées d'arrêter la débâcle et de persuader les soldats de retourner au front. Mais les mots sacrés « Patrie » et « Victoire » avaient perdu leur sens. L'avalanche se poursuivait, on évacuait la Bukovine et la Galicie et les troupes russes en désordre se ruaient sur les chemins du retour. L'armée russe n'existait plus.

Lénine surgit avec d'autres arguments et ceux-là étaient attrapés au vol : Paix et la terre aux paysans !

Il est vrai qu'en juillet 1917 Kerenski réussit à prendre le pouvoir, tandis que Lénine s'enfuyait en Finlande. Succès éphémère qui ne dura qu'un été. L'apprenti dictateur finit sa carrière en quittant le Palais d'Hiver pour disparaître de la scène pour toujours.

Les échos de ces combats politiques arrivaient à peine en Podolie. Les discours incendiaires de Lénine n'intéressaient pas plus que les harangues patriotiques de Kerenski. À vrai dire la chute de la monarchie n'affecta en rien la vie dans les villages et les petites villes de province. L'intelligentsia dans son ensemble se réjouissait du départ de l'empereur, mais malgré tout, une inquiétude troublait les esprits. En supprimant la tête couronnée, n'allait-on pas voir surgir d'autres têtes, sans couronne certes, mais peut-être aux dents de fauve... ?

Papa trouva très peu élégante l'attitude du corps judiciaire. Les juges étaient nommés par le souverain et la simple décence, surtout de la part de magistrats, exigeait le sang-froid et la réserve. Or Moussia Doumitriou arracha de ses propres mains le portrait du tsar suspendu dans son salon et ordonna à sa bonne de le porter sur le tas d'ordures. Racontars et cancans du plus mauvais goût fusaient à ses dîners.

Le juge Sorokovenko pérora comme un tribun et jura qu'il avait toujours été révolutionnaire et aimait tendrement le paysan.

Mais le plus choquant fut le geste de l'archiprêtre de Nouvelle-Ouchitza qui, en pleine cathédrale, prononça en guise de sermon une diatribe injurieuse à l'adresse de la famille impériale et supplia l'assistance les larmes aux yeux d'enlever l'opprobre du jardin municipal qui portait le nom de parc Nicolas.

Il parla beaucoup de la révolution et pas du tout de la guerre. Un petit événement inattendu se chargea de la rappeler à la population. Un beau matin, on vit les troupes autrichiennes entrer dans la ville.

Ces troupes avançaient avec assurance suivies de leur artillerie. Certains habitants firent la grimace en voyant l'ennemi rouler sur notre territoire avec un air de parade.

Les patriotes incorrigibles eurent une petite consolation en apprenant que les canons autrichiens s'étaient enlisés au beau milieu de la bourgade Dounaévtzi et que les soldats, après avoir pataugé durant des heures dans la boue et le purin, avaient perdu beaucoup de leur allure.

L'exclamation du colonel que nous entendîmes nous-mêmes quelques jours plus tard, car le régiment arriva à Vassilki, fut assez éloquente :

— *Mein Gott! Es war etwas Fatales*[1].

Je ne sais pas si les Autrichiens s'attendaient à une résistance. La seule qu'ils rencontrèrent furent nos routes.

Cette fois l'ennemi nous trouva dans notre maison, car nous ne déménageâmes pas dans celle du forestier. Maman fut très attristée et refusa de rencontrer l'envahisseur. Pour l'éviter elle se retira... dans sa chambre. Il faut rappeler que nous n'étions pas au courant des arrangements entre l'Ukraine et l'Allemagne. Pour nous, en dépit des bouleversements, la guerre continuait et nous n'avions pas encore changé d'ennemi.

L'ennemi autrichien ne se montra pas encombrant et piocha discrètement dans nos greniers. En revanche il nous laissa un héritage inappréciable qui, j'en suis persuadée, sert encore la région : on répara nos routes!

Ce n'était sûrement pas pour nous rendre service, ni même pour laisser un bon souvenir que le commandant s'attaqua à nos bourbiers. Mais le fait était là. Du jour au lendemain les soldats autrichiens et nos villageois, réunis dans une œuvre utile, se rendirent sur nos pistes pioche à la main pour les transformer en voies carrossables. La célèbre descente vers Vieille-Ouchitza, Golgotha des chevaux, prit la forme d'une harmonieuse route en lacet.

Je me demande si les paysans se rendaient compte de l'importance de cette transformation. Sur le moment ce travail tombant juste après les moissons, et étant très bien payé, fut accepté avec empressement.

— Il a fallu que viennent les Autrichiens... disait Papa avec mélancolie.

---

1. « Mon Dieu! C'était fatal. »

Les événements se précipitaient à Petrograd. Après l'éclipse assez peu glorieuse de Kerenski, c'est Lénine qui s'empara du pouvoir et, secondé de Trotski, proclama l'État socialiste.

Moscou pour l'instant restait à l'écart et continuait sa vie propre. La population ne montrait aucune disposition pour la bagarre à part quelques formations militaires, élèves officiers et cadets, qui essayaient de barrer le chemin aux bolcheviks.

Les combats, qui avaient cessé face à l'ennemi, reprenaient à l'intérieur entre compatriotes. Et je doute qu'il y ait eu autant de haine et d'acharnement sur les champs de bataille, qu'il y en eut au sein même de la patrie.

Le directeur du lycée Nicolas, pour préserver ses élèves de la guerre civile, leur interdit de quitter l'établissement. Ils ne devaient se mêler de rien et ne penser, s'il était possible, qu'à leurs études.

Mais les jeunes gens, même consignés, furent les témoins directs d'un incident spectaculaire.

L'immeuble voisin était occupé par un magasin d'instruments de musique avec un grand dépôt de pianos à queue au septième étage. Les Gardes rouges envahirent le bâtiment et réduisirent les instruments en miettes. Quant aux pianos, on les précipita un à un sur le pavé par les fenêtres. L'éclatement, raconta Emmanuel, fut ahurissant et ébranla tout le quartier.

La situation à Moscou s'aggrava rapidement et le trimestre n'était pas fini que le directeur se vit contraint de fermer l'école. Emmanuel quitta la ville en hâte et n'y revint jamais. C'est à Odessa qu'il termina ses études.

Les problèmes qui surgissaient autour de Lénine étaient multiples. Les Allemands, encore bien sur leurs pieds, exigeaient la constitution effective d'une Ukraine indépendante. D'autres aspirations séparatistes se précisaient de tous côtés. Les Polonais, les Ukrainiens, les Finlandais, les Estoniens, les Lituaniens, les Lettons, les cosaques, les Géorgiens, les Arméniens, les Tatares ne manifestaient aucun attachement à la Mère Russie, au contraire, voulaient s'en arracher. Le programme politique de Lénine, par ailleurs, n'était pas du goût de tout le monde.

Les émissaires envoyés chez les cosaques pour porter la bonne parole furent énergiquement refoulés. Ça n'alla pas mieux au Caucase.

Lénine céda sur tous les plans et promit à chacun tout ce qu'il demandait. Même les Turcs ne furent pas oubliés et reçurent le Kars et Batoum. Tant pis, devait se dire Lénine, ce n'est pas pour longtemps...

Il déployait une énergie féroce et ses idées, tant d'années comprimées, prenaient à présent la forme de lois. La Tchéka, de sinistre mémoire, fit son apparition, la terreur s'installa, et elle pour longtemps.

La République ukrainienne autonome avec à sa tête le vieux hetman Skoropadski fut proclamée en 1918. Les Allemands, ennemis d'hier, devinrent nos alliés !

Lénine de son côté se couvrait de gloire à Brest-Litovsk en signant un traité de paix séparée avec l'Allemagne.

Le nom du hetman Skoropadski suscita quelques sarcasmes, car en russe Skoropadski veut dire « Tombevite ». Cela sonnait comme une prédiction qui effectivement se réalisa un an plus tard.

Une frontière assez imprécise et instable coupait à présent la Russie en deux moitiés. Chez nous en Ukraine on se félicitait de se trouver dans la bonne. Se sentant en sécurité — combien fragile ! —, on jugeait la situation dans le Nord avec moins de pessimisme. Un malheur passager, disait-on, dû aux horreurs de la guerre qu'on n'a pas su surmonter. Les catastrophes nationales de cette envergure finissent souvent par des dictatures. Mais celles-ci ne durent jamais qu'un temps. Les peuples réussissent toujours à s'en libérer.

Les nationalistes ukrainiens se multipliaient comme des

lapins. Bien des femmes s'affublèrent du costume national, fort seyant. Certains hommes allèrent jusqu'à se faire pousser l'osséledetz, mèche de cheveux surgissant au milieu du crâne rasé, coiffure fort enlaidissante à laquelle se résignèrent les plus fervents qui voulaient ressembler aux cosaques de Zaporojie, célèbres pour leur virilité et leurs qualités guerrières. On vit apparaître des militaires ukrainiens en uniformes fraîchement fabriqués.

Tous les journaux paraissaient maintenant en ukrainien, cette langue des Hohols [1] que peu de temps auparavant on avait qualifiée de jargon paysan. À présent on s'efforçait de la baragouiner. Mais le vocabulaire était restreint et il fallut composer rapidement les mots manquants. Ces nouveaux mots étaient souvent incompréhensibles, surtout pour les paysans.

L'intelligentsia dans son ensemble était hostile à l'indépendance de l'Ukraine et ne la reconnaissait que du bout des lèvres comme le moindre mal. Cette alternative était la seule capable de nous sauver de la guerre civile.

Quant à la masse paysanne, on ne savait pas au juste ce qu'elle pensait. Elle n'avait pas de porte-parole honnête et aucune organisation ne l'unifiait. Ce qu'on proclamait en son nom était des slogans politiques dont se servaient les démagogues, ce n'était pas la voix du peuple.

Il existait cependant un élément d'unité profonde, commun à tous les paysans : la convoitise de la terre. Pour se l'approprier et la garder chaque paysan était prêt à prendre la fourche, la faucille, la hache. À présent que les anciens liens étaient rompus, il eût été vain d'essayer d'installer un régime ne comprenant pas cette condition primordiale : la terre, toute la terre aux paysans et seulement aux paysans. Ceux qui la leur donneraient seraient les bons.

---

1. Hohol (houppe), nom qu'on donnait aux Ukrainiens à cause de la houppe qu'ils portaient au milieu de la tête.

C'est sur cette base que les bolcheviks bâtirent leur pouvoir. La masse paysanne, énorme, menaçante, décida en fin de compte du sort de la Russie. Non par une action consciente, mais par le terrain qu'elle présentait, masse aveugle, crédule et anarchique, capable de tout démolir, mais également de se plier aux pires tyrannies.

La duperie la plus gigantesque de l'Histoire allait s'accomplir au nom de la révolution.

Notre Institut n'échappa pas à l'ukrainisation. Un décret parut, ordonnant à tous les établissements scolaires de procéder au recensement de leurs élèves en vue de préciser leurs origines.

C'est ainsi que nous défilâmes classe après classe devant le bureau de notre inspecteur pour décliner nos noms et lieu de naissance afin qu'il puisse les enregistrer. On ne sut jamais comment la direction présenta le résultat de l'enquête, car toutes les élèves de l'Institut, mêmes celles qui étaient nées en pleine Ukraine, et portaient des noms petits-russiens, se déclarèrent russes. Toutes, sauf une de nos camarades, Irène Diatkov, qui essaya de prouver ses origines ukrainiennes en dépit de sa provenance de Moscou. Zèle inutile, puisque de toute façon on nous proclama toutes ukrainiennes.

Une nouvelle matière s'ajouta à notre programme, l'ukrainien, enseigné par Mlle Gritzko, jeune professeur timide à ses débuts, qui ne sut pas imposer son sujet et encore moins susciter le moindre intérêt. Il faut avouer que nous manquâmes de cœur et de tact en soulignant avec ostentation notre ignorance. Dès que Mlle Gritzko ouvrait la bouche, une élève se levait pour dire qu'elle n'avait pas compris. Véra Guilliarovski se vanta d'avoir fait soixante-cinq fautes dans une demi-page de dictée. On traitait par le mépris les notes que nous mettait notre infortuné professeur.

Heureusement les autres matières continuaient à être enseignées en russe, de sorte que nous pûmes passer en première sans accident.

La création de l'Ukraine souveraine ne mit pas fin aux troubles dans le pays. Les Allemands étaient partis en laissant la Rada se débrouiller toute seule, mais les Polonais soulevèrent des prétentions sur la Podolie, Poltava, voire même Kiev.

D'autre part de nouveaux chefs ukrainiens, tels que Pétlioura, Boudienny, Makhno, Zéliony, Sémionov et d'autres moins importants, surgirent dans différents coins du territoire proclamant chacun sa doctrine. L'armée Blanche de Denikine opérait dans le Sud, celle de l'amiral Koltchak en Sibérie. Les Anglais occupaient une partie du Caucase et les Français Odessa.

Les vagues de fond qui secouaient le cœur de la Russie arrivaient amorties à ses frontières, mais suffisantes pour semer la pagaille. La Rada se débattait avec ses problèmes et promettait de transformer la vie en se basant sur de nouveaux principes. La réforme agraire avant tout.

Les écrivains soviétiques qui décrivirent plus tard le soulèvement unanime et fraternel des paysans ont fait du roman. La réalité fut très différente. En fait, ce qui avait le plus manqué était justement l'unité.

Dès l'effondrement de la clé de voûte qu'avait été Petrograd, tout alla à la dérive. L'amour fraternel ne s'épanouit pas sous le soleil de la révolution, bien au contraire. Ce sont les antagonismes, les règlements de comptes, les pillages, les luttes à mort pour la possession de la terre qui illustrèrent cette sombre époque.

Sous le sceptre vacillant de Skoropadski, l'autorité du gouvernement ne s'établit jamais. La réforme agraire promise tardant à venir faute de cohérence dans les ministères à peine existants, les paysans dans certains villages se mirent à l'introduire eux-mêmes à leur manière, souvent au couteau. Les incendies de châteaux et de fermes devinrent monnaie courante.

Les déserteurs du front affluaient dans les campagnes et n'appartenaient pas toujours au village où ils échouaient. Ils apportaient un ferment de décomposition et d'anarchie dans les villages encore pacifiques. Les éléments les plus turbulents et les moins aptes au travail se joignaient à eux. Les moins enclins à courber l'échine sur une charrue criaient le plus fort pour se l'approprier. On formait des comités révolutionnaires et ceux-ci prétendaient présider aux destinées des communes.

Dans ce pays en décomposition les intérêts égoïstes et les convoitises les plus extravagantes étouffaient jusqu'à la notion du bien public. Quant à la solidarité nationale, il ne pouvait plus en être question. Qu'importait aux riverains du Dniepr le sort de ceux du Don ? Que leur région soit moins riche, on n'y pouvait rien. S'ils avaient des problèmes, c'était à eux de les régler. Et le fait que le Nord (donc les Russes) n'eût pas de blé n'empêchait pas les Méridionaux de dormir.

Pendant cette période trouble et explosive nous fûmes parmi les privilégiés. Non que notre village n'ait subi sa part d'effervescence, mais celle-ci n'alla pas jusqu'aux excès. Le sort fut plus cruel pour certains de nos voisins. Le domaine des Karachévitch fut dévasté et les meules de blé réduites en cendres. Le château des Patton flamba et nos amis n'eurent que le temps de s'enfuir. Chez les Régoulski tout resta intact grâce à l'habileté du gérant qui sut organiser une contre-propagande en attirant les éléments modérés. Notre voisin le plus proche, M. Douratch, Polonais malin et esprit finaud, prit les devants et constitua lui-même un comité révolutionnaire dont il prit la direction. Il manœuvra de façon à éviter à son domaine les pillages et les incendies. Le prêtre de ce village, le révérend père Lévitzki, notre confesseur, usa de toute son influence pour apaiser les passions et non pas comme le père Alexandre pour les exciter.

L'expérience de notre ami Alec Marinski représenta en elle-même une esquisse de l'époque. Alec était étudiant à Kiev et se trouva très embarrassé quand l'université fut contrainte de fermer ses portes. Sans nouvelles de ses parents, il ne savait même s'ils n'y étaient plus il trouverait toujours le château, le même s'ils n'y étaient plus, il trouverait toujours le château, le domaine, le gérant. Il prit donc le train et arriva à sa gare de district.

Celle-ci lui parut étrangement déserte, presque abandonnée. Pour se rendre à la propriété de ses parents, Alec dut faire le trajet de vingt kilomètres à pied. En s'approchant du domaine, il vit une lueur qui ne pouvait être que celle d'un énorme incendie. La nuit était tombée et le ciel en était tout embrasé.

— Est-ce notre château ? se demandait Alec tout en marchant.

Oui, c'était le château, du moins une de ses ailes, mais le reste n'allait pas tarder à s'enflammer. Le corps central était encore accessible et une grande agitation régnait à l'intérieur. À la lueur des flammes des hommes traînaient hors du bâtiment les objets les plus divers. Qui portait un meuble, qui tirait un matelas, qui emportait un chaudron. Un paysan amateur de plantes avait un palmier dans les bras.

Des hommes juchés sur des échelles tapaient avec acharnement à coups de hache sur la voûte d'une galerie. Des morceaux de plâtre tombaient avec fracas accompagnés de jurons.

— Qu'est-ce qu'ils font ? demanda Alec intrigué.

— C'est là que le prince cachait son or ! dit un soldat l'air entendu.

Alec faillit éclater de rire, mais se retint à temps.

— Allez-y ! Allez-y ! cria-t-il aux hommes.

Il suivit les pilleurs dans les pièces et aboutit dans la salle à manger. On vidait les buffets et les placards. Alec saisit une pile d'assiettes et sortit dans le parc. Qui aurait pu soupçonner que celui-là volait sa propre vaisselle ?

Il la jeta dans les buissons et reprit le chemin de la gare.

Rien de semblable ne se produisit à Vassilki, nos paysans ne pillèrent pas notre maison. Et cependant les orateurs le recommandaient bien. Mais ils manquaient d'audience. Le village était prospère et on ne trouvait pas assez de va-nu-pieds. Les agitateurs qui parlaient en leur nom n'étaient pas du pays, ce qui leur enlevait tout crédit. Le projet de brûler nos meules n'eut pas de succès et c'est nos paysans eux-mêmes qui postèrent des gardiens pour les surveiller.

Il se forma d'ailleurs un comité concurrent sous la direction du maire Ivan Dovgagne. Ivan avait beaucoup d'ascendant. C'était un homme de trente-cinq ans, lettré, travailleur et intelligent. Sa haute stature et son beau visage, ainsi que son amour de l'ordre et de la justice lui gagnaient toutes les sympathies. On ne pouvait mieux choisir comme chef par ces temps troublés.

Ivan Dovgagne comprenait très bien tous les dangers de l'anarchie et essayait de parler raison à ses administrés.

— Si les biens des propriétaires passent aux communes, il vaudra mieux les recevoir en bon état. Pourquoi casser les machines agricoles et détériorer les bâtiments ? Brûler le blé, quelle folie ! Maintenant que nous sommes sortis de la guerre, voulez-vous qu'on ait la disette ?

Les extrémistes l'accusaient d'être de connivence avec le propriétaire, de sorte que le pauvre maire était pris entre deux feux.

Ivan Dovgagne savait très bien que Papa n'était pas un ennemi et un exploiteur comme le disaient les propagandistes, mais un homme droit et éclairé auquel il pouvait demander conseil. Aussi souvent, sans en souffler mot au village, il venait trouver Papa pour discuter de la situation.

— Je me mets à votre place, disait Papa, et je comprends qu'elle n'est pas commode. L'avenir est des plus confus et l'important pour le moment est d'empêcher l'anarchie. Les paysans convoitent la terre, vous comme les autres. Et, le cas échéant, je vous céderai la place sans histoires. Essayez de faire comprendre à vos concitoyens que brûler les meules, saccager la ferme et assommer le bétail est parfaitement inutile.

Ivan se plaignait du père Alexandre qui, depuis quelque temps, avait bien changé. Renonçant au rôle de guide spirituel, il se lançait dans la politique. Il s'entourait des fortes têtes du village, assistait aux meetings révolutionnaires et prenait lui-même la parole.

— Et il prêche bien autre chose que naguère ! disait Ivan avec ironie. Avec les idées il a changé de costume : la soutane, ça sentait trop l'encens. À présent il porte des culottes et un brassard rouge.

La même transformation se produisit chez Joseph Pétrovitch, même s'il n'avait pas de soutane à enlever. L'école ? La chorale ? Quels enfantillages ! Il s'occupait maintenant de la révolution.

Notre boutiquier, Sroul Schafermann, vint lui aussi demander conseil à Papa qui, décidément, servait d'arbitre dans les cas compliqués. La boutique de Sroul avait été cambriolée, lui-même et sa famille avaient reçu des menaces de mort.

— Déménagez à Vieille-Ouchitza, conseilla Papa, au village vous risquez les pires malheurs. Attendez que se dessine l'avenir. Tenez, vous et moi, nous sommes logés à la même enseigne, nous serons toujours les premiers visés. À Vieille-Ouchitza vous serez moins exposé et vos coreligionnaires vous aideront sûrement.

Papa voyait la situation d'un œil clair, sans s'affoler. Il fut cependant réellement contrarié lorsqu'un jour il surprit Karpo en train de scier un peuplier argenté dans le parc. En apercevant Papa, notre bon cocher ne sourcilla pas et, loin de reculer selon son habitude, il avança au contraire l'air arrogant.

— Et alors ? fit-il, c'est plus à vous tout ça, c'est au peuple ! Ce n'est plus vous qui commandez, nous avons d'autres maîtres !

Maîtres tout de même... Pauvre Karpo, il ne gagna rien au change. La confiance que Maman lui avait témoignée le desservit auprès du comité révolutionnaire. Les vieilles rancunes se rallumèrent à présent qu'on pouvait se venger. Le peuple justicier ? Non, c'était bien plus simple : Pétro Kryss, qui faisait partie du comité, convoitait la maison que Karpo occupait à la ferme en tant que notre employé.

— Karpo est pour le propriétaire ! déclara-t-il avec indignation.

On délogea le pauvre homme avec sa famille, alors qu'il n'avait en rien trahi le peuple. Nous seulement.

Un jour, Ivan Dovgagne étonna Papa par une démarche inattendue. Délégué par un groupe de paysans, il venait demander à Papa s'il voulait leur vendre de la terre.

— Vendre... ? s'exclama Papa, vendre ?

— Mais oui, vendre, le prix que vous fixerez et argent sur table.

Papa n'en croyait pas ses oreilles. Ivan expliqua :

— Voyez-vous, nous ne croyons pas à tous ces bavardages. Il y aura toujours des lois. Nous voulons être sûrs de nos droits. Nous voulons être en règle pour travailler en paix.

— Ivan, dit Papa, ne me prenez pas pour un homme malhonnête. Je ne puis vous faire payer pour quelque chose dont je ne suis pas sûr de rester propriétaire moi-même.

Joseph Pétrovitch se distingua par un geste révolutionnaire en installant ses ruches dans nos parterres. Papa le pria de les enlever.

— Les fleurs sont à tout le monde ! riposta le maître d'école d'un ton insolent.

— Et le miel ? demanda Papa en faisant allusion à l'arrangement selon lequel il fournissait les ruches et l'équipement du rucher et Joseph Pétrovitch le travail et sa compétence. Le miel devait être partagé. Or, depuis les bouleversements, Joseph Pétrovitch gardait tout pour lui.

En dépit de tous ces petits frottements, Maman restait ferme : le blé, c'est le blé. Il faut le semer et récolter aussi longtemps que possible. M. Voyékovski continuait mollement et prudemment les opérations agricoles. Les employés ayant décampé, il fallut faire appel à des journaliers et, à la surprise générale et en dépit des menaces du comité révolutionnaire, on en a eu tant qu'on en a voulu.

Les déplacements en Ukraine restaient possibles, sinon sans danger. L'information manquant, on n'était pas sûr d'arriver à destination. Où, en effet, était Pétlioura avec son armée de ramassis ? Où opérait Boudienny qui ne valait pas plus cher ? Les voies ferrées étaient-elles protégées, ou risquait-on de tomber dans une embuscade ?

N'étant pas au courant des événements mondiaux, on persistait à placer des espérances en nos alliés. Les alliés veillaient sur l'Ukraine et ne l'abandonneraient pas. Mais qui étaient exactement ces alliés et pourquoi viendraient-ils nous protéger ? Personne ne pouvait l'expliquer. La notion même de ce que c'était s'entourait de mystère. De temps en temps le bruit se répandait qu'ils étaient à nos portes et on poussait un soupir de soulagement. Dieu soit loué, maintenant tout irait bien.

Certains sceptiques n'y croyaient pas, comme le vieux bouvier Kréminski, par exemple, qui s'exclama un jour :

— Les alliés ! les alliés ! Depuis qu'on les attend ! S'ils marchaient sur leurs genoux, ils seraient déjà là !

Plus enclin à l'optimisme, Papa pensait que l'Ukraine tiendrait bon et que, par conséquent, je pouvais retourner à Kiev pour terminer mes études.

Ce ne fut pas sans difficultés, mais je parvins saine et sauve à Kiev et rentrai à l'institution.

Rude hiver que celui-là. Vers novembre, les choses s'envenimèrent. Kiev, déjà coupé du Nord, se trouva du jour au lendemain pris dans une enclave, serré de près par Pétlioura, qui avançait du sud. La Rada, à peine formée, ne tenait plus qu'à un fil.

Les coups de canon, qui depuis quelque temps retentissaient aux abords de la ville, se rapprochèrent. Des obus tombaient çà et là, semaient la panique et allumaient des incendies. Étaient-ce les Rouges qui nous tiraient dessus de l'autre rive du Dniepr ou Pétlioura qui pressait les faubourgs ? On ne le savait pas.

L'alarme nous surprenait au milieu des repas, des cours, la nuit. Nous enfilions en hâte nos manteaux et descendions dans les caves noires et glacées où nous nous bousculions pendant des heures dans l'obscurité.

Un obus tomba un jour sur l'aile du bâtiment qui abritait notre réfectoire et le transforma en décombres. L'appartement de notre docteur qui se trouvait à proximité fut éventré et le docteur et sa femme tués.

On nous nourrissait comme on pouvait, au gré des arrivages qui atteignaient sporadiquement encore la ville, mais le plus souvent de pommes de terre pourries et de pain noir farci de son et de brins de paille. Il n'y avait ni thé, ni café, ni sucre qui étaient remplacés par un bouillon de carottes faisant penser à l'eau de vaisselle. Parfois un plat de viande apparaissait et nous nous jetions dessus comme des loups affamés. La cuisine se faisait à l'huile de chanvre couleur émeraude, de sorte que les croquettes de riz ou de pommes de terre, servies comme plat de résistance, ressemblaient à des concombres.

On ne nous interdisait plus d'employer des moyens personnels pour nous procurer de la nourriture, au contraire, on nous y encourageait. Les élèves qui avaient des parents en ville et recevaient des paquets de vivres ne se gênaient plus pour les dévorer en classe en les partageant avec leurs plus proches amies. Celles qui étaient réduites au régime de l'école affectaient des airs indifférents ou, au contraire, mendiaient quelques miettes en oubliant toute dignité.

On fabriquait des goggle-moggle — jaunes d'œufs battus avec du sucre et de la crème douce et visqueuse — qui avaient le don de couper la faim. On entendait tinter les cuillers à toutes les heures du jour et même de la nuit.

Le froid dans le bâtiment devint tel qu'on nous autorisa à garder nos manteaux en classe. Nos mains étaient couvertes d'engelures et si enflées que nous pouvions à peine tenir nos plumes. Les promenades dans la cour étaient constamment supprimées par crainte des bombardements et nous tournions en rond dans la salle des réceptions ou arpentions les couloirs pour nous dégourdir les jambes.

Il y avait tant de malades que l'infirmerie était débordée et on traînait dans les classes secouées de quintes de toux et de fièvre.

Les études avaient perdu tout leur intérêt et on ne pensait plus qu'à la faim et au moyen de se préserver du froid.

À ces épreuves s'ajoutait pour moi l'inquiétude au sujet de ma famille. Je ne recevais plus de lettres et les bruits qui couraient ne pouvaient qu'augmenter mon angoisse. Personne ne savait où était le front et quel front, et qui se battait contre qui. Ce front d'ailleurs devait être mouvant, car les communications étaient tantôt coupées, tantôt rétablies.

Noël approchait et je me perdais en conjectures sur mon sort. Qu'allais-je devenir si Kiev tombait entre les mains de Pétlioura ? L'institution serait certainement fermée et qui sait ce qu'on ferait des élèves ! Je n'avais plus personne à Kiev, tante Olga Rosen, mon dernier refuge, était partie à Odessa pour rejoindre Grand-Maman.

Je fus donc très étonnée lorsqu'un soir, quelques jours avant Noël, on m'appela à la réception. Qui cela pouvait-il bien être ?

Je me trouvai en face de M. Kotliarov, père d'un camarade d'Emmanuel que je connaissais à peine.

— Je viens vous retirer de l'Institut, dit-il d'un ton grave. La directrice m'y autorise. J'ai appris que cette nuit il y aurait un train pour Odessa. C'est peut-être votre dernière chance. Allez chercher vos affaires et faites vite, chaque minute compte.

Je partis en courant à travers les couloirs. En passant devant ma classe je m'arrêtai devant la porte ouverte. Je regardai longuement mes camarades, dont certaines étaient devenues des amies, notre classe avec ses hautes fenêtres, l'estrade, la surveillante à son bureau...

Le cœur serré, je passai outre.

En franchissant le portail d'honneur aux côtés de M. Kotliarov, je regardai mon école pour la dernière fois.

Je ne sus plus jamais rien d'aucune de mes camarades.

La place de la gare était envahie par une foule dense et houleuse. Les gens se bousculaient, s'écrasaient, s'injuriaient dans un effort désespéré pour s'approcher des portes. Dans la grisaille glacée du soir des cris et des imprécations retentissaient de toute part. Les plus forts se frayaient un passage à coups de coude, marchaient sur des pieds, trébuchaient sur des valises.

Je me cramponnais au bras de M. Kotliarov qui, bientôt, renonça à l'espoir de traverser cette mer humaine.

— Non, dit-il, nous ne passerons jamais. Venez, je connais le moyen de sortir sur les voies de garage. Votre train doit encore se trouver là.

Nous fîmes le tour de la gare et marchâmes longtemps le long d'une série de baraquements pour nous trouver soudain sur les voies. Un long convoi se détachait dans la pénombre. La locomotive pouffait doucement et des hommes munis de lanternes passaient devant les wagons.

— C'est votre train, dit M. Kotliarov. Allez, grimpez vite et que Dieu vous aide !

Je m'élançai vers le wagon le plus proche et, à mon grand étonnement, le trouvai plein à craquer. Je réussis par miracle à me caser dans un coin et restai sans bouger, ma valise sur les genoux.

Quelques instants après, le train s'ébranla et s'avança lentement vers la gare. À peine devant le perron, il fut pris d'assaut par la foule qui le submergea comme un raz de marée.

Je remerciai le ciel d'être déjà à l'intérieur. Sans M. Kotliarov je n'y serais jamais parvenue. Et si j'étais restée sur le quai ce jour-là, ma vie aurait pris un tout autre cours, si toutefois elle avait continué.

Le train partit avec des hommes allongés sur les toits des wagons, accrochés aux tampons et aux marches, débordant des portières et des fenêtres. Dans les compartiments, les couloirs, les toilettes, les gens restaient debout serrés les uns aux autres. Mêmes les filets à bagages étaient occupés.

Les heures commencèrent à s'écouler lentement, transformant la nuit en cauchemar. Coincée dans mon coin, je ne pouvais ni changer de position, ni même allonger les jambes. Des rafales de neige s'engouffraient dans les compartiments par les vitres brisées, mais sans parvenir à dissiper la puanteur du tabac noir et des toilettes bouchées.

À tout bout de champ, le train s'arrêtait et le bruit courait qu'il n'irait pas plus loin. Durant la traversée de la zone des opérations militaires on essuya plusieurs fois des coups de feu et on parla de victimes parmi les voyageurs des toits. À l'aube on descendit le corps d'un soldat qui s'était imprudemment dressé et avait été décapité par l'armature d'un pont.

Le jour levant trouva les voyageurs hagards, défigurés par la fatigue. Ceux qui se trouvaient près des vitres et des portières achetaient du pain aux paysannes emmitouflées qui guettaient le train sur les quais des gares. On se passait des gamelles d'eau chaude que les plus entreprenants allaient chercher au buffet.

Je n'avais pas emporté de provisions, mais la chance me sourit une deuxième fois. Il y avait une famille dans mon compartiment dont la prévoyance me sauva la vie. Ces braves gens s'étaient munis d'un grand sac de nourriture et le père, voyant ma mine décomposée, me donna à manger. La femme rouspéta à voix basse, mais son mari n'y fit pas attention. Ainsi pendant tout le voyage qui dura deux jours et deux nuits, je vécus de la charité de cette famille.

En ce qui concernait les autres besoins naturels, ce fut plus compliqué. On sortit un pot de chambre pour les enfants qu'on vida ensuite par la fenêtre. Après des heures d'hésitation la femme dut prier les passagers de fermer les yeux et fit comme les enfants. J'étais seule à m'obstiner dans ma dignité, jusqu'au moment où la situation devint intenable. On m'aida à descendre par la fenêtre à un arrêt prolongé et après à y remonter.

Il y avait parmi nous un médecin balte, le docteur Siebel. Voyant comme j'étais épuisée, il me céda sa place pour que je puisse m'allonger et resta lui-même plusieurs heures debout adossé à la portière.

Le train n'arriva pas jusqu'à Odessa, l'accès à la ville étant coupé. Le long convoi stoppa au milieu de la nuit en rase campagne et nous apprîmes qu'il fallait descendre. Il faisait noir comme dans un four, le vent glacé de la steppe chassait des tourbillons de neige qui aveuglaient et coupaient le souffle. Les passagers ahuris se répandirent autour des remblais. La ville était distante de plusieurs kilomètres et la plupart partirent à pied. D'autres restèrent auprès du train pour attendre l'aube avec l'espoir de se procurer une charrette.

— Venez, dit le docteur Siebel en me prenant le bras, il vaut mieux marcher.

Odessa était encore aux mains des Français — occupation vague et provisoire qui ne s'étendait pas au-delà des édifices publics, de la gare et du port.

La situation était trouble et incertaine. La proximité des zones en proie à la guerre civile et le manque d'une autorité bien déterminée chargeaient l'atmosphère d'inquiétude. Les Français n'étaient là que d'un pied et ne se mêlaient pas de l'administration de la ville.

Celle-ci débordait de réfugiés affluant de tous les coins de la Russie, de militaires de toutes armes fuyant tous les fronts, de formations les plus inattendues, comme la Légion polonaise, qui se trouvait à Odessa on ne savait pour quelle raison, de l'Amicale juive qui défendait on ne savait pas quoi, de détachements de jeunes cadets qui défilaient fièrement dans les rues en uniformes d'élèves officiers.

Odessa possédait un puissant point d'attraction : le port. Tous les yeux étaient tournés vers cette dernière porte de sortie.

Trouver un logement à Odessa pendant ces jours perturbés était tout un problème. Maman, qui n'avait pas pu se décider à quitter nos sœurs par ces temps incertains, réussit, après de longues recherches, à se procurer un gîte aussi original qu'incommode : deux classes vides dans un lycée désaffecté par suite des événements. La directrice de l'établissement, pour éviter la réquisition des locaux, avait imaginé de transformer les classes en meublés.

L'aube commençait à poindre quand nous arrivâmes, le docteur Siebel et moi, devant la porte du lycée. Tout était sombre, silencieux et désert. La sonnette ne marchait pas et les coups à la porte restèrent sans réponse. Le docteur ramassa une poignée de petits cailloux et en bombarda les fenêtres les unes après les autres. Enfin l'une d'elles s'entrouvrit et une tête s'avança prudemment. Celle d'Emmanuel.

— Mon Dieu ! s'exclama-t-il, c'est toi !

Quand on se retrouvait au cours de ces années-là, on parlait toujours de miracle. Maman ne vivait plus depuis les nouvelles alarmantes qui circulaient au sujet de Kiev. Et voilà, tout d'un coup, j'étais là !

Après l'effusion des retrouvailles, je m'abattis à moitié morte d'émotion et de fatigue sur le lit que me céda une de mes sœurs. Emmanuel hébergea le docteur comme il put.

Cette année-là, Noël se passa au cœur d'un étrange décor. Dans la grande pièce vidée de ses attributs scolaires s'alignaient des lits de fer ; le long des croisées se trouvaient une gigantesque table et quelques chaises ; un poêle en fonte, dont le tuyau en zinc aboutissait à un carreau percé, était entouré de bûches de bois ; les coins abritaient des valises, les vêtements étaient accrochés aux murs.

La pièce était inchauffable et la nuit la température tombait à zéro. Le ravitaillement manquait chaque jour un peu plus. Dès qu'on apprenait que quelque part on avait vu une boulangerie ouverte, ou des pommes de terre dans les épiceries, on y courait sans perdre un instant. Après des heures de queue, on revenait souvent bredouille. Moins il y avait de marchandises, plus les prix montaient.

Un jour de janvier, une terrible explosion secoua la ville entière : l'arsenal avait sauté, et avec lui les réservoirs d'eau. Les canalisations se vidèrent et les habitants se ruèrent sur les puits. Nous dûmes faire des kilomètres pour rapporter un peu d'eau à travers la neige et le verglas.

Le courant électrique n'était plus qu'un souvenir et on s'éclairait au moyen de pétrole et de chandelles quand on pouvait s'en procurer.

Après la fin des vacances de Noël, Emmanuel et les sœurs reprirent leurs cours dans leurs écoles, quand ils avaient lieu, ce dont on n'était jamais sûr. Ils s'en allaient à pied suivant les rails du tramway absent.

Il n'était plus question pour moi de retourner à Kiev, Pétlioura venait de prendre la ville et le hetman Skoropadski le chemin de l'exil.

Mais ce n'était pas tout : des bandes armées se réclamant d'autres chefs surgissaient dans différents coins de l'Ukraine, se disputaient le pouvoir et dévastaient le pays, de sorte qu'en s'aventurant sur les routes on ne savait pas entre quelles mains on tomberait.

Il me fallait malgré tout terminer mes études. Maman s'adressa à la directrice de l'Institut des demoiselles nobles d'Odessa. Dieu merci, celle-ci ne ressemblait en rien à la princesse Ouroussov et nous témoigna non seulement de la sympathie, mais aussi de la confiance. Je ne possédais aucune pièce d'identité, tout mon dossier étant resté à Kiev. Je n'avais qu'une photo sur laquelle je figurais en uniforme. Cette photo et la parole d'honneur de Maman suffirent, elle m'accepta comme externe dans son établissement.

Pendant que nous étions dans nos écoles, Maman faisait la chasse aux provisions. Chasse périlleuse car la situation empirait chaque jour. Le brigandage, les agressions dans les rues, les bagarres sanglantes étaient devenus monnaie courante. Des voyous, armés parfois de simples couteaux, surgissaient dans les carrefours sombres et dévalisaient les passants. Après la bourse, la montre et les bijoux, on vous priait de vous débarrasser de votre manteau. Les fourrures étaient particulièrement appréciées et les gens n'osaient plus les porter malgré les grands froids. La police était impuissante à lutter contre ce fléau et limitait son intervention au ramassage des cadavres.

Les transports ne fonctionnaient pas et Maman rentrait à pied souvent tard dans la nuit. Incapables de nous coucher avant son retour, nous prêtions l'oreille aux bruits du dehors, terrifiés par les explosions et les lueurs des incendies.

Odessa presque assiégée était à bout de souffle et la défense de la ville faiblissait chaque jour.

Par prudence Maman se donnait un air misérable en s'enveloppant la tête d'un châle et en se munissant d'un cabas effiloché. Elle gardait l'argent dans une sacoche suspendue au cou sous sa chemise.

L'argent manquait. Papa ne pouvait plus nous en envoyer, même les lettres n'arrivaient plus. À tous nos malheurs, s'ajouta donc le manque de moyens d'existence.

Maman s'adressa à grand-père qui lui donna tout ce qu'il avait. Mais, toujours en fonction à l'hôpital municipal, il n'était plus payé, et, s'il avait une clientèle privée, il lui avait trop longtemps prodigué des soins gratuits pour lui faire changer d'habitude par ces temps durs.

Le lycée désaffecté où nous logions finit par être réquisitionné pour des besoins militaires et nous dûmes déménager. Je ne sais plus comment Maman apprit qu'une femme d'officier sur le point d'aller rejoindre son mari en Crimée offrait la petite maison en banlieue qu'elle occupait contre une modeste reprise pour son mobilier. Nos finances, comme je l'ai dit, étaient au plus bas, mais c'était une nécessité urgente et Maman décida de faire comme tout le monde, c'est-à-dire de vendre au marché noir un de ses rares bijoux. Le marché noir florissait à Odessa et ce ne fut pas long à réaliser.

Le quartier où nous allions nous installer ressemblait à une petite ville de province. La rue Risovskaia était large, pavée de grosses pierres rondes et bordée d'acacias. Les maisons étaient basses, quelques-unes entourées de jardins, et les boutiques étaient rares. C'était calme, désert, sans beauté. Tout cela enchanta Maman : ce n'est pas ici qu'on chercherait des richards à cambrioler.

La maison en question était une petite bâtisse allongée crépie à la chaux. Une rangée de fenêtres donnait sur la rue mais la porte d'entrée se trouvait dans la cour. Celle-ci était entourée de maisons semblables, disposées en carré avec au centre un groupe d'acacias autour d'un puits.

La maison était très sommairement meublée : quelques lits, tables et chaises et, dans le salon, ces ridicules petits meubles en osier recouverts de peluche verte qu'on voyait dans tous les salons de nos prêtres de campagne.

Je me rappelle comme Maman était contrariée de devoir dépenser le peu d'argent qu'elle avait pour cela. Mais c'est le gîte qui comptait et elle accepta.

L'affaire était conclue. Cependant, Mme Volkova avait l'air préoccupé.

— Il y a autre chose, dit-elle enfin. Je voudrais que vous gardiez ma domestique Sacha Keppel. C'est une personne remarquable et vous serez contente de l'avoir avec vous.

À ce moment Sacha Keppel apparut en personne. C'était une petite bonne femme d'une quarantaine d'années à l'air décidé et énergique. Son visage aux traits épais était abondamment poudré et ses petits yeux vifs soulignés au crayon.

Tandis que Maman restait perplexe, elle prit l'affaire en main et la régla en cinq minutes.

— Je reste avec vous. Je vois déjà que nous allons très bien nous entendre. D'ailleurs, que feriez-vous sans moi ? Je connais le quartier, j'ai même des connaissances à la campagne.

— Sacha est très habile dit Mme Volkova, et ne perd jamais la tête. Que de fois elle m'a tirée d'embarras !

— Eh bien, dit Maman, restez avec nous... Seulement je vous préviens que nous partirons en Ukraine dès que les écoles auront fermé.

C'est ainsi que nous eûmes une domestique, alors que la vie devenait de plus en plus dure et que nous ne savions pas comment joindre les deux bouts.

Nous eûmes vite à nous féliciter de notre installation en banlieue, et tout autant de la collaboration de Sacha Keppel. Vive, bavarde et curieuse, elle savait tout, se faufilait partout. Dès le premier jour elle se chargea de l'approvisionnement de la famille et se débrouilla bien mieux que Maman. Elle ne rentrait jamais les mains vides et un repas quelconque était toujours assuré. Avec les vivres elle apportait les dernières nouvelles et, grâce à elle, nous étions au courant de ce qui se passait en ville.

Sacha était très fière de son nom qui était celui de son mari tué à la guerre. Johann Keppel avait été un Allemand de la Volga et en avait possédé toutes les qualités. Elle supportait très bien son deuil et restait toujours d'humeur gaie et joviale. Elle se croyait très bien de sa personne et se vantait de ses succès. Avec la satisfaction qu'elle en tirait, elle savait aussi tirer des avantages pratiques.

— J'ai dit au boulanger : Si vous m'aimez tant que ça, donnez-moi un kilo de farine, alors je vous croirai.

Elle prenait souvent des décisions sans consulter Maman. Le froid durait et il n'y avait plus de bois de chauffage. Elle loucha sur les acacias de la cour, mais le portier Artamon y veillait.

— Le malin ! s'exclamait Sacha, j'ai compris ce qu'il a derrière la tête ! Il pense lui-même à ces acacias !

Étudiante à l'Université de Czernowitz. J'ai vingt-deux ans.

En haut à gauche : Ma mère, à l'époque où nous étions tous en Roumanie. *Ci-dessus :* Mon père, dans son cabinet de travail, dans notre maison de Khotine en Bessarabie.

Mon mari, le prince Vladimir Gagarine pendant la guerre de 1914.

La villa « Priout » de mes beaux-parents Gagarine, à Odessa.

Façade de l'Institut des Jeunes Filles de la Noblesse à Kiev où j'ai passé quatre ans. *(Photo actuelle.)*

Devant la maison de Vassilki, propriété de mes parents en Ukraine, en 1920. Mon frère Emmanuel et moi, au centre.

Mon frère Emmanuel.

Parloir de l'Ecole des Jeunes Filles de la Noblesse, au début du siècle. Ci-contre, une salle de cours.

Mes sœurs jumelles Angeline et Madeleine.

Devant le Dniestr, mon père, Emmanuel et les jumelles Angeline et Madeleine.

Kiev, le port sur la rive du Dniepr. *(Cl. Roger Viollet.)*

Notre attelage devant la maison de Khotine.

Moi-même avec mes filles aînées Hélène et Elisabeth à Nice en 1937, la veille de notre départ pour le Maroc où nous passerons douze ans.

Les photos non signées relèvent de la collection de l'auteur.

En effet, petit à petit, les acacias commencèrent à disparaître, comme ceux de la rue d'ailleurs.

Un jour, nous trouvâmes le poêle brûlant à grand feu et, sur le plancher, les restes d'une de nos tables. Maman se fâcha, mais Sacha ne broncha pas.

Il y avait assez de tables sans celle-là. Massive comme elle était, elle nous durera plusieurs jours. Vous ne pensiez pas l'emmener en Ukraine, j'imagine ?

À mesure que la pénurie s'accentuait, de nouvelles mesures entraient en vigueur. Le pain fut rationné. Les concierges étaient chargés de le distribuer aux locataires et c'est eux qui découpaient les rations.

Sacha s'aperçut qu'Artamon se servait d'une scie qui faisait une quantité de miettes.

— Le filou ! s'indignait-elle, nos miettes, il les garde pour lui !

Pour empêcher Artamon de tricher, elle exigea que nos rations lui soient remises en bloc.

Emmanuel avait un camarade débrouillard qui s'était spécialisé en marché noir. Ce dernier sut le persuader de participer à ses expéditions dans le port, endroit par excellence propice aux bonnes occasions.

Prévoyant leur départ prochain, les fourriers de la flotte française liquidaient des denrées sous le manteau. On pouvait se procurer à des prix raisonnables des quartiers de viande congelée, des sacs de sucre, des boîtes de conserve. Maman trouvait que c'était illégal, donc répréhensible, mais Sacha applaudissait. Pour encourager Emmanuel dans ses manœuvres, elle lui servait à table les meilleurs morceaux.

En dépit de tous ces efforts conjugués, il arrivait que l'on dût se contenter de bouillies de maïs à l'eau. Le sel et le sucre ayant disparu, tout était insipide. On se levait de table plus affamé qu'en s'y asseyant.

Un matin, en partant à l'école, je surpris Sacha sur le seuil de la cuisine regardant pensivement dans la cour. Je suivis son regard et remarquai qu'une poule se promenait sous les acacias.

— Tiens, fis-je étonnée, une poule ! Mais d'où vient-elle comme ça ?

— Je ne sais pas, fit Sacha en rentrant dans la cuisine.

Quand le soir nous nous mîmes à table, Sacha avait un air mystérieux et satisfait.

— Voilà pour une fois un bon potage ! fit-elle en posant la soupière.

Le potage embaumait. Il ne pouvait y avoir de doute, c'était un bouillon de volaille.

— Mais comment avez-vous trouvé... ? s'étonna Maman.

— Oh, c'est par pure chance... fit Sacha en retournant à la cuisine. Quand elle en ressurgit, elle portait triomphalement un plat sur lequel trônait une poule bouillie gentiment entourée de quelques pommes de terre.

Nous applaudîmes en chœur et Sacha rayonnait.

— C'est au marché ? demanda Maman.

— Non, fit Sacha négligemment, c'était une poule perdue.

— Comment une poule perdue ?

— Elle est venue toute seule. J'avais jeté quelques miettes de pain devant la porte et elle est entrée dans la cuisine.

Emmanuel éclata de rire, mais Maman était épouvantée.

— Mais c'est du vol, Sacha, comment avez-vous pu ?

— Mais puisque je vous dis qu'elle est venue toute seule ! se défendit Sacha. Et puis, les gens n'ont qu'à mieux garder leurs biens !

Si la présence des Français ne fut jamais très remarquée, leur départ fut, par contre, douloureusement ressenti. Le dernier lien qui nous rattachait encore à l'Occident venait de se rompre et on avait l'impression d'avoir perdu notre bouée.

Ce fut le signal d'alarme qui déclencha une ruée vers le port comme Odessa n'en avait jamais connu. À la suite des croiseurs français, les vaisseaux de la marine de guerre russe appareillèrent et prirent le large. Puis ce furent les paquebots, les cargos et tout ce qui pouvait flotter.

Le port fut saisi d'une effervescence inouïe, les bateaux étaient pris d'assaut, les gens vendaient leurs derniers biens pour se procurer un billet de passage. Dans l'effroyable mêlée on perdait ses enfants, ses parents, ses bagages. Certains se lançaient sur la mer dans des embarcations de fortune au risque de leur vie, préférant les dangers d'une traversée hasardeuse à ceux, plus certains, de l'invasion bolchevique.

Quand je revins à mon institution après les vacances de Pâques, je trouvai le portail fermé. Perplexe, j'allai voir le concierge.

— L'école est partie, dit-il.

— Oh mon Dieu ! Mais où est-elle ?

— En mer.

J'appris que l'école, avec élèves et personnel, avait brusquement plié bagage et s'était embarquée sur un cargo à destination de Constantinople. C'était tout ce que savait le portier. Ah oui, l'inspecteur Pavlov était resté à Odessa et je pouvais aller le voir à domicile si je voulais connaître d'autres détails.

Que se passait-il à Odessa ? On ne tarda pas à le savoir. La ville était cernée et certains quartiers déjà aux mains des Rouges. On se battait dans les rues et les édifices publics passaient de main en main.

Un matin, je tombai moi-même dans une fusillade et j'eus la vie sauve grâce à un passant qui comprit avant moi que la rue était balayée de rafales de mitrailleuse. On tirait des greniers et des toits sur une colonne de légionnaires polonais qui passait dans la rue. J'entendis des cris, je vis des hommes tomber. D'autres couraient, se jetaient à l'abri des portes cochères. Je me sentis brusquement poussée dans une cour derrière un portail tandis que crépitaient des coups de feu. L'homme tapi auprès de moi murmura :

— Ne bougez pas...

Nous attendîmes longtemps que cesse la fusillade et je rentrai en courant, longeant les murs.

La confusion était totale. Des maisons flambaient. Les denrées, quelles qu'elles fussent, disparurent de la circulation. Chacun se terrait dans son trou sans oser en sortir.

Puis soudain et sans raison apparente, ce fut l'accalmie. Selon certains les Rouges auraient subi des revers et auraient renoncé à Odessa. D'autres affirmaient qu'ils n'avaient reculé que pour mieux sauter et regroupaient leurs forces aux portes de la ville.

Je profitai du répit pour aller rechercher l'inspecteur des classes de mon institution. Je le trouvai non sans difficulté, car la porte d'entrée était par prudence solidement bloquée ; c'est par l'escalier de service que je parvins dans la cuisine. Celle-ci était encombrée de valises. M. Pavlov ne me cacha pas qu'il était sur le départ avec sa famille.

— Vous faites bien de venir, dit-il en faisant un geste vers les bagages entassés par terre.

Je fis bien en effet, car le certificat provisoire tapé sur un bout de papier sans en-tête qu'il me donna fut l'unique document prouvant que j'aie jamais été à l'école.

En juin, le sort d'Odessa était réglé, du moins pour un temps, car les bolcheviks prirent la ville tout entière. Le port vidé de ses bateaux était à présent immobile et silencieux. On ne pouvait plus quitter Odessa sans laissez-passer.

La Tchéka — « Commission extraordinaire » dont le nom restera dans l'Histoire le symbole de l'épouvante — ouvrit ses portes. Perquisitions, arrestations, exécutions, telles les plaies d'Égypte, s'abattirent sur Odessa. Des individus armés se réclamant de la nouvelle milice rouge faisaient irruption dans les demeures de jour et de nuit, fouillaient les appartements, dévalisaient les familles terrorisées, tuaient sans se gêner qui bon leur semblait. Les gens passaient les nuits prêtant l'oreille, tremblant à chaque bruit dans l'escalier ou sous les fenêtres. Chacun s'ingéniait à inventer des cachettes pour sauver son dernier argent, ses bijoux ou des objets de valeur. On brûlait les documents, on se méfiait de ses voisins.

Chez nous, Artamon fut élevé à la dignité de surveillant de l'immeuble. Il n'était donc plus un simple portier, mais un genre de responsable politique. Il louchait de notre côté avec méfiance, nous soupçonnant d'appartenir à la classe criminelle des ennemis du peuple. Mais Sacha lui raconta je ne sais quelle histoire avec tant d'éloquence qu'il finit par la croire : nous étions des gens inoffensifs, plutôt de braves gens.

Le danger des perquisitions n'était pas pour autant écarté et nous inspectâmes toutes nos possessions pour en éliminer tout indice bourgeois. L'uniforme de gala d'Emmanuel, souvenir du lycée Nicolas, fort compromettant par ses parements rouges galonnés d'or, fut condamné à disparaître. Nous le roulâmes en boule et l'enfonçâmes dans le tuyau de la cheminée.

Il nous fallait coûte que coûte rentrer à Vassilki. Les trains marchaient sporadiquement et, avec un peu de chance, on pouvait s'échapper d'Odessa. Et après, à travers l'Ukraine en ébullition, à la garde de Dieu !

Dans ces conditions, il fallait réduire nos bagages au strict nécessaire et liquider tout le reste. Non seulement les marchés aux puces existaient, mais ils florissaient. Pour cela le terrain était des plus favorables : la misère, la peur, l'eau trouble dans laquelle peuvent pêcher les individus adroits et entreprenants. Jamais on n'a tant gagné ni tant perdu que pendant les désastres populaires.

Sacha déploya une énergie et une habileté remarquables en prenant en main la liquidation de notre maison. Elle prenait un réel plaisir à marchander, persuader, tenter. Plusieurs fois

Maman essaya de l'arrêter en l'entendant raconter des histoires abracadabrantes au sujet de quelque objet banal.

La maison se vidait à vrai dire plus vite que n'avançaient les démarches pour l'obtention de permis de sortie. Pour les recevoir nous devions nous adresser à la Tchéka installée depuis peu dans l'élégant Club de la marine. Cet organisme à peine formé était semi-militaire et essentiellement politique. Les anciens services publics étant dissous, c'est la Tchéka qui s'occupait de tout, contrôlait tout.

Pagaille et arbitraire y régnaient en maîtres. Le personnel recruté à la va-vite parmi les éléments révolutionnaires et sympathisants de la ville était pour la plupart composé de voyous inexpérimentés et ignorants. Il fallait, pour obtenir un sauf-conduit ou tout autre document, compter davantage sur la chance que sur le bien-fondé de sa demande.

Le fonctionnement des bureaux devait être peu expéditif, car la queue devant la porte défiait l'imagination. Traversant la place, elle s'allongeait dans la rue adjacente et serpentait loin au-delà. Un coup d'œil nous suffit pour comprendre que ce serait là une affaire de longue haleine. Les gens avaient l'air de camper, les uns assis sur les bords des trottoirs, les autres sur des sièges de fortune ou simplement par terre. Pour ne pas perdre leur tour, ils mangeaient sur place et se faisaient relayer entre membres de la même famille. Tous paraissaient exténués.

Après plusieurs heures de stationnement nous constatâmes, Maman et moi, que nous n'avions pas avancé d'un pas, tandis que la queue derrière nous s'allongeait. L'entreprise semblait sans espoir.

Je laissai Maman garder notre place et allai rôder dans le quartier en essayant d'imaginer le moyen de sortir de cette impasse.

C'est alors que j'aperçus deux militaires arborant la cocarde rouge qui marchaient côte à côte en bavardant. Suivant une impulsion spontanée et peut-être dangereuse, je me lançai vers eux les mains tendues.

— Camarades ! criai-je d'un ton pathétique, aidez-moi !

Ils s'arrêtèrent net et me dévisagèrent.

— Mais qu'est-ce qui vous arrive ? demanda l'un d'eux.

— Il me faut un sauf-conduit d'urgence. Faites-moi entrer dans la Tchéka.

Les deux jeunes gens éclatèrent de rire.

— Eh bien, allons-y !

Quand Maman me vit remonter la file flanquée de deux militaires de l'armée Rouge, elle crut à peine ses yeux. Les deux sentinelles qui gardaient la porte abaissèrent leurs armes et s'écartèrent pour nous laisser passer. Nous pénétrâmes dans un grand hall rempli de tables et grouillant d'agents au brassard rouge.

— Voilà, dit un de mes sauveurs, votre désir est accompli !

L'autre poussa la bienveillance encore plus loin en ordonnant à un milicien :

— Conduisez la camarade au bureau des visas et dites que c'est urgent. Elle expliquera elle-même de quoi il s'agit.

J'obtins nos visas sur-le-champ, sans interrogatoire ni autre tracasserie.

La partie, cependant, était encore loin d'être gagnée. Il nous fallait nous procurer des billets de chemin de fer et la queue que nous trouvâmes à la gare, Emmanuel et moi, faisait douter du succès.

Étrangement cette queue fondait rapidement devant le guichet. Nous apprîmes, en y parvenant nous-mêmes, que seuls les possesseurs de sauf-conduits avaient droit aux billets. Et il fallait croire qu'ils n'étaient pas nombreux. Je me félicitai de l'inspiration qui m'avait saisie devant la Tchéka et me promis de retenir la méthode.

La liquidation de notre maison n'étant pas encore terminée, Maman décida qu'Emmanuel et nos sœurs partiraient les premiers et sans bagages. Elle-même et moi devions les suivre deux semaines plus tard avec autant de valises que le permettraient les circonstances.

Les portes fermées de la gare étaient gardées par des soldats armés. Pour tenir la foule en respect ils hurlaient, juraient, faisaient marcher les crosses de leurs fusils. Mais, tandis que les uns reculaient, d'autres revenaient à la charge. On pouvait imaginer la bousculade qui se produirait au moment où la consigne serait levée.

Je me rappelai la manœuvre de M. Kotliarov qui me permit de prendre le train à Kiev. Il fallait essayer d'employer la même ruse.

J'entraînai mon frère et mes sœurs vers les entrepôts de marchandises qui, sombres et déserts, prolongeaient la gare. De hautes portes aux carreaux brisés donnaient sur un vaste hangar à peine éclairé où plusieurs hommes étaient occupés à charrier des caisses sous la surveillance d'un employé en casquette. La porte n'étant pas fermée, nous nous glissâmes dans ce hangar.

— Eh là ! fit l'employé en nous apercevant, que faites-vous là ?

Je m'avançai résolument.

— Camarade, je viens vous appeler au secours !

L'homme me regarda avec curiosité.

— Que voulez-vous ?

Je dis que nous devions à tout prix sortir sur le quai.

— Mais... fit-il, ce n'est pas difficile !

— Pour vous... C'est pour ça que je viens vous prier de nous aider.

— Hum... fit-il indécis. Eh bien, venez !

Nous le suivîmes à travers les entrepôts et sortîmes sur le quai. Chemin faisant, l'homme me jetait des regards curieux, un peu indiscrets.

— Je veux bien vous faire plaisir, dit-il enfin, car j'aime rendre service aux jolies filles...

Puis soudain :

— Mais vous partez ?

J'expliquai que je n'étais pas du voyage mais qu'il me fallait à tout prix faire monter dans le train mon frère et mes sœurs :

— Bon, fit-il, bon... On va essayer.

Le train était devant la gare et le quai, grâce aux portes fermées, était encore vide. Le premier wagon du convoi était un fourgon postal comprenant un compartiment destiné au service. À travers une vitre baissée on voyait des cheminots en train de boire du thé.

— Hé ! les amis ! leur cria notre protecteur, je vous amène des compagnons de voyage ! Serrez-vous un peu et faites-leur une petite place !

Des têtes joviales se penchèrent à la fenêtre.

— Ça va ! Montez, montez les amis ! Voulez-vous du thé ?

Emmanuel, Madeleine et Angeline grimpèrent dans le fourgon et je poussai un gros soupir de soulagement.

— Voilà qui est fait ! s'exclama l'employé. Vous êtes contente ?

— Je ne sais comment vous remercier...

Il cligna de l'œil :

— Je vous le dirai tout à l'heure...

Je ressentis un pincement d'inquiétude. Mais le premier souci était de voir partir le train. Le bonhomme pouvait revenir sur le service qu'il venait de nous rendre.

— Venez, dit-il, on va ouvrir les portes et ce sera une de ces mêlées ! Je vous ferai sortir par la gare de marchandises.

— J'aimerais assister au départ...

— C'est préférable qu'on ne voie pas votre frère, et surtout vos sœurs, dans ce fourgon. Ce n'est pas très régulier, vous savez. Les copains vont les garder au fond, loin des fenêtres, de sorte que vous ne les verrez plus.

Nous refîmes le chemin des entrepôts.

— Vous êtes satisfaite ? fit l'homme en me prenant le bras. J'ai été chic, n'est-ce pas ? C'est à vous maintenant de me faire plaisir.

« Comment vais-je m'en défaire ? » pensai-je de plus en plus inquiète. Mais je dis tout haut :

— Vous avez été très bon, je vous en remercie encore. Mais à présent je dois vous quitter. Ma mère m'attend.

— Pas si vite, pas si vite. Je vais vous accompagner.

Au moment où nous allions entrer dans l'entrepôt, les portes d'accès au quai s'ouvrirent et la foule se rua sur le train.

— Vous voyez ? dit l'homme, qu'auriez-vous fait sans moi ?

Je me demandai aussi ce que j'allais faire maintenant que je l'avais sur les talons. Il fallait cependant s'éloigner du train.

— Allons ! dis-je résolument.

La nuit tombait et les rues se remplissaient de ténèbres. Et plus nous nous éloignions de la gare, moins il y avait de passants. L'homme s'empara de nouveau de mon bras.

— Je vais vous aider, ma chérie, dit-il, en se penchant sur moi. Je vous procurerai votre billet quand ce sera votre tour de partir, je vous mettrai dans le train. N'ayez aucun souci. Mais en attendant...

Nous arrivions à un carrefour vaguement éclairé.

— Voilà, dis-je, laissez-moi là. Je vais rentrer seule. Et merci encore !

— Attendez, vous devez être fatiguée, voulez-vous que nous allions manger quelque chose ? Ainsi nous pourrons bavarder.

Autour de nous tout était noir. Les maisons closes et muettes s'alignaient de part et d'autre à l'infini. Pas de tramway, pas de taxi, pas âme qui vive. Appeler au secours eût été inutile. Mais il me restait mes jambes et je guettais le moment où il faudrait les employer.

— Mon enfant, fit l'homme soudain paternel, je ne puis vous laisser seule. Une petite fille comme vous risque de tomber sur un mauvais sujet. Je vous accompagnerai jusqu'à votre porte.

Nous nous remîmes à marcher et je calculai avec angoisse ce qui me restait encore de chemin. Et c'était loin, très loin. Il fallait le distraire, le flatter. Mais je n'en eus pas le temps.

Perdant patience, il me saisit par les épaules et allait m'attirer vers lui quand, faisant un bond, je me dégageai et filai à toutes jambes.

— Vous vous sauvez ? l'entendis-je crier, attention, le jour de votre départ vous vous en souviendrez !

De ma vie je n'avais couru aussi vite ni aussi longtemps. Quand, perdant le souffle, je dus enfin m'arrêter et, non sans crainte, regardai en arrière, il n'y avait personne dans la rue.

Peu après le départ d'Emmanuel et de nos sœurs, Sacha nous fit ses adieux. Le dernier service qu'elle nous rendit fut d'amadouer Artamon par de nombreux cadeaux afin qu'il consentît à transporter nos bagages à la gare dans son charreton à main car, ô miracle, on venait de remettre en service le fourgon aux bagages, même si les passagers devaient toujours se contenter de wagons à bestiaux.

Nous passâmes notre dernière nuit dans une maison presque vide, entourées d'objets épars qui resteraient là pour qui en voudrait.

Par ces temps troubles, la vie se déroulait sous le signe de la chance et du hasard. La sécurité n'était nulle part et le danger partout. Tout était difficile et cependant possible. En dépit des obstacles les gens se déplaçaient. Parfois pour une raison incompréhensible une lettre arrivait à destination. Ainsi deux semaines après le départ d'Emmanuel et des jumelles, nous reçûmes un message : ils étaient arrivés sains et saufs à Nouvelle-Ouchitza et avaient retrouvé Papa.

Notre petite ville, à cette époque, s'était enrichie d'une catégorie d'habitants qui l'avaient auparavant snobée. La vie à la campagne étant devenue trop dangereuse, bien des propriétaires terriens s'y étaient réfugiés en attendant que la situation se clarifie. Certains d'entre eux n'avaient que des pied-à-terre, d'autres étaient bien installés.

Tel était le cas de nos amis M. et Mme de Patton. Il est vrai qu'ils n'avaient pas le choix. Leur château ayant brûlé, ils achetèrent une maison à Nouvelle-Ouchitza et s'y installèrent avec ce qui leur restait de biens.

Cette maison était simple et spacieuse, comme on les construisait dans nos petites villes de province. Son grand jardin, entouré d'une haute palissade en planches, contenait un potager et de nombreux arbres fruitiers. Les deux époux menaient une vie retirée et passaient la plupart de leur temps à jardiner. Papa raconta plus tard qu'il les avait vus toujours penchés sur leurs plantations en train de biner, planter, arroser. Ils n'avaient pour les aider que Hariton, leur cuisinier, qui, lui aussi, vivait dans la maison.

Ce genre de vie si modeste et surtout cet amour du jardinage suscitaient la curiosité. Qu'un grand seigneur comme M. de Patton passe son temps à gratter la terre paraissait bizarre. Qu'y avait-il là-dessous ? Et les imaginations fertiles de conclure : les Patton enterraient leurs trésors dans le jardin. On raconta que si Mme de Patton portait des galoches, c'est que ses chaussures étaient devenues trop précieuses : Hariton, expert en cordonnerie, aurait inséré des bijoux dans les talons de ses souliers.

Ces histoires ne manquèrent pas de parvenir aux oreilles de M. de Patton. Il s'en amusa bien. Et cependant, dit Papa, son air entendu et malin donnait à penser...

Disposant d'une chambre libre et vu les temps difficiles, M. de Patton l'offrit à Papa en location. Celui-ci accepta avec plaisir, d'autant plus qu'il venait de louer un petit appartement dans la maison voisine appartenant à Mme Schmucklermann, vieille commerçante à la retraite, pour y loger Emmanuel et nos sœurs. La nouvelle résidence de notre famille était donc fixée à Nouvelle-Ouchitza, en tout cas pour le moment.

Le train rampait vers la frontière imprécise et mobile de l'Ukraine. À toutes les gares, parfois en plein champ, le convoi s'arrêtait et des hommes armés, aux brassards rouges, envahissaient les wagons à bestiaux où s'entassaient les voyageurs.

Le seul fait que ces derniers quittassent la zone rouge les rendait suspects et, avant de les laisser franchir la frontière, on les passait au crible, ainsi que leurs bagages. Les sauf-conduits délivrés par la Tchéka n'étaient apparemment pas une garantie suffisante.

Les interrogatoires se succédaient. Les tchékistes les menaient avec brutalité, armes à la main. Les passagers blêmes de terreur bredouillaient des réponses incohérentes qui excitaient davantage l'arrogance des soldats rouges. Par-dessus leurs valises défaites, les malheureux fixaient des yeux remplis d'angoisse sur leurs affaires éparpillées sur le plancher, regrettant d'avoir emporté tel ou tel objet qui pourrait être compromettant ou simplement éveiller la convoitise des perquisiteurs.

Plusieurs voyageurs furent emmenés on ne savait où et ne revinrent plus.

Je n'avais pas prévu de fouilles aussi complètes et avais gardé un petit album contenant les portraits de la famille impériale. Cette imprudence faillit me coûter la vie.

Un tchékiste trouva l'album, s'en saisit et hurla d'un ton triomphant comme s'il avait démasqué un complot :

— Contre-révolutionnaire !

Aussitôt toute la bande se rua sur moi et ma valise fut percée de coups de baïonnette. Je fus tirée hors du wagon et placée devant une palissade qui longeait la voie. Les tchékistes déchiquetèrent l'album et le portrait de l'empereur fut accroché à un clou.

— Pour la foi, le tsar et la patrie ! cria l'un d'eux avec un gros rire, et il tira un coup de revolver dans le visage de l'empereur.

Ses camarades éclatèrent de rire. Je me préparais à recevoir le deuxième coup de feu, quand le train émit un grincement qui annonçait le départ. Je me précipitai vers mon wagon et réussis à remonter. La lourde porte se referma avec bruit, tandis que le convoi se remettait en mouvement.

L'atmosphère changea au cours de la nuit. Nous devions nous trouver en Ukraine, car les patrouilles rouges ne revinrent plus.

Notre wagon était plongé dans la pénombre, seule une bougie dans une lanterne accrochée au-dessus de la portière éclairait faiblement les voyageurs somnolant sur leurs valises ou affalés par terre. Soudain une voix rauque s'éleva dans le silence.

— Camarades ! Regardez-moi ! Je suis comme le peuple russe dans toute sa misère ! Je n'ai pas de chemise !

Un homme hirsute, en manteau de fantassin, se tenait debout près de la lanterne.

— Camarades ! reprit-il, je suis affamé, en haillons ! Regardez-moi, camarades, je n'ai même pas de chemise !

Il écarta son manteau fripé et sa poitrine velue apparut entre ses bords râpés.

Aucune réaction ne se produisant, l'agitateur reprit en enflant la voix :

— Le tyran couronné, repu du sang populaire, est renversé et mêlé au fumier ! La tsarine, putain qui vendait notre patrie à l'ennemi, est démasquée. Ses filles éhontées, couvertes de bijoux, sont dans la boue avec leurs amants ! Les généraux assassins qui exterminaient nos soldats sont abattus comme des chiens ! Tendons la main aux prolétaires allemands et combattons nos véritables ennemis, les nobles, les propriétaires, les officiers, les prêtres !

Le silence persistait. Alors l'orateur changea d'antienne :

— La religion ? les prêtres n'étaient que de sales imposteurs qui ne faisaient que plumer le peuple ignorant et crédule. Mais les voici dans la fosse aux ordures ! Tandis que les évêques s'enivraient de champagne, moi...

— Tu sifflais la vodka ! lança quelqu'un.

L'agitateur s'arrêta interdit, mais ne se laissa pas désarçonner. Il alluma une cigarette, cracha et reprit :

— Camarades, écoutez-moi, je n'ai pas de chemise...

— Eh bien, remettez-la, votre chemise, qui doit être là, dans votre sac, et foutez-nous la paix avec cette comédie. Vous nous prenez pour des sots, ou quoi ?

— Je dis la vérité, camarades, écoutez-moi ! Le temps est fini où nous étions des moutons que les riches tondaient et égorgeaient selon leur bon plaisir ! Le peuple s'est dressé contre l'imposture et a jeté bas Dieu et ses saints ! Le Christ est détrôné comme les rois, ses laquais ! En Italie où le pape a régné en tyran pendant des siècles, savez-vous comment on appelle maintenant la Vierge ? Porca Madonna puttana !

— Assez ! crièrent des voix avec force, assez ! Ferme le bec et laisse-nous dormir !

L'agitateur essaya de protester mais on ne le laissa pas recommencer.

— Foutez le camp ! Allez au diable ! On n'a que faire de vos discours !

L'hostilité générale étant trop évidente, l'agitateur n'essaya plus de convaincre ni d'éveiller la sympathie. Nous n'étions plus en zone rouge. Au premier arrêt du train, il descendit.

Jmérinka. L'important centre ferroviaire, célèbre jadis par sa belle gare et son magnifique buffet-restaurant, était devenu un terminus. Notre train entra lentement sous la gigantesque verrière, grinça, gémit comme épuisé par son long voyage et s'immobilisa devant le perron. La foule énorme qui l'avait habité pendant quarante-huit heures se déversa sur le quai.

Pour nous le voyage était loin d'être terminé. Nouvelle-Ouchitza était à quatre-vingts kilomètres qu'il fallait parcourir par la route. Avant de chercher une voiture, nous allâmes retirer notre malle. Horreur, elle avait disparu ! Nous courûmes d'un guichet à l'autre, parvînmes jusqu'au fourgon aux bagages, mais notre malle restait introuvable.

Nous voilà démunis de tous nos bagages. En arrivant à

Nouvelle-Ouchitza, nous n'aurions pas de chemise de rechange. Il n'y avait rien à faire, il fallait en faire notre deuil.

Un michouriss, commissaire juif toujours présent au moment utile, nous trouva une calèche, triste véhicule haut perché sur les roues, dur de ressorts et ouvert à tous les vents.

Schmoul, notre cocher, n'était pas pressé et laissait ses chevaux squelettiques trotter à leur gré. La lente progression lui permettait de somnoler face à la route monotone.

Quand Nouvelle-Ouchitza fut enfin en vue, le bonhomme s'éveilla.

— Eh, dit-il en pointant son fouet vers la ville, on ose à peine y aller ! Après le massacre de l'autre nuit...

— Quel massacre ? demanda Maman.

— Mais l'assassinat de monsieur le Maréchal et de sa femme !

— Quoi ? s'écria Maman, de qui parlez-vous ?

— Mais de Platon, le maréchal. Vous le connaissiez ?

— Mon Dieu ! s'écria Maman.

Je sentis moi-même mon cœur s'arrêter. Les Patton assassinés !

— Vous êtes sûr de ce que vous dites ? demanda Maman.

— Eh oui, hélas, tout le pays en parle.

— Dites ce que vous savez.

— Eh bien, monsieur Platon...

— Patton...

— Lui-même. Il vivait donc avec Madame à Nouvelle-Ouchitza. Il était très riche.

— Pas tant que ça...

— Enfin, on le croyait très riche et le bruit courait qu'il avait de l'or et des bijoux dans la maison. Et vous savez, s'il y a toujours eu des bandits dans le monde, il y en a plus que jamais par les temps qui courent. Ils devaient être plusieurs cette nuit-là, à juger d'après les dégâts. On a trouvé M. Patton étendu dans le salon, le corps criblé de balles. Madame était dans sa chambre à coucher au pied du lit. Le cuisinier qui habitait dans la maison a dû recevoir une balle doum-doum en plein front, car le crâne avait sauté et la cervelle a éclaboussé jusqu'au plafond. Quant au locataire...

— Locataire ! sursauta Maman.

— Eh bien, oui... Sans doute réveillé par les coups de feu, le locataire était sorti de sa chambre. On l'a étalé dans le couloir. Pourtant le malheureux jeune homme n'y était vraiment pour rien.

— Jeune homme ?

— Un fonctionnaire, je crois.

J'avais la gorge sèche et n'osais regarder Maman. Est-ce que ce locataire assassiné avec les Patton pouvait être Papa ?

Nous ne pûmes rien tirer d'autre du cocher, il avait appris le drame par son collègue Itzek.

Aux portes de Nouvelle-Ouchitza, Schmoul fit une halte devant la boutique d'un commerçant pour lui délivrer des colis. Maman domina son émotion et entra dans le magasin dans l'espoir d'obtenir d'autres renseignements de la part du marchand juif.

C'était un vieillard voûté aux cheveux blancs qui, dans la pénombre de la boutique, ressemblait à un fantôme. À peine Maman eut-elle entamé le sujet qu'il éclata en lamentations.

— C'est abominable ! C'est affreux ! Un crime pareil ! C'est parce que la police ne vaut plus rien. En fait il n'y a plus de police. Nous sommes tous à la merci des bandits de grand chemin !

Et redoublant de désespoir :

— Monsieur de Patton ! Je le connaissais, moi, quel homme de bien, si bon, si juste ! Périr dans sa propre maison comme un rat dans un piège !

— C'est terrible... Mais dites, on a parlé d'un locataire.

— Ah oui, on l'a tué comme un lapin. Le malheureux était sorti de sa chambre pour rencontrer la mort.

Profondément bouleversées, mal rassurées au sujet de Papa,

nous remontâmes dans notre véhicule et ne tardâmes pas à entrer dans la ville de Nouvelle-Ouchitza.

La vie est pleine de miracles. Voici celui qui sauva Papa. Nos sœurs avaient fait ce soir-là un dîner compliqué et, vu leur inexpérience, on se mit à table plus tard que d'habitude. Après le dîner on s'attarda à développer des photos. Vers onze heures un violent orage et des trombes d'eau empêchèrent Papa de regagner la maison des Patton. Il y avait un divan dans le petit salon et les jumelles l'y installèrent.

Le tonnerre grondait, l'averse cinglait les vitres, mais Papa et ses enfants dormaient paisiblement. Et dans la maison voisine, là où Papa sans l'orage se serait trouvé, quatre personnes étaient sauvagement assassinées.

Nouvelle-Ouchitza tout entière défila devant les cercueils ouverts de M. et Mme de Patton, de Hariton leur cuisinier et du jeune Gribovski leur locataire.

J'eus un choc terrible devant les visages blêmes et défigurés de nos amis. Le tragique désordre dans la maison avait été supprimé et seules les taches sinistres sur les murs et le plafond témoignaient du massacre.

Nous suivîmes les cercueils avec le long cortège qui les accompagna au cimetière. L'encens et les prières montèrent vers le ciel indifférent et serein et les deux époux, si parfaitement unis dans ce monde, se couchèrent côte à côte pour l'éternité.

Après leur mort la maison fut scellée. Les passants en longeant les volets clos faisaient un signe de croix et accéléraient le pas. Un spectre d'horreur planait au-dessus de cette maison jadis si paisible.

Le jardin, par contre, connut une grande activité, surtout nocturne. La légende se maintenait : il y avait un trésor dans le jardin. L'unique personne au courant du secret avait été le cuisinier. Il ne restait donc qu'un seul moyen pour le percer : fouiller.

Il ne se passait pas une nuit sans qu'un chercheur de trésor armé d'une pelle n'escaladât la palissade pour creuser sous les buissons. Parfois le terrain était déjà occupé et il y eut des rencontres sanglantes dans les ténèbres de la nuit. Un jour la milice découvrit un cadavre dans le jardin maudit et dut poster un gardien auprès de la palissade.

Personne ne retrouva jamais de trésor.

Le thème du trésor caché, au sens propre et figuré, a de tout temps inspiré des légendes. Il excitait l'imagination et nourrissait le rêve. Le mystère et l'espoir planaient au-dessus de ces choses précieuses et rares qui pouvaient apporter le bonheur à celui qui saurait les trouver.

À présent les trésors foisonnaient, mais ce n'est plus le rêve mais la terreur qu'ils évoquaient. Sur toute l'étendue de la sainte Russie des objets de valeur, des œuvres d'art, sans parler de simples souvenirs de famille, de documents ou d'argent, descendaient en secret dans le sein de la terre, dans les jardins, sous les dalles des caves, dans des trous creusés dans les murs, derrière les poutres des toits, dans les puits, dans les tombes. Chercher une cachette était devenu une obsession, on ne pouvait plus empêcher ses yeux de fouiller alentour ni chasser l'obsédante question : et ici ?

On racontait d'innombrables histoires sur les incidents heureux ou tragiques liés à cet art nouveau. Tout cacher était devenu une habitude entrée dans la vie de chacun. On rivalisait d'astuce dans ce nouveau genre de sport dangereux et d'autant plus passionnant. Quand, enfants, nous jouions au trésor, nous n'avions pas beaucoup de chances de le trouver. À présent le jeu était renversé : il ne s'agissait plus de trouver, mais de rendre introuvable.

Pendant des années et des années, on découvrira ces témoins de l'immense tourmente, quand un peuple entier n'eut d'autre refuge, d'autre ami que sa terre.

Je me rappelle comme nous avons été impressionnés quand

Sacha Keppel nous raconta le drame qui s'était produit dans l'immeuble voisin. Les tchékistes opéraient dans la maison provoquant la panique dans les appartements. M. Dachkov n'eut que le temps de retirer son alliance, sa croix de baptême et sa montre. Il fallait faire vite, chaque seconde comptait. Une idée géniale lui vint soudain à l'esprit : un panier de légumes traînait dans un coin de la cuisine. C'est entre les carottes et les oignons qu'il glissa ses petites affaires.

Il eut juste le temps de s'en écarter avant l'irruption des tchékistes dans la cuisine. M. Dachkov fut fouillé et posté dos contre le mur pendant que se poursuivait la perquisition. Il restait là, muet et immobile, mais involontairement ses yeux revenaient au panier, ce qui n'échappa pas aux tchékistes. Ils saisirent le panier et le vidèrent sur le plancher.

Quant à Dachkov, son sort fut vite réglé : on le fusilla séance tenante pour démontrer que le mensonge ne payait pas. La femme fut épargnée et on lui laissa ses légumes, ainsi que le cadavre de son mari.

En dépit des représailles les plus draconiennes, les gens restaient incorrigibles et continuaient à tout cacher. Un de nos cousins inventa un système astucieux qui réussit parfaitement. Je comptais m'en servir le cas échéant.

En fuyant la Russie, il emporta comme tout bagage un baluchon de hardes soigneusement sélectionnées et préparées Ce baluchon, accroché à un bâton posé sur l'épaule, lui donnait un air de berger antique célèbre pour son dénuement.

En plus du baluchon, il se munit d'un petit sac en toile comme ceux qu'emploient les paysans pour emporter leur pain Il y mit quelques pauvres provisions, des pommes, du pain, des œufs durs.

Mais voilà... Ces œufs, sans être des œufs d'or, n'en valaient pas moins. L'ingénieux cousin perça des trous dans la coquille et y enfonça de gros diamants. Puis il les fit cuire doucement, lentement, faisant durcir le blanc sans le laisser s'échapper. Qui aurait pu supposer que son modeste repas valait une fortune ?

Et s'il croqua les pommes au cours du voyage, il se réserva le plaisir d'entamer les œufs une fois la frontière franchie.

Maman eut, elle aussi, une excellente idée pour sauver ses rubis. Elle les colla à la châsse d'une icône de la Vierge et les recouvrit de dorure. Les rubis étaient parfaitement invisibles. Seulement... c'est l'icône que Maman perdit !

Comme je l'ai déjà rapporté plus d'une fois, nous étions si mal informés que les événements nous tombaient toujours comme la foudre du ciel. Ainsi, un beau matin, Nouvelle-Ouchitza vit avec stupeur entrer les troupes allemandes.

Où allaient-elles et qu'étaient devenus les Ukrainiens ? Nous finîmes par apprendre que, au mépris de la reconnaissance de l'Ukraine indépendante, les Soviets avaient essayé de s'en emparer. Les Allemands, en riposte, avaient repris la guerre.

Comment se déroulait cette guerre ? Où était le front ? Nous n'en savions rien. On eut à peine le temps de spéculer que la situation changea de nouveau : les Allemands disparurent et l'armée Blanche fit son entrée.

La population commençait à s'habituer aux changements continuels du pouvoir et ne réagissait plus. Qui pouvait-on croire ? Ceux qui commandaient la veille étaient le lendemain chassés comme des chiens.

La vie à Vassilki était beaucoup simplifiée, nous n'avions plus de domestiques, tous nous avaient quittés par prudence et nous n'en étions pas fâchés. Une méfiance réciproque s'était introduite dans les rapports et nous préférions rester entre nous. Nous n'avions plus pour nous aider que Vassilevska et sa nièce Génia, âgée de treize ans. Mais elles étaient un cas à part.

Vassilevska était aveugle. Veuve sans famille, elle n'avait au monde que sa nièce qu'elle avait élevée. Son infirmité lui donnait une certaine immunité et un droit à la considération. Elle n'était pas paysanne, mais appartenait à la petite noblesse polonaise et ne l'oubliait jamais. Elle était catholique et ne portait pas le costume paysan.

Vassilevska était une femme admirable qui éveillait non seulement le respect, mais l'émotion. Elle était digne, résignée, active, participait à tous les événements et était au courant de tout. Son grand et seul amour était sa nièce. Elle l'aurait suivie au bout du monde pour la protéger et la servir.

Elle ne l'avait jamais vue, ayant perdu la vue avant sa naissance, mais parlait de son visage et de toute sa personne avec une justesse et une précision étonnantes. Elle savait ce qui lui allait le mieux, achetait elle-même ses robes, la coiffait.

Comme tous les aveugles, Vassilevska avait l'ouïe très fine et distinguait des nuances imperceptibles pour les autres. Elle devinait les rapports entre les gens grâce aux inflexions dans les voix ; pressentait leurs intentions et leurs humeurs, sentait le son de la vérité et celui du mensonge.

En plus de Vassilevska et Génia, nous avions auprès de nous le jeune Loukian qui avait grandi sur la propriété et ne pouvait pas se décider à la quitter.

Notre séjour à Vassilki, cet été-là, ressemblait à celui d'un bivouac. Nous vivions au jour le jour, prêts à lever l'ancre à tout moment. Mais, malgré les circonstances et l'incertitude de la situation, le domaine gardait pour nous tout son attrait. Nous ne nous sentions nous-mêmes que chez nous.

Les travaux de la ferme marchaient clopin-clopant dans la mesure du possible. Une invasion inattendue mit fin à l'exploitation.

Si un semblant de pouvoir implanté par l'armée Blanche existait dans les centres urbains, il dépassait très peu leurs limites. Notre coin était un peu un *no man's land* que personne ne protégeait. Notre situation géographique nous avait donc épargné les grandes catastrophes, mais elle nous exposait en revanche à la convoitise des États voisins.

Un jour, en plein mois de juillet, alors que M. Voyékovski recrutait des ouvriers pour moissonner les champs qu'il avait tant bien que mal ensemencés, il reçut la visite d'un militaire en uniforme autrichien, mais qui lui adressa la parole en ukrainien. Il était chargé par son gouvernement, annonça-t-il, de réquisitionner les récoltes.

M. Voyékovski n'en croyait pas ses oreilles et allait envoyer promener l'arrogant personnage, lorsqu'il s'aperçut, en jetant un regard par la fenêtre, que la ferme était envahie par des soldats et que des canons s'alignaient dans la rue centrale.

Sidéré, il exigea des explications : de quel droit ces militaires prétendaient faire main basse sur nos récoltes ? La guerre était finie et l'Autriche-Hongrie n'existait plus.

Le colonel Balitzki redressa fièrement la tête.

— Nous sommes des Galiciens ! La Galicie est une République autonome !

— Première nouvelle ! s'exclama M. Voyékovski, à ma connaissance la Galicie fait partie de la Pologne !

Le colonel Balitzki explosa :

— Nous sommes en guerre avec la Pologne et défendons notre indépendance. Si ces messieurs du traité de Versailles ont oublié la Galicie, nous allons nous en occuper nous-mêmes. Pour le moment, nous sommes chargés de ravitailler notre pays. Mais soyez sans crainte, nous ne sommes pas des bandits, nous allons vous payer. Notre mission est pacifique et les armes ne seront employées qu'en cas de résistance.

Ces Galiciens avaient fait partie de l'armée autrichienne dont ils portaient encore l'uniforme. L'aigle bicéphale avait plié ses ailes, mais son artillerie pouvait encore servir.

M. Voyékovski, tout tremblant d'émotion, courut informer Papa du malheur qui s'abattait sur Vassilki. Nous n'étions d'ailleurs pas les seuls, car toutes les fermes, y compris celles de paysans, allaient subir le même sort.

Le colonel Balitzki était un petit homme remuant d'une quarantaine d'années, extrêmement fier de sa personne. Dans l'armée autrichienne, il devait avoir eu le grade de caporal ou de sergent. Il affectait un patriotisme galicien démesuré et ne cessait d'invectiver les Polonais qui, après les Autrichiens, prétendaient asservir la Galicie. Mais non ! après avoir tant versé leur sang pour les autres, ses compatriotes avaient décidé de ne plus combattre que pour eux-mêmes.

Tout cela sentait l'aventure, car jamais la Pologne ne lâcherait la Galicie. Et de toute façon, disait Papa, les querelles de clocher chez nos voisins ne nous regardaient pas. Le seul argument convaincant que possédaient ces Galiciens était leurs canons.

Les protestations de Papa n'ayant obtenu aucun résultat, il décida d'aller à Nouvelle-Ouchitza pour essayer d'appeler au secours le commandant de la ville. Celui-ci soupira profondément et leva les mains au ciel en signe d'impuissance. Il ne disposait, dit-il, que d'une faible garnison à peine suffisante pour sauvegarder l'ordre dans la ville. Les nouvelles venant de son état-major étaient assez alarmantes et il se demandait s'il ne faudrait pas bientôt plier bagage.

Entre-temps le colonel Balitzki ne restait pas les bras ballants. Il commença par s'installer dans le château avec deux de ses officiers en se passant d'invitation.

Le lieutenant Antochko Goullo, récemment encore soldat de l'armée autrichienne, était un jeune paysan de vingt-quatre ans, gauche et timide, mais assez sympathique. Il parlait de la Galicie avec un enthousiasme naïf et se déclarait prêt à lui sacrifier sa vie. Personne ne lui en demandait autant. Quant aux sacrifices, pour le moment c'était nous qui les subissions.

Le capitaine Milko Tchékéta était un peu plus dégrossi et parlait couramment le russe, ayant passé toute la guerre en Russie en tant que prisonnier. On sentait que son grade était tout aussi frais que ceux de ses camarades, car l'allure de caporal lui collait encore à la peau.

Pour adoucir autant que possible le froid qui, forcément, régnait dans nos rapports et masquer tant soit peu le motif peu glorieux de leur présence, ces messieurs s'efforçaient de nous amadouer par mille attentions. Le colonel mit à notre disposition une ordonnance pour nous approvisionner en eau et en bois, nous faisait porter des paniers de légumes et de fruits, nous comblait de nos propres fraises, groseilles et framboises et nous envoyait un lièvre ou un perdreau. C'était à croire que c'était nous les invités en visite chez ces messieurs.

À la ferme, les travaux allaient bon train. Les soldats installés dans les bâtiments se transformèrent en ouvriers agricoles. Ils moissonnaient avec nos machines, battaient avec notre batteuse, abattaient nos vaches et nos cochons. Blé, maïs, seigle, orge, chanvre, luzerne et tabac, jusqu'aux fruits de nos vergers, tout fut soigneusement récolté. Rien ne fut oublié, même les carassins de l'étang qui allèrent alimenter la cantine. On nous laissa une vache et un cheval borgne, le reste prit le chemin de la Galicie.

Le soir, nos officiers rentraient fatigués et satisfaits, et leurs ordonnances leur préparaient le repas dans notre cuisine. Génia s'accommoda vite de la situation et semblait même s'en amuser. Emmanuel, qui lui tenait souvent compagnie, se déclara prêt à protéger son innocence. Mais rien ne se produisit pouvant jeter une ombre sur sa réputation, sauf peut-être l'attitude d'Emmanuel lui-même.

Vassilevska, il est vrai, était toujours là et veillait sur sa nièce. Elle avait d'ailleurs l'air d'approuver l'amitié que lui manifestait Emmanuel.

À la fin de l'été, quand il n'y eut plus rien à ramasser, nos chevaux furent attelés à nos charrettes et la caravane quitta la propriété. Le colonel Balitzki, en homme correct, vint trouver Papa pour le payer. Il apporta avec lui une grande valise remplie de liasses de billets de banque fraîchement imprimés. Cette monnaie n'avait cours nulle part, pas même à Lvov, capitale de la Galicie. Papa jeta tout le tas au panier.

Plus le temps passait, plus s'accentuait la confusion. Les bandes armées déchiraient le pays, semaient la terreur et paralysaient le travail dans les campagnes.

Les chefs de bande, qui surgissaient tantôt ici, tantôt là, opéraient chacun pour son compte, chacun proclamant sa doctrine. Tous pillaient la population.

Si les slogans des meneurs différaient, leurs hommes se ressemblaient tous. La plupart d'entre eux faisaient la guerre pour des raisons personnelles et n'avaient pas de préférences politiques. Très souvent, selon les circonstances, ils passaient d'un camp à l'autre.

Quand des hommes armés arrivaient dans une ville ou un village, on ne savait pas qui ils étaient. Les uniformes ne prouvaient plus rien. Parfois ils étaient allemands ou autrichiens récoltés au cours de la guerre, russes, ukrainiens, caucasiens. Les vêtements civils qui prédominaient provenaient des bonnes rencontres sur les routes, de pillages de boutiques ou de réquisitions. Les types physiques étaient aussi mélangés que les accoutrements et représentaient des échantillons de ramassis de toute la Russie.

Les chefs n'imposaient pas de discipline gênante à leurs hommes et les laissaient profiter des bons côtés de la guerre, c'est-à-dire qu'ils pillaient, s'enivraient et tuaient.

Les moments les plus angoissants étaient ceux où les uns cédaient la place aux autres. Le premier souci des vainqueurs du moment était de fusiller. Qui ? Peu importe : les partisans des vaincus, les commerçants, les miliciens, les particuliers qui se trouvaient là à un moment inopportun. Ceux enfin qui cachaient des armes, des vivres, de l'or. On allait perquisitionner guidé par un indicateur qui se trouvait toujours là au moment utile et on ne rentrait jamais les mains vides.

Avant de déguerpir, on fusillait de nouveau, d'abord pour sauver le prestige, ensuite pour préparer le retour.

Les paysans avaient perdu beaucoup de leurs illusions du début de la révolution. Se sentant constamment en danger, ils s'enfermaient dans une réserve hostile et méfiante et ne réagissaient plus. Pour sauver leurs vivres des rapines ils trouvèrent un moyen efficace : ils les enterraient. Dans chaque jardin, chaque cour, chaque grange, chaque cave, il y avait des trous masqués par des fagots, des bottes de foin, des tas de fumier, des gravats. Là reposaient soit un sac de grain, soit un quartier de viande ou un morceau de lard salé enveloppé de feuilles de chou. Et aussi, et surtout, des bouteilles d'alcool.

Toutes ces ruses étaient souvent déjouées et pouvaient coûter cher à leurs auteurs. Une histoire tragique qu'on se racontait à voix basse peut donner l'idée de l'atmosphère. Un paysan, prévenu par les rumeurs, égorgea son cochon et le suspendit sous le toit de sa grange derrière des gerbes de chanvre. Les bandits, qui ne tardèrent pas à lui rendre visite, fouillèrent la maison, mirent le nez partout, mais ne s'aperçurent de rien. Ils allaient partir pour chercher ailleurs, quand le chien du fermier le trahit en léchant les gouttes de sang tombées par terre. Le cochon fut découvert et décroché. Le paysan fut pendu à sa place.

Un autre incident illustra le danger de se fier aux rumeurs. Quelqu'un aperçut des cavaliers sur la chaussée et les identifia comme l'avant-garde de la cavalerie de Boudienny dont on connaissait la tendance bolchevique. Pour prévenir les représailles et faire bonne impression, les commerçants juifs mirent sur pied une délégation qui, munie de drapeaux rouges, alla à la rencontre du détachement en portant les traditionnels pain et sel en signe de bienvenue.

Horreur ! le détachement appartenait à Pétlioura, nationaliste ukrainien farouche. La délégation fut massacrée séance tenante et son pain et son sel piétinés.

Ouverts vers l'immense plaine russe au nord et à l'est, nous étions, du côté sud, adossés au Dniestr, nouvelle frontière de la Roumanie.

Le traité de Versailles avait attribué à celle-ci la Bukovine et la Transylvanie aux dépens de l'Autriche-Hongrie agonisante, et arraché la Bessarabie de la Russie embrasée par la guerre civile. Ces provinces contestées, ajoutées au royaume, doublèrent les dimensions de la Roumanie. Devenue la *România Mare* et soucieuse de se préserver du chaos qui régnait en Russie, elle s'enferma dans ses nouvelles frontières et ne laissa plus entrer un chat. Vieille-Ouchitza perdit son importance depuis que toute communication avec la Bessarabie était interrompue. Le bac gisait sur la berge, inutile et abandonné.

Et cependant des contacts persistaient. Le nouveau tracé de la frontière ne pouvait rompre les liens qui réunissaient les deux rives du Dniestr. Des relations de parenté, des intérêts vitaux obligeaient les riverains à enfreindre l'interdiction. Les Podoliens subissaient les dévastations de la guerre civile et manquaient de tout ; les Bessarabiens, par contre, jouissaient d'un ordre, bien établi, et étaient prospères. La pénurie faisait face à l'abondance, séparées par un fleuve. La contrebande ne pouvait pas manquer de s'épanouir.

On trouva le moyen de communiquer par-dessus le fleuve, à travers le fleuve, avec l'aide du fleuve. Le Dniestr est large, tumultueux et rapide. On en tira profit. On connaissait tous les méandres, toutes les criques, tous les plis de falaise. On apprit à utiliser les moments propices, les endroits mal surveillés, la nuit. Les contrebandiers réussissaient à se retrouver pour se passer les marchandises. C'est grâce à eux qu'on pouvait encore se procurer du tabac, du sucre, du sel, du savon et, plus précieux que tout le reste, du rachiou, eau-de-vie pure, depuis longtemps introuvable de notre côté.

Les gardes-frontière roumains surveillaient le fleuve jour et nuit, et tiraient sur toute embarcation surgissant dans ses flots. Nombreuses furent les victimes de ce métier dangereux, descendues au fond avec leurs marchandises. Mais rien ne pouvait arrêter le trafic.

Les contrebandiers ne s'occupaient pas que du commerce, mais passaient aussi les gens. Activité risquée qui compta ses héros et ses morts.

A l'ouest pointa pour nous la lueur de l'aube. Aube éphémère qui ne devint pas le grand jour.

Que pouvions-nous souhaiter d'autre que l'ordre et la sécurité ? Ces grands biens presque oubliés nous revinrent avec l'entrée de l'armée polonaise.

Certes, l'assurance du gouvernement polonais paraissait exagérée et le ton de la déclaration du général de division Krayévski un peu fanfaron : « Le Dniestr coulera à l'envers avant que les Polonais ne quittent la Podolie ! »

Au point où nous en étions, on ne pouvait que le souhaiter. Dès l'arrivée de cette armée disciplinée et autoritaire, l'atmosphère changea. La vie humaine retrouva quelque valeur, le crime fut interdit, le brigandage devint un jeu dangereux, la dissimulation des vivres inutile. La poste se remit à fonctionner et les journaux réapparurent. On ne vit plus chaque nuit le ciel s'embraser de lueurs d'incendies, les marchandises revinrent sur les marchés, les routes perdirent leur réputation de coupe-gorge. On n'osait pas croire que tant de bonheur pût nous rester.

Des symptômes significatifs semblaient étayer cet espoir : les propriétaires polonais revenaient dans leurs propriétés. Leur retour était d'autant plus courageux que leurs domaines avaient souffert bien plus que le nôtre. L'absence des propriétaires était comme une invitation au pillage.

Les travaux dans les campagnes reprenaient lentement avec l'aide du gouvernement qui s'efforçait de réorganiser la vie agricole du pays.

Les Polonais considéraient que la Podolie appartenait de droit à la Pologne. Leur présence n'était donc pas une occupation militaire, mais une protection contre l'agression étrangère, russe ou ukrainienne, cela s'entend..

Toutes les élites du pays étaient selon eux polonaises et

catholiques, et la Podolie devait à la Pologne tout ce qu'elle avait de civilisation. Ils oubliaient d'ajouter qu'autrement toute la population était ukrainienne et orthodoxe.

Ces élites polonaises, qui existaient incontestablement, furent comblées de bonheur. Du jour au lendemain, de minorité opprimée ils se transformèrent en classe dirigeante. Nos voisins ne cachaient pas leur triomphe. L'heure de la revanche avait enfin sonné.

Notre voisin le plus proche M. Régoulski, qui avait toujours eu beaucoup de sympathie pour Papa, adoptait maintenant une attitude d'amicale protection.

— Écoutez mon conseil, cher ami, disait-il, dites-vous bien qu'à présent vous êtes polonais.

— On peut tout dire, répliquait Papa. Je ne pourrais changer ma nationalité, même pour vous faire plaisir.

— Mais enfin, vous êtes en Pologne et, que je sache, vous ne comptez pas aller en Russie.

— J'avoue qu'en ce moment la Russie ne me tente pas.

— Eh bien, tranchez la question une bonne fois. Pour votre chance, votre propriété se trouve en Podolie. Vous bénéficiez de la protection de la Pologne. Soyez son loyal sujet.

— Je ne fais aucune politique, mais me permets le luxe d'avoir mes opinions personnelles que je garde pour moi. Je vous ferai remarquer que je ne suis pas allé chercher refuge en Pologne, c'est la Pologne qui est venue chez moi. L'année dernière, c'était l'Ukraine. Je ne suis pas devenu ukrainien l'année dernière ni à présent polonais. Et puisque nous parlons des vicissitudes du moment, je vais vous poser une question : que se passera-t-il si les Polonais abandonnent la Podolie ?

M. Régoulski se rembrunit.

— Comment pouvez-vous douter de la Pologne ? Ne voyez-vous pas la vigueur de sa renaissance ? la qualité de son armée ? Quant à quitter la Podolie, je ne puis que répéter l'expression du général Krayévski : le Dniestr retournera plutôt son cours !

— Hum... fit Papa, c'est si sûr que ça ?

— Je ne veux même pas discuter pareille éventualité. La Podolie est polonaise et polonaise elle restera. Vous m'accorderez que c'est pour son grand bien. Vous n'allez pas me dire que vous préféreriez la voir partager le sort de la Russie. Quant à l'Ukraine... entre Pétlioura, dictateur en puissance, Boudienny, qui veut l'offrir à Moscou, Zéliony, qui n'est qu'un chef d'une bande de brigands, et Makhno un aventurier, auquel souhaitez-vous la victoire ?

— Je vous l'accorde, aucun de ces messieurs ne m'inspire de sympathie. Je serais curieux de savoir lequel est le plus populaire parmi les paysans.

— C'est selon le cas, le moment et les circonstances. Dans les régions qu'elle protège, la Pologne a mis fin à l'arbitraire bien plus efficacement que ne l'avait fait le gouvernement du hetman Skoropadski. Et à propos de l'ordre public, avez-vous des doléances à formuler ?

— Aucune, dit Papa avec une nuance d'irritation, aucune, je vous l'ai déjà dit. J'ai d'excellents rapports avec mon village.

— Vous avez de la chance. Ce n'est pas le cas pour tout le monde.

— Les paysans sont peut-être moins solidaires avec votre gouvernement que vous ne l'avez espéré ?

— La question n'est pas là. Le pays a été très atteint par les bouleversements de ces dernières années. Ce ne sont pas les meilleurs éléments qui sont remontés à la surface. Nous voulons soutenir et protéger les éléments positifs, en d'autres termes, assurer la sécurité à ceux qui veulent travailler sans trembler pour leurs récoltes.

Pour les Polonais, et tous sans exception, rien ne pouvait égaler le suprême bonheur de la renaissance de la Pologne. Chaque Polonais en ressentait une légitime fierté.

Ce peuple, qui n'avait jamais perdu l'espoir et avait su préserver sa foi, qui à ses oppresseurs n'avait pu opposer que sa haine, qui siècle après siècle avait attendu en serrant les dents, il retrouvait enfin sa patrie sur la carte du monde ! Voir flotter son drapeau, employer librement sa langue, posséder une armée nationale, tous ces droits dont dispose chaque pays souverain étaient enfin reconquis. En vérité, rien ne peut être plus émouvant que de voir se relever sa nation.

L'attitude souvent vantarde, la suffisance frisant l'arrogance des officiers et des fonctionnaires n'étaient-elles pas compréhensibles et humaines ? Papa, qui était objectif et juste, comprenait très bien cet état d'esprit.

Mais si les Polonais avaient retrouvé leur nationalité, nous avions perdu la nôtre. Qui étions-nous, en effet ? Plus russes par la force des choses, mais étions-nous encore ukrainiens ? Ou déjà polonais ? Papa demanda des éclaircissements à M. Régoulski.

Celui-ci avoua que notre situation était assez vague. La question des minorités, car c'était notre tour de figurer dans cette catégorie-là, était examinée à Varsovie. Nous serions intégrés par la suite, mais pour le moment il valait mieux garder encore nos passeports ukrainiens. La Pologne, en principe, reconnaissait l'Ukraine.

Cette question de passeports était très importante car nous voulions, Emmanuel et moi, aller en France. Depuis qu'une porte s'était ouverte sur l'Occident, les projets d'avenir devinrent possibles. Vassilki, Nouvelle-Ouchitza, Kamenetz-Podolsk ne pouvaient rien nous offrir dans l'avenir. Nous rêvions d'aller à Paris pour continuer nos études.

Certes le fait que Papa y fût né et que Grand-Papa y ait fait ses études représentait un lien sentimental. Plus importante était la certitude de retrouver en France des parents et des amis émigrés dès le début de la révolution. En outre, nous connaissions la langue.

Mais auparavant, nous devions accomplir une mission dont voulait nous charger Papa : nous rendre à Rachkov et à Kapliovka, et retrouver le chargé de pouvoir de Grand-Maman, Me Tomachevski, qui habitait Khotine, chef-lieu du district.

Le bruit avait couru que le gouvernement roumain, après avoir procédé à une réforme agraire générale, indemnisait dans une faible mesure les propriétaires expropriés, en leur laissant cent hectares par famille, pris sur leur domaine. On pouvait peut-être récupérer quelque chose pour Grand-Maman. Par ailleurs, Papa savait combien elle tenait à Rachkov. Pour la renseigner il fallait se rendre sur place.

Le but n'était pas loin, mais pour l'atteindre il fallait faire un grand détour par Lvov où il y avait un consulat roumain.

Le projet était dans l'air sans se préciser, lorsqu'une chance inattendue le transforma en réalité. Cette chance nous fut donnée par Mme Wilczevska.

Parmi les Polonais de la région qui occupaient maintenant des postes officiels, le plus favorisé fut Wilczevski. Propriétaire moyen, de caractère assez insignifiant, il se vit confier la charge de préfet. Sa nomination, disait-on, était due à l'influence de son épouse, amie d'enfance du général de division Krayévski.

Pani Wilczevska, en apprenant de Papa qu'Emmanuel et moi projetions un voyage à Lvov, nous invita à prendre place dans le train spécial de l'état-major qui circulait entre Kamenetz et Varsovie.

Ainsi, au lieu d'affronter un voyage fatigant dans les trains délabrés d'après-guerre, nous nous trouvâmes dans un express de luxe qui filait à toute allure en brûlant les petites gares et passait en priorité.

Le confort de notre compartiment, l'élégance des officiers, le raffinement du wagon-restaurant et plus que tout l'ambiance rassurante d'un pays en ordre nous semblaient sortir d'un rêve. Mes souvenirs nous ramenaient en arrière et je me revoyais dans le wagon à bestiaux de mon dernier voyage. La réalité pouvait-elle avoir autant changé ?

Mais nous voilà à Lvov. La ville se remettait de ses blessures et reprenait son souffle. La vie recouvrait ses droits et s'ouvrait à un avenir nouveau.

Après nos bourgades minables avec leur laideur et leur

pénurie, Lvov nous parut grandiose et éblouissant. Tout portait encore l'empreinte de l'Autriche-Hongrie et rappelait l'Empire.

Cependant, les enseignes et les noms des rues avaient changé et affichaient des noms polonais. Ainsi notre hôtel de *Zum Schwarzen Adler* était devenue *Orzel Bialy,* soit Aigle blanc, l'emblème polonais.

Les activités multiples de la ville se déroulaient dans un climat de détente et de sécurité dont nous avions depuis longtemps perdu le goût. Il nous sembla être sortis d'un marécage et avoir posé le pied sur la terre ferme. Nous eûmes la sensation d'être entrés non seulement en Pologne, mais en Europe. L'attrait de l'Occident prit une forme concrète et augmenta notre désir d'y pénétrer.

Au consulat de Roumanie, l'employé préposé au service des visas examina longuement nos passeports et parut perplexe. Il finit par aller interroger le consul lui-même et revint bientôt, nos passeports à la main, la mine sévère. La Roumanie, expliqua-t-il, ne connaissait pas l'Ukraine d'où émanaient nos passeports. Non, sans visas nous ne pouvions pas entrer en Roumanie, même si nous y avions des propriétés.

Nos projets étaient-ils à l'eau ? Je ne voulus pas l'admettre et fis grand tapage pour voir le consul en personne. Emmanuel, qui comprenait mieux que moi la signification d'un règlement, essaya de me raisonner, mais j'insistai tant que l'employé céda.

M. Constantinescou était imbu de sa personne et affectait des airs très suffisants. Étrangement il parlait très médiocrement le français. Il nous reçut fort aimablement et écouta avec attention l'exposé de notre problème que lui fit Emmanuel.

Et cependant il n'avait pas l'air convaincu ; je pris la parole à mon tour avec tant de passion qu'il parut impressionné. Tandis que je proclamais nos attaches bessarabiennes, je le vis appuyer sur le bouton de la sonnette pour ordonner au garçon de bureau de nous servir des apéritifs.

Je crus la partie gagnée, quand M. Constantinescou soupira et dit :

— Je vais consulter les autorités roumains...

M. Constantinescou parlait mal le français.

Il répéta sa phrase sibylline plusieurs fois et je faillis corriger son français par dépit.

Nous revînmes au consulat trois fois et trois fois prîmes l'apéritif. Mais ce fut toujours : « Je vais consulter les autorités roumains » et rien d'autre. Et ce fut là tout le résultat.

À la fin de la semaine, Emmanuel refusa de continuer et déclara que c'était fichu et qu'il fallait rentrer à la maison.

Mais je ne voulais pas renoncer si vite. Nous avions encore un atout et le moment était venu de l'utiliser.

M. Régoulski nous avait donné sa carte de visite avec quelques mots de recommandation tracés au dos. Cette carte était destinée à M. Kosselski, gros propriétaire et influent personnage, qui, disait M. Régoulski, avait tous pouvoirs.

Emmanuel était contre cette démarche, la trouvant fantaisiste, et essaya de m'en dissuader, mais en vain.

M. Kosselski habitait l'hôtel le plus luxueux de Lvov, et nous nous sentîmes intimidés devant tant d'apparat et devant l'allure fière et distante du réceptionniste. La carte fut placée sur un plateau et portée à M. Kosselski par un domestique.

Nous attendîmes longtemps devant la porte close et commencions à nous sentir fort mal à l'aise, quand brusquement celle-ci s'ouvrit et un vieux monsieur, visiblement de très mauvaise humeur, surgit sur le seuil et nous apostropha :

— Qui êtes-vous ? Que voulez-vous ?

La carte de M. Régoulski n'avait apparemment pas agi. Emmanuel s'avança pour expliquer qui nous étions et pourquoi nous étions venus, mais M. Kosselski ne l'écouta pas.

— Quoi ? hurla-t-il.

Emmanuel recommença.

— Quoi ? répéta l'autre de plus en plus irrité.

Il était sourd comme un pot.

Sans essayer de comprendre, il se mit à crier comme si nous étions les sourds.

— Je vous demande qui vous êtes et ce que vous voulez ! Je ne vous connais pas !

Il fallait d'urgence expliquer la situation, nommer M. Régoulski, M. Wilczevski, Papa...

Je m'avançai toute tremblante et, oubliant tout mon polonais ne réussis qu'à bredouiller :

— Nous sommes... nous sommes... les enfants de Papa !

Dommage qu'il ne m'entendît pas, il ne nous aurait peut-être pas flanqué la porte au nez comme il le fit. Une porte qui, symboliquement, était la porte de l'Occident.

Pour revenir à Kamenetz-Podolsk, nous prîmes un train ordinaire et voyageâmes debout dans un couloir bondé. Le train n'alla pas plus loin que Stanislav. Il n'y avait pas de correspondance avant le lendemain et nous dûmes passer la nuit à l'hôtel.

Les petites villes qui s'étaient développées sous l'Aigle bicéphale de l'Autriche-Hongrie différaient fort de celles du côté russe. Elles avaient toutes l'aspect net et élégant de vraies villes européennes. Le souci du confort et de l'esthétique si tristement absent chez nous était ici bien marqué. Les maisons étaient bien entretenues, les rues droites et plantées d'arbres, les magasins attrayants. Chaque ville, grande ou petite, avait une belle mairie, un cercle musical, une cathédrale uniate, une église catholique, une synagogue, et obligatoirement plusieurs grands cafés style 1900, décorés de glaces, de lourdes draperies et de lustres. C'est là qu'on allait passer la soirée, que se faisaient les affaires, que se fixaient les rendez-vous.

Les garçons en habit circulaient avec des plateaux chargés de bocks de bière, de tasses de café, de corbeilles de croissants. L'orchestre jouait des airs d'opérette et des valses viennoises.

Les hommes accoudés aux tables discutaient âprement d'affaires, les femmes venaient se montrer, rencontrer des amis, écouter la musique.

La vie autrichienne continua longtemps après l'annexion de la Galicie à la Pologne, et l'allemand resta la langue dominante du pays.

À mesure que nous avancions vers la Podolie, les difficultés augmentaient. De Stanislav nous parvînmes encore tant bien que mal à Borchtchov, pour nous trouver devant un terminus. Or il nous restait encore soixante kilomètres à parcourir avant d'atteindre Kamenetz-Podolsk. Nous pûmes trouver un traîneau ouvert attelé de deux petits chevaux hirsutes. Le voyage s'annonçait redoutable, car il faisait moins 20°.

Plus nous progressions, plus la plaine était enneigée. Les chevaux se débattaient, s'enfonçaient dans la neige profonde, se cabraient. Le traîneau sautait, cahotait, penchait d'un côté ou de l'autre. Parfois, ne sentant plus la route sous leurs sabots, les chevaux s'arrêtaient. Le cocher les cinglait de coups, hurlait. Les bêtes exténuées faisaient un écart et le traîneau se renversait. Nous roulions dans la neige comme des ballots, puis aidions le cocher à redresser le véhicule et la lutte recommençait. Nous nous demandions si nous réussirions jamais à franchir l'interminable plaine.

L'instinct des chevaux nous sauva. À tâtons, lentement, péniblement ils avancèrent et finirent par retrouver la bonne route.

Nous arrivâmes à Kamenetz au milieu de la nuit et trouvâmes avec peine une chambre à l'hôtel Belle-Vue. Une chambre misérable non chauffée avec deux lits en fer comme tout mobilier. Le cocher nous apporta nos bagages et remarqua :

— J'aurai plus chaud à l'écurie !

Puis ajouta en guise de consolation :

— Ça fait au moins geler les punaises...

Papa fut très déçu en nous voyant revenir bredouilles. Nous avions dépensé l'argent qu'il nous avait donné et l'espoir d'aller à Rachkov et Khotine, et à plus forte raison en France, devait être abandonné. Du moins pour le moment.

II

LA ROUTE

Mon sommeil, cette nuit-là, fut interrompu par un bruit insolite : c'était comme un bourdonnement qui semblait venir de la route distante du château d'environ un kilomètre. La lune jetait une lumière bleutée sur les carreaux des fenêtres et des taches claires sur le parquet. La rumeur sourde ne s'arrêtait pas et remplissait l'air immobile d'un étrange frémissement.

Intriguée, je sautai de mon lit et sortis sur le balcon. L'immense parc était plongé dans le profond sommeil d'avant l'aube, pas une feuille ne bougeait. Les arbres cachaient la route, mais grâce à la situation élevée du château on pouvait l'apercevoir par endroits entre les peupliers pyramidaux. Une file interminable de voitures avançait vers l'ouest.

La distance et les ténèbres empêchaient de distinguer les détails, mais la ligne sombre se prolongeait jusqu'à l'horizon.

Réveillés comme moi, Papa, Maman et Emmanuel me rejoignirent sur le balcon.

— Ça a l'air d'un convoi militaire, dit Papa.

— On dirait qu'il se dirige vers la frontière polonaise, remarqua Emmanuel.

— Sans doute un mouvement de troupes, dit Maman.

— Ce qui m'étonne, dit Papa, c'est son importance. Cela ressemble à un exode.

— Nous ne saurons rien avant le matin, dit Emmanuel. En attendant allons nous recoucher.

Je ne sais pas si mes parents réussirent à se rendormir, mais moi je n'y parvins qu'au petit matin. À mon réveil, mes premières pensées allèrent aux événements de la nuit et je courus aux nouvelles. Tout était comme d'habitude et la route était déserte. Emmanuel était parti au village pour recueillir des renseignements et Papa, de son côté, décida d'aller à Nouvelle-Ouchitza pour s'informer auprès de l'état-major polonais.

Maman paraissait inquiète.

— Qui sait ce qui se passe sur les routes, dit-elle.

— Tant pis, dit Papa. Je reviendrai demain et au moins je saurai quelque chose.

Loukian attela Tchèque le poney et Zinka la jument borgne, et Papa prit place dans le cabriolet. Le temps était magnifique, un de ces temps de juillet qui font resplendir la nature avec une intensité particulière. Le parc, même privé de soins, regorgeait de fleurs. Papa le regarda longuement en descendant l'allée. Avait-il pressenti que c'était pour la dernière fois ?

Je montai sur le balcon et, à l'aide de notre longue-vue, scrutai les environs. Tout était calme et paraissait normal. J'abandonnai mon poste d'observation.

Il devait être midi quand j'entendis soudain le galop d'une patrouille. Je courus sur le balcon et me penchai par-dessus la balustrade. Un groupe de cavaliers fonçait à fond de train vers le château. Un instant après, ils coupaient à travers les plates-bandes et stoppaient devant la terrasse.

Je les vis sauter de selle et attacher leurs montures aux lauriers en caisse alignés le long de la colonnade. Je compris sur-le-champ que ce n'était pas des Polonais.

Je me précipitai dans l'escalier pour prévenir Maman, mais n'en eus pas le temps : le hall était plein d'hommes.

J'eus l'impression que c'était des Mongols, tant il y avait de faces plates aux yeux bridés. Les accoutrements étaient des plus bizarres, chemises déboutonnées, vestes fripées et même des pyjamas.

En m'apercevant un des hommes m'interpella :

— Ah, voilà quelqu'un ! Nous venons perquisitionner. Avez-vous des armes ?

Et tandis que je restais là interloquée, il répéta d'un ton grossier :

— Et alors ? Vous êtes sourde, ou quoi ? Je vous ai demandé si vous aviez des armes.

— Non, balbutiai-je, non...

L'homme regarda autour de lui et ajouta :

— Vous vivez bien, à ce que je vois ! Allez chercher le propriétaire, nous avons à lui parler.

— Le propriétaire n'est pas là, dis-je vivement.

— Pas là ? fit l'homme en ricanant. Parti avec les Polonais ?

— Mais non ! m'exclamai-je, nous ne savons rien des Polonais !

— Vous n'en savez rien ? N'empêche qu'ils vous ont bien protégés ! Notre commissaire politique va s'occuper de ces questions. Le régiment sera là demain. Pour le moment, allez chercher vos parents et dites-leur de nous préparer à manger.

Là-dessus il me tourna le dos. Ses hommes étaient déjà à l'œuvre, fouillaient dans les pièces, ouvraient les armoires, retournaient les meubles, arrachaient les draperies.

Je trouvai Maman dans la cuisine, elle n'était au courant de rien.

— Tu crois vraiment que ce sont des bolcheviks ? dit-elle après m'avoir écoutée.

— Mais oui et ce sont de drôles de types !

— Ah, voilà Emmanuel. Tu connais la nouvelle ? Notre maison est pleine de bolcheviks !

— Je sais. J'ai vu leurs chevaux dans les parterres. Heureusement que Papa ne voit pas ça. C'était la retraite polonaise cette nuit, ajouta-t-il.

— Veux-tu accompagner Maman ? Ils sont très grossiers et sont en train de tout démolir.

Emmanuel haussa les épaules.

— Et comment pourrions-nous les en empêcher ?

— En leur donnant à manger, dit Maman. Viens, Emmanuel, il faut faire bonne mine à mauvais jeu. Va attraper quelques poulets, Génia, et mets des pommes de terre à cuire. Et puis, à la grâce de Dieu !

Ils partirent et je restai là comme sur des charbons ardents. Je dressais l'oreille avec angoisse, mais n'entendais que l'affreux caquetage dans le poulailler où Génia faisait la chasse aux poulets. Malgré son jeune âge, elle les égorgeait adroitement et les jetait dans la cour. La tête tranchée, les ailes écartées, ils exécutaient sur le sol battu leurs dernières macabres cabrioles.

Génia les ramassa encore tout pantelants et Vassilevska s'installa sur les marches de l'escalier pour les plumer.

Au bout de quelque temps, elle tendit le cou comme pour capter un son lointain.

— Ils s'en vont, dit-elle.

— Ou encore d'autres qui arrivent...

— Non, ils descendent l'allée. Ils vont à la ferme.

— Mon Dieu ! Ils vont chez le gérant !

M. Voyékovski, authentique Polonais, pouvait subir les pires représailles.

Me fiant à l'impression de Vassilevska, je retournai au château. Je trouvai Maman dans la salle à manger en train de mettre le couvert. Madeleine et Angeline étaient auprès d'elle et Mars courait d'une pièce à l'autre en poussant de petits aboiements plaintifs. Il avait compris que les visiteurs de tout à l'heure étaient des ennemis et voulait défendre ses maîtresses, mais ne savait pas comment.

Vassilevska ne s'était pas trompée : les bandits étaient bien allés à la ferme et Maman ne cachait pas son inquiétude.

— Ils vont terroriser le malheureux vieillard, le tuer peut être... Si seulement il pouvait garder son calme et un peu de dignité !

M. Voyékovski, il faut bien le dire, ne faisait pas partie du « peloton des braves », comme on dit en russe.

Je demandai comment les hommes s'étaient comportés.

— Ils réclamaient Papa. Quelle bonne idée il a eue de partir ! Ils étaient persuadés que nous cachions des Polonais et possédions des armes. Aussi ont-ils fouillé jusqu'aux greniers.

Les jumelles, qui étaient sorties sur la terrasse, revenaient en courant.

— On entend des cris terribles ! C'est chez M. Voyékovski !

Le parc descendait en pente vers l'étang. Au-delà, le terrain couvert de vergers remontait jusqu'à la ferme. La maison du gérant, un peu à l'écart des autres bâtiments, était cachée par les arbres. Mais les cris déchirants accompagnés de jurons nous parvenaient nettement. Le doute n'était pas possible : on malmenait notre infortuné gérant. Il était pénible d'assister, même de loin, à cette scène de brutalité. Les soixante-quinze ans de M. Voyékovski n'avaient pas suffi à le protéger.

Tout d'un coup les cris cessèrent et ce fut le suspense. Puis le galop des chevaux retentit de nouveau dans l'allée et nous n'eûmes que le temps, mes sœurs et moi, de nous sauver.

Maman reçut nos hôtes indésirés avec son calme habituel et Emmanuel, aidé de Vassilevska, leur servit à manger. Emmanuel avait le don d'apaiser les humeurs les plus irascibles par sa simplicité et sa bonhomie. Vassilevska, de son côté, avait acquis à travers son infortune quelque chose de saint. Les plus endurcis, les plus impitoyables se laissaient impressionner par l'apparition de cette aveugle qui avançait les mains tendues, le visage immobile et concentré.

Le repas terminé, la patrouille se remit en marche et prit la route que les Polonais avaient suivie vingt-quatre heures auparavant.

Emmanuel se rendit en hâte à la ferme pour voir ce qu'il était advenu de M. Voyékovski. Il le trouva enfermé dans un cagibi noir, effondré, à moitié mort de terreur, le visage barbouillé de boue et de sang. Que lui avait-on reproché ? Que voulait-on de lui ? Il n'en savait rien. On l'avait traîné par terre, roué de coups et jeté là en promettant de faire mieux la prochaine fois.

Les lauriers et les parterres avaient, eux aussi, cruellement souffert. Les dévastations causées par les chevaux étaient irréparables. Des branches cassées pendaient en désordre le long des balustrades et les belles-de-nuit, le réséda et les pensées avaient disparu. Les chevaux avaient dû les trouver à leur goût.

Le régiment, le 363e de l'infanterie rouge, entra en scène le lendemain. Un détachement d'avant-garde arriva le premier et le rituel de la veille recommença. Tout fut mis sens dessus dessous et Maman subit un interrogatoire serré. Elle était prévenue : une arme à feu découverte dans la maison serait employée contre elle séance tenante. L'absence de Papa rendait les hommes méfiants et ils interrogeaient Maman en brandissant leurs revolvers.

Le régiment se composait de soixante-dix soldats déguenillés dont certains n'étaient que des voyous ramassés en cours de route. Le commandant voyageait avec le convoi et était pour le moment remplacé par un jeune homme d'une vingtaine d'années nommé Sidorenko.

Ce jeune homme chevauchait fièrement à la tête de ses soldats et jouissait visiblement de son rôle. Insolent et suffisant, il jouait au bolchevik et voulait faire peur.

Cependant, après quelques bravades nécessaires à son prestige, il changea d'attitude, cédant au sentiment de sympathie que lui inspirait Emmanuel. Il lui raconta son aventure militaire qu'il avait commencée en abandonnant son lycée. Il loua la Révolution et la vie de campagne qui, dit-il, était passionnante.

La guerre jusqu'ici ne lui avait montré que son bon côté et le moins dangereux. Perquisitionner, réquisitionner, semer la panique étaient tout à fait dans ses cordes et il y réussissait bien mieux que sur les bancs de son lycée.

Il proposa à Emmanuel de le faire entrer dans l'Armée rouge et ajouta qu'il valait mieux se joindre aux vainqueurs que se trouver parmi les persécutés.

Emmanuel fit semblant d'apprécier ce conseil et promit d'y réfléchir sérieusement. Il refusa cependant d'accompagner Sidorenko au village où ce dernier comptait réquisitionner du ravitaillement. On ne pouvait qu'imaginer la panique qu'allait provoquer l'opération et le massacre du bétail qui allait suivre.

Après une halte de vingt-quatre heures, le régiment reprit la route et nous eûmes quelques moments de répit.

Logiquement, les cahiers de musique ne devraient pas intéresser les militaires. Mais rien n'est logique en temps de guerre. Le sort que les soldats de Sidorenko avaient fait subir au *Carnaval* de Schumann en l'employant pour envelopper des quartiers de viande sanguinolents nous donna à réfléchir. Et nous décidâmes, Emmanuel et moi, afin d'éviter à nos partitions préférées la même fin ignominieuse, de les emporter en lieu sûr avant l'arrivée du convoi.

Nous nous trouvions dans le salon en train de trier notre musique, quand la porte de la terrasse s'ouvrit largement. Un jeune homme essoufflé entra en courant.

— Des visites ! Des visites ! cria-t-il d'une voix enjouée, comme s'il annonçait une bonne nouvelle. Préparez des chambres et un repas pour dix ! Je me présente : Roubantchik, fourrier du régiment. Et voici les camarades agents politiques.

Le jeune fourrier ressemblait à un gamin échappé de l'école, sympathique par son extrême jeunesse et son entrain. Son teint basané et ses splendides yeux noirs en amande faisaient penser à un Oriental.

Les deux individus qui le suivaient étaient très différents et n'inspiraient, eux, aucune sympathie. Leurs vêtements étaient des plus étranges : ils portaient de grands chapeaux de paille, des chemises déboutonnées et des pantalons rayés. En plus de cela ils étaient pieds nus. L'un d'eux avait retroussé son pantalon jusqu'aux genoux pour aérer ses jambes couvertes d'abcès.

Sans nous adresser la parole ni se découvrir, ils se dirigèrent vers les divans pour s'y étendre en mettant les pieds sur les coussins.

En apercevant le piano, Roubantchik poussa un cri de joie. Un instant plus tard *L'Internationale* retentit pour la première fois sous notre toit.

Depuis que notre maison s'était transformée en auberge militaire, nous nous tenions de préférence dans les dépendances. Ces bâtiments assez spacieux et vides depuis que nos domestiques les avaient quittés offraient un avantage particulier qui, le cas échéant, pouvait servir. Les fenêtres du fond donnaient sur des fourrés inextricables derrière lesquels commençaient les champs.

Je trouvai Maman à la cuisine et lui annonçai l'arrivée imminente de nouveaux hôtes.

— Ne leur donnez rien, madame, s'exclama Vassilevska. Vous ne pouvez pas nourrir toute l'Armée rouge. Nous n'avons d'ailleurs plus rien à leur offrir. Qu'ils aillent donc chez les paysans, puisqu'ils prétendent les aimer tant !

— Je ne sais pas ce qui nous reste à faire, dit Maman. Vous rendez-vous compte du danger que nous courons ?

— Faites comme vous voulez. Moi, je ne leur donnerai rien. Ils arrivent, ajouta-t-elle en tournant la tête vers la fenêtre.

Il valait mieux, décida Maman, aller à leur rencontre tout de suite, sans attendre qu'on vienne nous chercher. Nous prîmes donc le chemin du château, Maman, Emmanuel et moi, et entrâmes résolument dans le salon.

Roubantchik était toujours au piano et un des agents politiques pinçait une mandoline. En nous voyant le jeune fourrier sauta sur ses pieds et s'exclama :

— Je fais les présentations ! Le commandant Chvetz, les propriétaires !

Le commandant était un bel homme de haute taille d'environ

trente-cinq ans, dont la tenue et l'allure dénonçaient un militaire de carrière. Il salua Maman poliment et nous donna à Emmanuel et à moi de cordiales poignées de main. Comme les autres il ne portait aucun uniforme et arborait un grand chapeau de paille, avec la différence, toutefois, qu'il l'enleva en saluant Maman. Il portait une blouse d'aspect féminin, au col large et ouvert, un pantalon bouffant serré aux chevilles et des chaussures de tennis.

Le commissaire politique Renski ne nous témoigna pas la même amabilité. C'était un jeune homme un peu voûté, lourd et gauche, avec un visage renfrogné qui n'exprimait que la méfiance et l'hostilité. Il dévisageait ses interlocuteurs en plissant les yeux et parlait d'une voix lente et emphatique pour se donner de l'importance. Il devait avoir tout au plus vingt-deux ans. Il était vêtu d'un costume rayé bleu et gris qui ressemblait fort à un pyjama.

Le commandant de bataillon Skrinnik était un petit homme noiraud et débonnaire qui fumait la pipe et parlait peu. Nous apprîmes, toujours grâce à la volubilité de Roubantchik, qu'on appelait le commandant Com-Polk (polk veut dire en russe régiment), le chef de bataillon Com-Bat, le commissaire politique Voyenn-Com (Voyenny komissar) et les agents politiques Polit-Rouk (Polititcheski roukovoditel).

Ces appellations nous parurent drôles et s'accordaient assez bien avec l'idée que nous nous faisions de l'Armée rouge. Le laisser-aller des subordonnés en face de leur commandant, l'absence d'uniformes et la tenue débraillée ne nous étonnaient pas.

— Nous sommes obligés de nous installer dans votre château, dit le Com-Polk à Maman. Je suis désolé de vous déranger.

Maman répondit que le château était à sa disposition, mais que le ravitaillement par contre manquait totalement. Il lui était donc impossible d'assurer un repas pour dix personnes alors que sa propre famille manquait déjà de tout.

Le commandant se montra très compréhensif et n'exigea

rien. Au contraire, il promit de nous faire profiter des réquisitions de vivres qu'il se proposait d'entreprendre dans le village. Ses hommes, dit-il, se chargeraient de tout.

Maman se sentit fort gênée par la perspective de s'associer, même si ce n'était qu'involontairement, aux réquisitions chez nos paysans, mais n'osa pas protester.

J'avais remarqué qu'au cours de son entretien avec Maman le Com-Polk avait plusieurs fois jeté des coups d'œil rapides du côté du Voyenn-Com, comme s'il se sentait surveillé. Même furtifs et discrets, ces coups d'œil trahissaient une inquiétude. Mais je me dis que ce devait être mon imagination.

Le commissaire s'était retranché dans le coin le plus éloigné du salon, et se penchait au-dessus d'une table couverte de papiers et de notes qu'il feuilletait et annotait avec des gestes saccadés. Son air absorbé indiquait un travail urgent de la plus grande importance.

Les envoyés du commandant revinrent du village avec un cochon de lait fraîchement égorgé et firent un brasier au pied du château pour le rôtir à la broche.

Quand le cochon fut prêt, on le porta dans la salle à manger et le commandant envoya un soldat pour nous inviter au repas. Quand je dis « nous », j'entends Maman, Emmanuel et moi, car nos sœurs ne montraient pas le nez et préféraient la compagnie de Vassilevska et de Génia.

Les spécialistes du ravitaillement devaient posséder un flair de chien pour découvrir les ressources cachées d'un village. La table était bien garnie et, au milieu des victuailles, trônaient deux litres de vodka.

Le Com-Polk était détendu et de bonne humeur, et le Com-Bat avec son air jovial donnait à l'ambiance une note presque gaie. Le Voyenn-Com avait perdu son tic nerveux et découpait le cochon avec enthousiasme. Il jouait à l'amphitryon et bavardait à bâtons rompus. D'autres militaires en vêtements civils les plus divers se joignirent à la tablée, de sorte que le repas fut bruyant et animé.

Étrange situation que la nôtre au milieu de cette compagnie : on ne nous montrait aucune animosité, au contraire, et Renski redoublait d'attention à mon égard, ce qui me remplissait de malaise. J'avais la sensation de jouer le rôle de souris entre les pattes d'un chat.

Le Com-Polk et le Com-Bat glissèrent dans la conversation quelques phrases furtives qui indiquaient que les questions politiques ne les concernaient pas. C'était donc du commissaire que dépendrait notre sort.

Sitôt le festin terminé, Maman se retira. J'eus du mal à me défaire du commissaire, mais réussis à m'échapper.

Le régiment était cantonné à la ferme et nous entendîmes bientôt nos officiers descendre l'allée au galop. À présent qu'ils etaient partis, nous pouvions, Vassilevska et moi, débarrasser la table.

Je m'arrêtai sur le seuil en m'apercevant que le commissaire était toujours là, penché sur une carte. En face de lui, à moitié caché par un journal déplié, Skrinnik était plongé dans la lecture.

— Venez ici ! cria Renski, j ai à vous parler.

Malgré son ton autoritaire j'hésitais à avancer. Alors il alla vers moi et me saisit la main.

— Méfiez-vous... me souffla Vassilevska à l'oreille.

— Asseyons-nous, dit le commissaire, et causons. Tiens, je vous appellerai camarade. J'ai de la sympathie pour vous et voudrais vous aider. Mais avant tout : que pensez-vous de la Révolution ?

Était-ce un piège ? Son visage était si bizarre, moitié sérieux, moitié moqueur avec ces yeux plissés qui me scrutaient.

— Je n'en pense rien, dis-je évasivement. Nous sommes si loin de tout et si mal renseignés que nous ne pouvons pas avoir d'opinion.

— À présent la situation est claire : vous êtes en Russie soviétique. Je vous conseille de vous y habituer.

Je restai silencieuse et le commissaire reprit :

— Vous devez abandonner tous vos vieux préjugés.

— Je n'ai pas de préjugés.

— Mais si, insista Renski, vous avez des préjugés de votre classe. Mais cette classe est destinée à disparaître.

— Eh bien, elle disparaîtra. Mais en attendant permettez-moi de m'en aller...

— Non, non, écoutez-moi. Je veux vous convertir pour que vous soyez de cœur avec nous. Je veux que vous compreniez que la Russie soviétique est votre patrie et que la servir est votre premier devoir.

— Mon premier devoir, je crois, est d'aller aider ma mère qui est débordée, comme vous pouvez le voir vous-même.

— Elle se passera de vous. Je veux vous raconter ma propre expérience qui pourra vous servir d'exemple. Je ne suis pas né prolétaire, moi non plus. J'étais étudiant à l'université de Moscou quand la révolution a éclaté. Et maintenant je suis dévoué à la cause et je lutte contre ses ennemis. Les réactionnaires avant tout. Je prépare la voie au communisme. Les paysans en Ukraine ne sont pas tous pour nous et il faut exterminer les éléments hostiles. Il y a malheureusement beaucoup d'éléments qui s'opposent à la révolution. Il y a trop de paysans riches.

— Tant mieux si nos paysans sont riches. Vous ne pouvez pas regretter qu'il y ait chez nous si peu de malheureux.

— Les paysans sont des sauvages et ne se rendent compte de rien. Tenez, votre présence dans le château est un véritable scandale. Je ne comprends pas l'attitude de votre village.

— Vous estimeriez plus nos paysans s'ils avaient brûlé le château ?

— Cela aurait prouvé qu'ils ont l'esprit révolutionnaire. Leur passivité m'exaspère.

— Ils sont simplement raisonnables et n'ont d'ailleurs aucune raison de haïr mes parents. Je vous souhaite autant de succès dans vos relations avec eux.

C'était trop franc. Je m'en mordis la langue. Un pli dur se dessina autour de sa bouche et me rappela mon inexpérience. Il fallait rester sur ses gardes, mesurer ses paroles. J'étais en face d'un commissaire politique communiste, chargé de détruire les gens de ma sorte.

— Les paysans, vos amis — son ton était ironique —, n'auront plus l'occasion de brûler le château qui, je veux vous le dire tout de suite, ne vous appartient plus. Je ne suis donc pas chez vous, c'est vous qui êtes chez moi. Le comité révolutionnaire vous fera connaître ses dispositions à votre égard.

— Il ne me reste qu'à vous remercier de votre hospitalité.

Il me jeta un regard perçant. Il était déçu du peu d'effet de sa déclaration. Il avait voulu m'impressionner, souligner sa puissance. Il ne pouvait pas deviner que je prenais ses paroles pour une simple fanfaronnade.

Après un temps il reprit sur un ton plus conciliant :

— Vous vivez sans idéal et je veux vous en donner un. Dites-vous bien que vous commencez une nouvelle vie, avec de nouveaux principes. Moi-même je suis fier d'avoir opté pour le nouveau régime dès la première heure. Je le dois à mes camarades qui étaient dans le mouvement. Ils m'ont ouvert les yeux comme j'essaie en ce moment d'ouvrir les vôtres. À présent je suis commissaire politique, c'est un rôle très important. Un grand travail m'attend en Ukraine.

— Vous ne connaissez pas l'Ukraine, vous êtes de Moscou. Nos paysans ne comprennent pas le russe.

— Peu importe, notre programme est tout tracé. On le mettra en application dès que l'armée Rouge aura chassé les Polonais et mâté les bandes de Pétlioura. Mais la guerre ne me concerne pas, mon travail c'est l'organisation politique.

— Alors pourquoi voyagez-vous avec un régiment ?

Il me regarda d'un air étrange mais ne répondit pas à ma question.

— Vous avez fini vos études ? demanda-t-il d'un ton détaché. Quel âge avez-vous ?

Je dis que j'avais dix-sept ans et que je venais de terminer mon école, sans préciser que c'était l'Institut des demoiselles nobles d'Odessa.

— Et quels étaient vos projets d'avenir ?

— Eh bien, dis-je avec une incroyable inconscience, je voulais me perfectionner en langues étrangères, aller en France.

— Filer à l'étranger ? cria Renski avec une soudaine et inexplicable fureur. Vous réfugier chez les capitalistes ? Abandonner votre peuple pour lequel vous n'avez que mépris ? Sauver votre mentalité bourgeoise, puisqu'il ne vous reste rien d'autre à sauver ? Mais sachez que tous vos beaux projets sont à l'avance condamnés !

À mesure qu'il criait, il s'excitait lui-même et finit en hurlant. À la fin de sa tirade, il se rejeta en arrière et me toisa.

— Je comprends maintenant, vous avez dû faire bon ménage avec les Polonais. Leurs godelureaux d'officiers vous ont fait la cour, hein ? Et vous en étiez enchantée ?

Je m'emportai à mon tour et, oubliant toute prudence, lançai en sautant sur mes pieds :

— Occupez-vous de ce qui vous regarde ! Et sachez que votre opinion m'est totalement indifférente !

Je jetai un regard éperdu autour de moi, mais il n'y avait que Skrinnik, toujours absorbé par son journal. Je fis un mouvement vers la sortie, mais le commissaire me retint.

— Notre entretien n'est pas terminé. Reprenez votre chaise.

Je vis avec stupeur qu'il sortait un revolver.

— Regardez, fit-il, il est chargé.

Il saisit ma main et m'obligea à m'asseoir, puis posa l'arme sur la table et fouilla dans ses poches.

— Ah, voilà.

Il tenait dans la main une plaquette de chocolat.

— Mangez-le.

— Je n'en veux pas.

— Vous le mangerez.

— Puisque je vous dis que je n'en veux pas !

— Parce que c'est du chocolat bolchevique ? Le chocolat polonais vous plaisait mieux ? J'aurais pu vous fusiller sur-le-champ, le savez-vous ?

— Pour avoir refusé du chocolat ?

— Pour votre attitude. Eh bien ? Mangerez-vous mon chocolat ?

Il jouissait de son jeu stupide, tandis que je me demandais s'il était fou. Et voilà qu'il reprenait son revolver et l'approchait lentement de ma tête. J'osais à peine bouger avec le canon de l'arme appuyé sur ma tempe. Je ne sais ce qui serait arrivé si le Com-Bat n'avait pas levé les yeux.

— Laisse ça, camarade ! cria-t-il d'une voix tonnante Ce sont là des plaisanteries dangereuses !

Renski hurla :

— Je sais ce que je fais ! Et je vous prie de ne pas oublier que je ne vous suis pas subordonné ! Et que les questions politiques ne vous regardent pas !

Mais se rendant compte à quel point sa manière d'agir était grotesque, il rengaina son revolver et se leva brusquement.

— Nous aurons un autre entretien, me dit-il d'une voix sourde, et il sortit de la pièce.

Skrinnik resta perplexe et me regarda d'un air consterné en hochant la tête.

— Voyez comment ils sont, les étudiants ! Ils se croient tout permis. Il aurait mieux fait de rester à Moscou, celui-là. Commissaire militaire ? La belle affaire ! Il ne nous cause que des ennuis et tenez, à mon avis, c'est un cinglé. Essayez de l'éviter, ce sera plus prudent.

Là-dessus, ramassant sa casquette, il me fit un signe amical et sortit.

Encore toute bouleversée par la scène, je me dirigeai vers l'allée de tilleuls qui descendait à l'étang. Ce Renski était-il fou ? Ou était-ce la vodka, dont il avait fait une grande consommation, qui lui était montée au cerveau ? Aurait-il tiré si Skrinnik ne l'avait pas arrêté ?

Je ne connaissais pas l'étendue du pouvoir des commissaires politiques de l'Armée rouge, mais je savais qu'ils étaient l'épouvantail non seulement de la population, mais aussi de l'armée elle-même qu'ils étaient chargés de surveiller. À en juger d'après l'orgueil que Renski en tirait, son rôle devait être important et redoutable. Personne apparemment ne pouvait contrecarrer ses volontés. C'était en son pouvoir de nous infliger les pires représailles. Quel idiot avec son chocolat ! Et drôle de régime qui confie le droit de vie et de mort à un gars piqué de vingt-deux ans !

La voix d'Emmanuel me tira de ma rêverie.

Je l'aperçus à quelques pas de moi assis sur un banc en compagnie d'un jeune homme roux à grosses lunettes. Ce dernier se leva et me salua poliment.

— C'est le docteur Mihaltchenko, médecin du régiment, dit Emmanuel.

Je sentis dès l'abord une vive sympathie pour le jeune docteur. Il n'avait rien de commun avec les autres. Le type même d'un intellectuel inoffensif, discret et timide, grand et maigre, au visage laid et triste, il paraissait avoir vingt ans, mais devait en réalité approcher de la trentaine.

Je m'assis à côté des deux jeunes gens. Pouvais-je parler de l'incident avec le commissaire devant le docteur ? Je me le demandais.

— Le docteur nous comprend, dit Emmanuel, comme s'il avait deviné mes pensées. Il a traversé les pires épreuves et un drame que je prie Dieu de nous épargner.

J'appris que ses parents avaient été tués sous ses yeux et la maison familiale brûlée. Le docteur lui-même avait échappé au massacre grâce à sa qualité de médecin : on le mobilisa sur-le-champ et on l'obligea à suivre les troupes. Affecté actuellement au 363e régiment, il voyageait avec le convoi.

— Je tiens à vous donner quelques conseils, dit le docteur, en espérant que vous aurez plus de chance que moi. La situation en Ukraine est très confuse et on ne sait pas au juste où se trouvent les forces en jeu. Si l'armée polonaise est en retraite, celle de Pétlioura est loin d'être battue. Le plan stratégique de l'état-major polonais nous est inconnu et celui des Ukrainiens encore moins. L'Armée rouge a un double but : récupérer le territoire et installer le nouveau régime. Les temps troubles vont durer encore longtemps, mais, selon moi, ce sont les Rouges qui prendront le dessus. Ne restez pas à la campagne, choisissez un moment propice pour vous réfugier dans une ville. Tout ce que vous pouvez encore sauver, c'est la vie, rien d'autre. À l'heure actuelle, c'est déjà beaucoup.

Je racontai mon aventure avec le commissaire et le docteur n'en fut pas surpris. Je demandai s'il considérait Renski comme détraqué.

— Au point de vue médical, je dirais non. Pour le débarrasser de ses excès, et surtout de son arrogance, le meilleur moyen serait de le rosser. Ce n'est en somme qu'un pauvre type, étudiant incapable, révolutionnaire de saison, inintelligent et haineux. On s'en apercevra un jour et on lui demandera des comptes, car même dans ce désordre il y a des limites à l'arbitraire. Renski fera long feu, mais avant de disparaître il aura eu le temps de faire beaucoup de mal. Le Com-Polk par contre est un homme convenable, ennemi des scandales et des pillages. Qu'un simple soldat, sans aucune instruction, se soit trouvé à la tête d'un régiment, même d'un régiment improvisé comme celui-ci, peut paraître étrange. Il était de la Garde impériale, le saviez-vous ? Grâce à sa haute taille et à sa belle allure probablement. Je ne crois pas qu'il soit conscient des théories communistes, mais c'est un vaillant soldat fait pour la guerre et qu'on envoie au front. Il fait ce qu'il peut pour empêcher ses hommes de piller et maltraiter la population. Son autorité est malheureusement limitée par celle du commissaire politique, ce qui l'humilie et le paralyse.

— Et le Com-Bat ?

— C'est un brave paysan de Kharkov à peine lettré. Il fait la guerre pour des raisons personnelles, sans comprendre grand-chose aux doctrines communistes. Au moment de la débâcle de 1917, il a fait comme tout le monde : il est rentré chez lui. Hélas, son village avait brûlé et sa baba avait disparu. On l'assura qu'elle avait péri dans l'incendie, mais il a là-dessus son idée. Selon lui elle n'est qu'une roublarde qui a décampé sous couvert de l'incendie. Toujours est-il qu'il en fut ébranlé et rejoignit l'armée à la première occasion.

— Et Roubantchik ?

— C'est le fils de petits commerçants juifs de la banlieue de Kiev. Pour se faire mieux voir, il se fait passer pour un Caraïte car, en dépit de toutes les théories proclamées par les communistes, les Juifs ne sont pas très populaires dans l'armée. C'est un gosse de dix-huit ans, agaçant par son culot, mais inoffensif et insignifiant. Les vrais bandits dépourvus de toute morale, de tout scrupule, dangereux et malfaisants, ce sont les deux acolytes de Renski, Serpouhov et Akoulkine. Ce dernier est en principe instituteur de l'école du régiment, chargé d'instruire les hommes. Mais même s'il en était capable, il n'en aurait pas l'occasion. Jusqu'ici il n'a eu aucun élève. Akoulkine a donc tout le temps pour faire main basse sur tout ce qui le tente et de s'enivrer dès qu'il déniche de l'alcool. Serpouhov ne vaut guère mieux. Tenez-vous à l'écart de ces deux-là. Le régiment s'en va après-demain, n'attendez pas l'arrivée du suivant. Partez dans une ville, n'importe laquelle.

Je vis Emmanuel jeter un coup d'œil sur sa montre et devinai qu'il pensait à notre vache qu'il faudrait aller traire d'ici une heure. Nous remerçiâmes le docteur de ses conseils et de l'amitié qu'il nous témoignait, et prîmes le sentier sinueux qui menait aux dépendances à travers une pinède.

L'expédition dans la « jungle », qu'Emmanuel faisait matin et soir accompagné de Génia, s'entourait chaque fois de mille précautions. Génia prenait une grande cruche en terre et la cachait au fond d'un panier. Emmanuel mettait sur l'épaule un sac de son.

Après un long détour et en scrutant les environs, ils

s'enfonçaient dans le maquis impénétrable qui s'étendait des deux côtés du ruisseau. Se faufilant à travers les épaisses broussailles, les jeunes saules entrelacés de houblon, de lierre et de ronces, ils suivaient un petit sentier à peine marqué jusqu'au tertre encerclé de deux bras d'eau. Ils se débarrassaient alors de leurs chaussures et traversaient le ruisseau à gué.

Au centre du promontoire, sous un vieux saule penché, vivait en villégiature notre dernière vache avec son veau. Emmanuel l'avait cachée là dès l'arrivée des Rouges. C'était le seul moyen de lui sauver la vie et en même temps notre principale nourriture.

Le retour avec le précieux pot de lait s'accompagnait des mêmes précautions et de la même technique sioux.

Les dimensions du château nous permettaient de rester à l'écart sans déranger les nouveaux maîtres de céans. Le Com-Polk occupait ma chambre et le Com-Bat celle d'Emmanuel. Renski avec ses agents s'était établi dans le cabinet de travail de Papa, le docteur et Roubantchik dans les chambres d'amis. Il y avait heureusement assez de place et on ne chercha pas à nous déloger.

La nuit venue, nous nous rendîmes chez Maman et discutâmes de notre situation. Était-ce prudent de rester au château, ou valait-il mieux déménager discrètement dans les dépendances ? Rien, sauf l'attitude du commissaire, ne semblait pour le moment nous menacer. Nous décidâmes de rester sur place, mais pour nous trouver réunis en cas d'alerte, installâmes nos lits dans les chambres voisines.

Nous nous couchâmes sans nous déshabiller, prêts à sauter du lit. Aucun de nous ne put se vanter d'avoir passé une très bonne nuit. L'angoisse nous étreignait tous et chassait le sommeil

La matinée suivante était magnifique, la nature respirait la joie et la vie. Sous le soleil intense de juillet, tout s'ouvrait et s'épanouissait comme un immense bouquet.

Nous descendions vers le potager, Emmanuel et moi, en

longeant la roseraie, quand nous aperçûmes le Com-Polk seul dans une tonnelle. Il nous fit signe de nous arrêter.

— Quel coin charmant ! s'exclama-t-il en jetant un regard autour de lui.

Puis, baissant la voix, ajouta :

— Je voudrais vous dire quelques mots en privé. Prenons cette allée.

Nous marchâmes pendant quelque temps en silence. Le Com-Polk paraissait préoccupé. Il ne reprit la parole que lorsque nous fûmes loin du château au milieu des prés.

— Savez-vous ce qui s'est passé cette nuit ? Nous avons tous été au bord de la catastrophe. Mes soldats ont failli se mutiner. Une quinzaine d'entre eux, ivres et armés de grenades, sont arrivés au château en pleine nuit pour vous tuer. J'ai eu toutes les peines du monde à les faire partir. Ils me menaçaient moi-même en m'accusant de prendre parti pour les châtelains. Je leur parlai revolver à la main. Ils ont obéi, mais c'était à un cheveu... Nous avions éteint toutes les lumières, le Com-Bat et moi, et bouclé les portes. Ils ne sont pas revenus, mais nous n'avons pas fermé l'œil jusqu'au matin.

Nous allions le remercier, tout émus, mais il nous interrompit :

— Il ne s'agissait pas seulement de vous sauver la vie. Imaginez une bagarre au sein du régiment en pleine guerre, le commandant défendant les propriétaires fonciers !

J'étais curieuse de savoir quelle était l'attitude du commissaire au moment de l'incident, mais je n'osais pas poser la question. S'il se trouvait au château, il ne pouvait manquer d'entendre le chahut. L'occasion de manifester son autorité était exceptionnelle. Mais de quel côté se serait-il rangé ?

Le commandant suivait son idée :

— Nous traversons une période difficile. Ne croyez pas qu'elle le soit seulement pour vous. Il faudra du temps pour que tout se tasse. Mais le passé est révolu. Vous êtes jeunes, regardez les choses en face et ne tentez pas le sort. Vos paysans sont de braves gens et ne vous veulent pas de mal. Pour le moment. Mais à la longue, la propagande, les éléments violents, l'exemple des autres villages, la tentation de profiter de la situation prendront le dessus. Il suffira d'une étincelle pour provoquer une explosion. Ne l'attendez pas, quittez votre domaine. C'est cela que je voulais vous dire.

— Le docteur nous l'a conseillé aussi, dit Emmanuel. Mais où aller ? Et dans les villes ce ne sera peut-être pas mieux.

— Vous n'y serez pas en vue. Patientez, ça se tassera, je vous le répète, ce n'est pas possible que ce désordre continue. Tenez, l'Armée rouge commence déjà à se former et la discipline reviendra. La guerre terminée, on s'occupera de la vie civile. Elle sera difficile, c'est certain, mais je suis sûr que les excès de la révolution cesseront.

Le Com-Polk aimait l'ordre. En vrai militaire il était l'ennemi de l'arbitraire. Il acceptait la Révolution puisqu'elle avait remporté la victoire sur l'ancien régime et l'avait lui-même élevé au rang de commandant, mais il n'avait pas approfondi le sens des doctrines communistes, il n'en avait pas eu le temps. Et d'ailleurs cela regardait les intellectuels, ceux qui se déclaraient capables de tout régler pour le bien de tout le monde.

— Le régiment se remet en marche demain, reprit le Com-Polk, mais je tiens à vous prévenir : Renski a l'intention de laisser ses agents chez vous. Ils seront chargés de former un Comité des pauvres au village. Cachez tout ce que vous avez de précieux, mais soyez prudents. Laissez-les faire quand ils se mettront à vous dévaliser, ne protestez pas, cela ne servirait à rien. Ne leur donnez pas de prétexte pour vous arrêter ou vous tuer. Mais dès qu'ils seront partis, sauvez-vous. Ne dites à personne où vous allez. Ceux qui semblent vous être dévoués aujourd'hui seront vos ennemis demain. Pour se sauvegarder eux-mêmes, ils se dresseront contre vous. Et maintenant, rentrons et pensez à ce que je vous ai dit.

En nous faisant un signe amical, le commandant se dirigea à pas rapides vers le château.

— Eh bien... fis-je.

— Chut... murmura Emmanuel et je suivis son regard. À quelques pas de nous, appuyé contre le cadran solaire, le commissaire nous observait.

— Oh, les pommes de terre ! s'exclama Emmanuel, viens, nous n'avons que le temps !

— Restez ici ! cria Renski. Vous, ajouta-t-il en me désignant.

— C'est que je suis pressée...

— Je vous ai dit de rester ici, vous n'avez pas compris ? J'ai à vous parler, suivez-moi.

Il s'engagea dans l'allée que nous venions de parcourir et marcha de son pas saccadé sans tourner la tête. Je le suivais en regardant sa nuque, ses épaules tombantes, la gaine de son revolver qui se balançait sur sa hanche.

— Nous allons nous asseoir là, dit-il en s'arrêtant devant une petite meule de foin au bord de l'allée.

Quand nous fûmes assis, il lança à brûle-pourpoint :

— J'ai reçu une plainte contre vous signée de cinquante paysans.

— Une plainte contre moi ?

— Parfaitement. Je dois vous arrêter.

— Mais quelle plainte ? Je n'y crois pas.

— J'ai fait une enquête et j'ai appris que vous avez maltraité les paysans en compagnie d'officiers polonais.

L'accusation était à un tel point grotesque que je ne pus m'empêcher de rire.

— Cela vous fait rire ? J'ai des renseignements très précis, n'essayez pas de nier. Dès le début, vous m'avez paru suspecte. Vous êtes une réactionnaire, une ennemie du peuple.

— Voyons...

— Laissez-moi continuer. Les paysans se plaignent de votre comportement, vous auriez frappé des enfants avec votre cravache et vous vous seriez amusée à insulter vos ouvriers.

— Quelle blague ! Qui vous a raconté tout ça ? Je n'ai pas d'ennemis.

— Vous vous trompez, on vous déteste. Par contre, on aime beaucoup votre frère.

— Mon frère a beaucoup d'amis au village, c'est vrai. Quant à me détester...

— Vos cavalcades avec les officiers polonais ont indigné tout le monde.

— Je n'ai jamais fait de cavalcades avec les officiers polonais. Je n'en connaissais aucun.

— L'accusation qu'on porte contre vous est très grave et je ne peux pas la laisser sans suite. Je dois vous arrêter.

— Eh bien, arrêtez-moi. À quoi cela sert-il d'inventer des fables ? Vous n'avez pas besoin de vous justifier, j'imagine.

— Vous parlez comme une enfant. Savez-vous ce que veut dire passer devant un tribunal révolutionnaire ? Mais écoutez-moi attentivement : je veux vous sauver. J'ai pitié de votre jeunesse, je veux vous donner une chance de vous racheter. Je vous propose de vous engager dans l'Armée rouge.

— Vous plaisantez ?

Son ton, qui s'était considérablement radouci, me le laissait supposer.

— Je ne plaisante pas, c'est très sérieux, au contraire. Je vous offre une planche de salut.

— Vous avez des femmes dans votre armée ?

— Les services de l'arrière peuvent très bien employer des collaboratrices. Des infirmières, par exemple.

— Mais je ne suis pas infirmière !

— Ou des institutrices.

— Oh, camarade, vous ne croyez pas sérieusement que je sois capable de donner des cours aux soldats ! J'en aurais trop peur pour commencer.

Il me saisit les mains et se mit à les serrer. Son visage changea complètement et sa voix devint presque affectueuse.

— N'ayez pas peur, camarade, MA petite camarade... Je vous protégerai, je vous entourerai de collaborateurs dignes de vous. Votre vie sera utile et intéressante, tout le monde vous adorera... Et moi plus que tous les autres !

J'essayai de retirer mes mains et de trouver une réponse à cette proposition ahurissante. Le commisaire, de plus en plus chaleureux, continua :

— Plutôt que de rester dans ce trou, entourée de paysans et de rustres, vous ferez partie d'une équipe de jeunes activistes, énergiques, éclairés. Vous participerez à l'édification de la nouvelle Russie au lieu d'être un parasite de la société condamnée à l'avance. Dites-vous que l'armée a besoin de vous ! Et franchement, moi aussi !

Il se rapprochait toujours plus et je commençai à éprouver une vive inquiétude.

— L'armée ne peut avoir besoin de moi, camarade, bredouillai-je en m'écartant autant que le permettait la meule de foin. Ma place est bien plus auprès de ma famille que dans un convoi militaire. J'y serais parfaitement inutile et très malheureuse.

Je faisais la naïve, celle qui n'avait rien compris à la véritable situation assez dramatique. Je faisais semblant de prendre les choses à la lettre, tout en réfléchissant éperdument au moyen d'échapper au commissaire. Il fallait gagner du temps, voir le commandant, fuir peut-être la nuit venue. Le commissaire parlait toujours :

— Vous aimerez la vie militaire et vous serez avec nous jusqu'à la victoire. Vous comprendrez qu'en dehors du communisme il n'y a pas de salut pour votre patrie. Je vous guiderai, je vous instruirai, je serai votre ami.

De nouveau, il se pencha sur moi et, cette fois, saisit mes deux mains. Sa voix devenait haletante, ses yeux prenaient une expression bizarre. Je me dégageai d'un geste brusque et sautai sur mes pieds.

— Laissez-moi réfléchir, camarade... parler à ma mère.

Il parut dépité par ma réaction et une flamme méchante courut dans ses yeux.

— L'opinion de votre mère ne m'intéresse pas. Elle n'a d'ailleurs aucune importance. Et je vous ferai remarquer que j'aurais pu me passer de la vôtre. J'ai voulu vous montrer de l'amitié en vous faisant une proposition au lieu de vous donner un ordre.

— Et le commandant Chvetz ? Que dira-t-il en voyant une femme dans son régiment ?

C'était la dernière chose à dire, je m'en rendis compte trop tard. D'un bond, il fut en face de moi en criant :

— Le commandant Chvetz n'a rien à voir dans les questions politiques ! Je prends mes décisions sans demander l'avis du commandant Chvetz ! Vous m'entendez ? Je n'ai pas de comptes à rendre au commandant Chvetz ! Si j'ai pris des égards vis-à-vis de vous, c'était pour des raisons personnelles, parce que je ne voulais pas vous effrayer et tenais à votre amitié. Vous me plaisez et je voulais vous plaire aussi.

— Je croyais que vous me trouviez suspecte, réactionnaire et ennemie du peuple.

Il eut un sourire sarcastique.

— Je vous trouve assez amusante : vous savez que je puis vous fusiller et vous me narguez.

— Je ne fais que répéter vos propres paroles. Mais vous avez peut-être parlé à la légère. Comme aussi à propos de cette pétition des paysans...

Une gaffe. Que ne pouvais-je tenir ma langue ? Je m'en rendais compte toujours trop tard. Le commissaire m'inspirait une telle aversion que je ne réussissais pas à me dominer et m'entendais prononcer des paroles que j'aurais mieux fait de garder pour moi.

Je retins mon souffle : allait-il éclater ? Mais non, il ne releva pas ma remarque, au contraire, prit un ton plus conciliant, s'empara de nouveau de ma main et dit :

— Allons, ne nous disputons pas. Je veux une amie auprès de moi pendant la campagne, pas une ennemie. On s'entendra très bien, vous allez voir.

Il ne doutait donc pas de mon consentement, consentement de pure forme, comme il venait de me l'expliquer. Je compris que sa décision était prise et que le reste n'était que comédie. Je tentai malgré tout de lui faire entendre raison.

— Camarade commissaire, je vous prie, abandonnez ce projet. Cela ne pourra marcher comme vous le croyez et ne vous amènera que des ennuis. Les soldats de ce régiment sont loin d'être aussi dociles que vous l'imaginez. Tenez, cette nuit encore...

Je me mordis la langue : j'avais failli trahir le commandant.

Il me jeta un regard soupçonneux.

— Ah, vous les avez entendus ?

— Oh, vous savez, notre aile est assez éloignée...

— Si j'avais été là, ils n'auraient jamais osé. Il faut de la poigne avec cette racaille.

— Vous voyez bien. En ce qui me concerne, vous ne pourrez jamais me défendre contre vos soldats. Si encore j'étais une prolétaire...

— Vous me plairiez bien moins.

Il se rapprocha de nouveau, et je sentis son souffle m'effleurer le visage. Décidément l'affaire prenait une mauvaise tournure.

— Nous allons sceller un pacte d'amitié par une accolade communiste ! cria-t-il en m'enlaçant la taille.

Je le repoussai brutalement, ne pouvant plus contenir mon dégoût et ma peur.

— Laissez-moi ! criai-je éperdue, j'ai compris où vous voulez en venir ! C'est malhonnête et honteux !

— Ah, c'est comme ça que vous le prenez ? hurla Renski hors de lui. Eh bien, vous l'aurez voulu !

Il tourna les talons et fit quelques pas dans l'allée. Puis faisant brusquement volte-face, il me lança en martelant les mots :

— Notre régiment part demain matin. Si, à l'heure du départ, je ne vous trouve pas prête à nous accompagner, je prendrai des mesures pour que vous soyez arrêtée et expédiée sous escorte à la prison militaire. Votre mère et vos sœurs prendront le même chemin. Quant à votre frère, il sera mobilisé. C'est tout ce que j'ai à vous dire.

Cette fois, il partit pour de bon, sans tourner la tête.

La situation paraissait désespérée. Il fallait cependant chercher un moyen d'en sortir.

Maman, quand je l'eus mise au courant de l'ultimatum du commissaire, fut sérieusement alarmée. Notre dernier espoir, croyait-elle, était le commandant. Il nous avait sauvés de la soldatesque insurgée la nuit dernière et nous avait mis en garde contre d'autres dangers. Mais allait-il prendre notre défense contre le commissaire ? Quelles que soient nos chances de ce côté, nous devions les tenter, aussi allai-je chercher le Com-Polk.

Il était dans la salle à manger avec le Com-Bat, penchés tous deux au-dessus d'une carte. Il devait se douter de quelque chose, car, en m'écoutant, il lançait des regards entendus à son camarade.

— Je vais voir votre mère, dit-il en se levant.

Je courus à la cuisine où je trouvai Emmanuel.

— Ça va mal, lui dis-je, nous voilà dans de beaux draps !

Après avoir écouté mon histoire, Emmanuel remarqua :

— Rien ne m'étonne de ce type-là. Avant tout, ne nous affolons pas. C'est un bluffeur et il faut garder son calme pour l'empêcher de nous écraser.

Si cela n'avait été la menace qui pesait sur les miens, la meilleure solution selon moi eût été la fuite. Me cacher dans les broussailles et y rester jusqu'au départ du régiment ? ou m'habiller en paysanne et me réfugier dans le village ? Au cimetière, peut-être, qui était à l'écart et rempli d'arbres et de buissons ? On ne ferait sûrement pas de battue en mon honneur en retardant le départ ! Et après on verrait bien.

L'idée d'exposer ma famille aux extravagances du commissaire m'interdisait toute tentative d'évasion.

Nous nous rendîmes chez Maman et la trouvâmes en compagnie du Com-Polk.

— Je vais vous répéter ce que j'ai dit à votre mère, nous dit-il. Je ne vois qu'un seul moyen pour vous de vous en sortir : jouer le jeu. Allez trouver Renski, mademoiselle, et dites-lui que vous êtes d'accord. Faites mieux, prétendez être enchantée de sa proposition. Priez-le de vous affecter au service médical de l'arrière, et de vous placer sous les ordres du docteur Mihaltchenko. Tenez-vous toujours auprès de ce dernier et faites-lui confiance. C'est un homme honnête et bon qui vous protegera par tous les moyens en son pouvoir. Je vais tout de suite le mettre au courant. Je ne puis malheureusement pas empêcher le commissaire d'en faire à sa tête, mais je vous promets d'obtenir votre libération dans quelques jours, dès que nous serons entrés dans le pays ennemi. N'essayez pas de fuir, ce serait dangereux et vous mettrait dans votre tort. Et vous — il s'adressait à Emmanuel —, engagez-vous en meme temps pour rester auprès de votre sœur.

Emmanuel était consterné : abandonner Maman à un moment pareil ? Qu'allait-elle devenir seule avec ses enfants et une aveugle ? Les agents de Renski avaient-ils l'intention de la chasser de la maison ? N'allaient-ils pas la brutaliser, la dépouiller de tout ?

— Je comprends votre problème, dit le Com-Polk, mais je ne vois pas d'autre solution. Il faut parer à l'immédiat et tâcher d'éviter le péril le plus proche. Je crois les agents de Renski capables de tout et désapprouve absolument la manière d'agir du commissaire. Mais c'est tout ce que je puis faire. Comprenez-moi bien : je ne puis déclarer une guerre ouverte à un commissaire politique, il serait en mesure de m'arrêter moi-même sous prétexte de sympathies contre-révolutionnaires. Je ne puis vous aider qu'indirectement, en m'adressant à mes chefs militaires.

Pauvre Maman, elle était toute bouleversée mais parvint quand même à prononcer d'une voix ferme :

— Veillez sur ma fille, commandant, votre protection est tout ce qui nous reste.

Maman n'employait pas l'expression « camarade » et ses paroles avaient un léger parfum « ancien régime ». Le geste du commandant l'eut encore plus, car il se leva, lui prit la main et la baisa !

— Je vous donne ma parole d'honneur, dit-il d'une voix grave, que le docteur et moi veillerons sur votre fille.

Décidée à suivre les instructions du Com-Polk, je guettai le retour du commissaire qui, m'avait-on dit, était en inspection au village. Je faisais les cent pas sur la terrasse en préparant mon discours, quand je vis sa calèche entrer dans l'allée.

Je répétai mon rôle : avant tout dominer mon antipathie ; cacher mon jeu sous un aimable sourire ; j'irais jusqu'à m'excuser de mon geste brusque et inconsidéré, et prétendrais avoir mal interprété les pensées si nobles du commissaire.

Dans mon for intérieur, je serais fortifiée par la certitude que le commandant et sans doute aussi les autres officiers étaient avec nous. Même pourvu de pouvoirs quasi illimités, le Voyenn-Com n'oserait pas s'attirer l'animosité de tous les cadres. Du moins je le pensais.

Le premier objectif à atteindre était d'écarter les représailles des Polit-Rouks et, pour cela, obtenir que Renski leur donnât l'ordre de modérer leur zèle.

Je comprenais que l'attitude du commandant n'était pas dictée uniquement par le sens de la justice ou la sympathie. On ne pouvait pas en demander autant à un « ennemi de classe ». Son premier souci était la discipline, fort en danger, comme l'incident de la nuit l'avait prouvé. On s'approchait de la frontière et bientôt de la zone de combat. Il voulait se débarrasser de nous avant cette date. Il ferait donc sûrement des démarches pour y arriver.

Je trouvai le commissaire dans la bibliothèque où il s'était comme d'habitude entouré de cartes et de papiers, la machine à écrire de Papa posée à côté. En me voyant devant la porte, il prit un air arrogant et me lança un regard interrogateur.

— Camarade Voyenn-Com, dis-je en faisant semblant de ne pas remarquer son air hostile, j'ai réfléchi à votre offre de nous accepter, mon frère et moi, dans les services de l'armée. Vous avez raison, notre vie ici n'est pas utile, tandis que sous la direction du docteur nous pourrons aider à soigner les malades, soulager des souffrances...

L'attitude de Renski changea instantanément. Sautant sur ses pieds, il courut vers moi et me saisit les mains.

— À la bonne heure ! Je vois que vous êtes une fille sensée ! On vous engagera comme infirmière, et le docteur en sera ravi ! Allons le trouver tout de suite.

Renski ne faisait rien sans se pavaner, aussi fut-ce sur un ton emphatique et théâtral qu'il annonça la nouvelle.

— Camarade docteur ! je vous donne une collaboratrice qui enlèvera un grand poids de vos épaules ! Et son frère vous libérera de tous les travaux de bureau.

Le visage du docteur exprima un immense étonnement. Il était évident que le commandant ne l'avait pas encore mis au courant des complications qui l'attendaient.

— Mais je n'ai besoin de personne ! s'exclama-t-il avec franchise. Vous savez très bien que sauf quelques panaris...

Renski lui coupa la parole :

— Camarade, j'ai décidé d'organiser nos services médicaux, et je vous prie de me laisser faire.

Le docteur se tut et posa sur moi un regard stupéfait. Si j'avais eu l'aspect d'une victime terrorisée, il aurait compris, mais mon calme le déroutait. Il me tardait de lui révéler le fond du problème.

— Nous donnerons un certificat à votre mère, reprit le Voyenn-Com, attestant l'engagement dans l'armée Rouge de ses enfants. Munie d'un pareil document, elle n'aura plus rien à craindre de personne. Au contraire, elle possédera un titre à la considération générale.

Ce détail me combla de joie. Quoi qu'il arrive, me dis-je, voilà déjà une manche de gagnée. L'idée que Maman serait hors de danger augmenta mon courage, et je n'eus plus à feindre mon contentement.

Renski continuait à pérorer :

— Vous aimerez la vie militaire ! Je vous l'ai déjà dit, camarade. Nous sommes comme une grande famille, nous autres, les guerriers. Nous sommes, si vous voulez, des frères. Il ne nous manquait qu'une sœur ! Grâce à moi, nous l'aurons. Vous apporterez la détente et le sourire dans notre vie austère !

À ce moment, le Com-Bat Skrinnik apparut dans la porte et le commissaire lui annonça la bonne nouvelle :

— Camarade Com-Bat ! Je vous présente notre nouvelle collaboratrice. Elle et son frère viennent de s'engager dans les services auxiliaires de notre régiment.

— Collaboratrice ? fit Skrinnik.

— Parfaitement. Cela vous étonne ? Vous ne trouvez pas normal que ces jeunes gens souhaitent apporter leur concours à la cause commune ?

— Ma foi non, bredouilla le Com-Bat. Je ne vois pas du tout ce qu'ils peuvent faire dans l'armée... En tout cas la demoiselle. C'est la guerre, il y aura des batailles...

— Justement, il y aura des blessés, et rien ne peut remplacer les mains féminines pour soulager les souffrances.

— Mais pour cela il faut s'y connaître... Mademoiselle me paraît bien jeune...

— Habituez-vous à l'appeler camarade, coupa Renski. Et laissez-moi le soin de choisir nos collaborateurs !

La réaction de Skrinnik le rembrunit et réveilla sa méfiance. Ses sautes d'humeur étaient subites et étranges, et ses accès de colère aussi peu fondés que ses enthousiasmes. Il me regarda d'un air soupçonneux.

— Vous me trompez peut-être ? Si vous espérez vous sauver,

je vous préviens que cela ne vous réussira pas. Je vous conseille de rester loyale.

— Voyons, camarade, pourquoi voulez-vous que je me sauve ? Maintenant j'ai compris quel avantage représente mon entrée dans l'armée. Je pensais, au contraire, aller faire ma valise.

Son visage s'éclaira aussitôt et, tandis que je me dirigeais vers la porte, il cria d'une voix gaie :

— N'emportez que le nécessaire ! Nous autres militaires n'avons pas l'habitude de nous encombrer de bagages !

C'était une façon de parler : pour les besoins de ses soixante-dix hommes le régiment traînait après lui cent soixante voitures de convoi !

Une nouvelle alarmante nous parvint le soir même au sujet de Papa. Loukian revint seul de Nouvelle-Ouchitza et à pied. Le voyage de Papa s'était terminé en prison...

À une dizaine de kilomètres de la ville, raconta Loukian, alors que la voiture roulait en rase campagne, une troupe de cavaliers surgit d'on ne sait où et leur barra le chemin. Papa dut descendre de voiture et fut brutalement fouillé et débarrassé de sa bourse. Le voyage continua sous escorte et aboutit en prison.

Loukian fut relâché le lendemain. Il se hâta de quitter la ville et revint sans avoir vu Papa, mais garda l'impression qu'il était toujours incarcéré. Nouvelle-Ouchitza était aux mains des Rouges.

L'allée d'arrivée bordée d'une haie vive montait au château d'un trait et se terminait en boucle autour d'un grand rond-point. C'est au fond de cette boucle que, jadis, stationnaient nos équipages en attendant l'ordre d'avancer. Quand les chevaux énervés par l'attente commençaient à s'agiter, les cochers les lançaient autour de la pelouse pour les calmer. Ces images d'un passé déjà lointain me revenaient à l'esprit tandis que je regardais les trois voitures alignées derrière le rond-point. Mais les chevaux, cette fois, étaient misérables, les harnachements disparates et rafistolés. Les soldats remplaçaient les cochers sur les hauts sièges. Seules les calèches étaient belles et faisaient un drôle d'effet auprès de leurs pauvres attelages. Elles sortaient de nos remises où, faute de chevaux, on les avait abandonnées.

En les voyant devant le perron, je compris les paroles énigmatiques du commissaire :

— Je vous réserve une surprise...

C'est par une merveilleuse matinée de juillet, sous un dais de rosiers épanouis, que se déroula la scène des adieux. Elle resta dans tous ses détails gravée dans ma mémoire à jamais : Maman calme et recueillie, mais mortellement pâle ; nos sœurs auprès d'elle les yeux remplis de larmes ; Vassilevska la tête légèrement rejetée en arrière, le visage immobile et attentif ; Génia bouleversée par la peur, mais malgré tout intriguée et curieuse ; le Com-Polk affectant un air indifférent et détaché ; le Com-Bat sa pipe au coin de la bouche, la mine entendue et un sourire un peu goguenard ; Serpouhov et Akoulkine arrogants se sentant déjà maîtres du terrain ; le docteur plus triste que jamais ; le commissaire important et autoritaire ; nous enfin dominant avec peine notre émotion.

À quelque distance de là, au pied de la haie vive, plusieurs paysannes nous observaient curieuses et effrayées. La nouvelle de notre enlèvement avait dû se répandre dans les environs et elles n'avaient pu résister à la tentation d'assister au spectacle. La vieille Anna, mère de Stéphane, que Maman avait si souvent soignée, la grand-mère de Loukian qui nous avait chaque été apporté des fraises des bois et des champignons, la petite Théodora qui me fournissait des pigeons blancs que j'élevais dans le grenier de la mezzanine, ces amies de toujours, ces témoins de notre enfance, versèrent quelques larmes. Elles ne doutaient pas que notre compte nous serait réglé au premier carrefour.

Avant de monter dans sa voiture, le commandant vint

prendre congé de Maman et s'éloigna aussitôt sans mot dire. Le docteur lui baisa la main et dit d'une voix chaude et émue :

— J'ai déjà une sœur, à présent j'en aurai deux...

Le commissaire, grand seigneur, s'approcha à son tour la main tendue. Mais cette main resta en l'air. Et on entendit la voix de Maman grave et claire :

— Dieu existe, ne l'oubliez pas.

Le commissaire resta quelques instants interloqué, mais retrouva aussitôt tout son aplomb et se mit à hurler :

— Silence ! ou je vous fais fusiller sur-le-champ ! C'en est fait de votre arrogance ! Vous n'aurez plus le loisir d'opprimer les paysans ! L'heure est venue pour vous de répondre de vos crimes !

Là-dessus, il tourna les talons et se dirigea vers sa voiture.

Un silence de glace régna quelques secondes, personne n'osait respirer. Puis Maman se tourna vers nous, nous embrassa et nous bénit.

Sur un signe du commandant, je montai dans sa voiture et pris place auprès de lui. Skrinnik s'installa en face de nous. Le soldat ramassa les rênes, claqua le fouet et fit partir les chevaux. J'essayai d'apercevoir encore une fois Maman, mais la capote de la calèche rejetée en arrière me cachait la vue.

Nous descendîmes l'allée, franchîmes le portail, longeâmes l'étang. À la ferme, nous fîmes une longue halte sur la place où le convoi prêt au départ attendait les ordres du commandant.

Pendant que les chefs discutaient avec leurs hommes, le commissaire instruisait deux paysans qui l'écoutaient avec ferveur. Et ces deux-là étaient les deux plus grands bandits du village. C'est à eux que Renski confiait le soin de former le comité révolutionnaire.

En traversant le village, nous ne rencontrâmes personne. Je regardai l'église, l'école, les croix blanches du cimetière, les hautes clôtures en osier tressé. Quelques paysannes adossées aux palissades nous dévisagèrent avec curiosité, quelques chiens aboyèrent derrière les enclos.

Dès la sortie du village, la route descendait brusquement vers la vallée de la rivière Ouchitza. Ses zigzags raides et fantaisistes à travers les rochers et les plaques de schiste faisaient gémir les véhicules et se cabrer les chevaux. Nous suivions à pied nos équipages, à une certaine distance pour éviter la poussière que soulevaient les roues.

La vallée était aussi verdoyante et fertile qu'étaient arides les deux versants de son ravin. De riants hameaux, des jardins, des cultures maraîchères s'étendaient à l'infini et ressemblaient à un immense tapis bariolé.

Un pont de bois vermoulu reliait les deux rives. Un vieux moulin tapi au bord de l'eau dressait sa grande roue à aubes qui tournait, poussée par le courant, avec un clapotis incessant. Mais les portes du moulin étaient closes et les alentours déserts.

Nous fîmes halte sur une petite place à l'ombre d'un grand tilleul penché au-dessus d'un puits. Les soldats abreuvèrent les chevaux exténués et allèrent se reposer eux-mêmes sous les saules. Le Com-Polk et le Com-Bat nous quittèrent pour discuter de choses militaires sans être dérangés. Le commissaire tournait autour du moulin, comme si son aspect désolé lui paraissait suspect. Depuis son explosion, il restait morose et taciturne.

Nous restâmes donc seuls avec le docteur et nous assîmes auprès de lui sur la margelle du puits. Mais le pauvre homme était toujours aussi abattu et ses pensées semblaient ailleurs.

L'ascension de l'autre versant fut lente et pénible. Le soleil était implacable, la montée raide. Il fallut encore une fois alléger les voitures et faire le trajet à pied. Pour échapper aux rayons cuisants du soleil, nous prîmes à travers un taillis clairsemé en suivant un sentier de chèvres.

Je me sentis soudain terrassée par la fatigue. Je luttai désespérément avec un malaise grandissant, mais ne pus le surmonter. Tout s'embrouilla devant mes yeux et je plongeai dans le noir. J'ai dû m'écrouler sur le bord du sentier.

En revenant à moi, je vis Emmanuel et le docteur se

penchant sur moi et, a quelques pas, le commandant nous regardant d'un air consterné. Je l'entendis dire d'une voix irritée :

— Laissez-la donc rentrer chez elle ! À quoi cela sert-il ?

— C'est rien, répondit le commissaire qui s'était approché, elle va s'y faire !

On me fit remonter dans la calèche que je ne quittai plus.

Le ravin franchi, nous sortîmes dans la plaine, immense, uniforme jusqu'à l'horizon. La route était déserte, monotone, sans fin. L'épaisse poussière que nous soulevions nous enveloppait, nous suivait, étouffait les chevaux.

Il était deux heures quand nous arrivâmes enfin au lieu de notre première étape, le village Krouchanovka sur le Dniestr. Le village paraissait mort, le vide dans les rues était frappant. Jadis l'apparition d'un équipage, d'un cavalier ou d'un simple passant éveillait la curiosité générale. Les gamins couraient vers la route, les femmes surgissaient sur les seuils des maisons, les volailles apeurées s'envolaient en caquetant, les chiens s'étranglaient d'aboiements frénétiques en poursuivant les équipages. La route déserte et silencieuse qui nous accueillit semblait appartenir à un autre monde. Je me rappelai que Sidorenko et ses hommes étaient passés par là avant nous.

Nos voitures foncèrent vers la maison du prêtre avec un sans-gêne tout militaire et entrèrent dans la cour à toute vitesse. La porte s'ouvrit au même instant et plusieurs femmes se précipitèrent à notre rencontre en poussant des exclamations de bienvenue.

Nous entrâmes dans un modeste salon. Renski, retrouvant son ton autoritaire, fit les présentations :

— Des amis pour le déjeuner ! Commissaire politique Renski, le commandant Chvetz, le chef de bataillon Skrinnik, le docteur Mihaltchenko, notre collaboratrice !

C'était moi. Je vis tous les regards se poser sur ma personne et je devinai ce qu'on pensait. C'était pénible et honteux. J'attendais avec impatience l'occasion de les détromper.

Nous nous assîmes autour d'une grande table ronde tandis que la famille du prêtre s'affairait à la cuisine.

— Royaume de femmes ! dit le commissaire avec son détestable ricanement.

À ce moment, comme pour démentir la remarque, un jeune homme entra dans la pièce. Il portait l'uniforme du séminaire, veste et pantalon noirs avec une ceinture à boucle en cuivre. Il se présenta :

— Prêtre Nadolski.

Je le regardai avec étonnement, c'était la première fois que je voyais un prêtre en uniforme d'écolier. Je sus plus tard qu'il venait d'être ordonné et n'avait pas pu, vu les circonstances, se procurer de vêtements sacerdotaux. Il vivait avec sa mère, sa tante et ses trois sœurs. Sa jeune femme était absente.

Nos hôtesses s'agitaient, allaient, venaient, dressaient la table. Une bouteille de vodka, des concombres salés et des harengs devaient nous faire patienter pendant qu'à la cuisine on égorgeait des poulets et préparait le repas, en puisant sans aucun doute dans les dernières réserves du garde-manger familial.

J'étais gênée de me trouver parmi ces hôtes non désirés, j'avais honte de profiter d'une hospitalité dictée par la peur.

Renski, par contre, se sentait comme chez lui et n'arrêtait pas de pérorer. Le commandant fumait en silence, le Com-Bat s'était concentré sur les concombres et le docteur se versait verre sur verre.

La bouteille était vide quand arriva enfin le plat. Le commissaire découpa les poulets et nous servit lui-même. Il m'entourait de prévenances, me conseillait de me fortifier, me versait à boire, racontait des anecdotes.

Mais à peine le déjeuner terminé, il reprit son air féroce, ajusta la gaine de son revolver et sortit. Nous comprîmes qu'il allait faire son tour d'inspection dans le village. Le docteur soupira et proposa à Emmanuel d'aller faire la sieste dans la meule de foin qu'on apercevait au fond du jardin.

— Allez donc rejoindre ces dames, me dit le Com-Polk en se levant, et il ajouta en s'adressant à Mme Nadolski :

— Je vous prie d'héberger mademoiselle pour cette nuit.

— Mais certainement ! s'exclama-t-elle, j'allais vous le proposer.

Dévorées par la curiosité, toutes les femmes de la famille se réunirent autour de moi dans une chambre dont on ferma soigneusement la porte. Mme Nadolski, visiblement gênée, cherchait les mots pour me demander pourquoi je voyageais avec ce régiment. Je racontai en détail les événements qui avaient provoqué cette situation.

Ce fut un chœur de lamentations et d'expressions de sympathie. Sans connaître personnellement nos parents, les Nadolski les connaissaient de nom et savaient où se trouvait notre propriété.

Croyant qu'en qualité de collaboratrice de l'Armée rouge j'étais renseignée sur les événements, mes nouvelles amies me bombardèrent de questions : Ces militaires étaient-ils de vrais bolcheviks ? Où allaient-ils ? Où étaient passés les Polonais ? Qu'étaient devenus les Ukrainiens ? Qu'allait-il se passer ?

Je les assurai que j'étais aussi ignorante qu'elles et que mes « camarades » ne me faisaient pas de confidences. Je ne pouvais juger que d'après ce que je voyais. Cela m'avait l'air d'une opération de grande envergure. Sans aucun doute l'Armée rouge avançait vers la frontière polonaise. Mais de là à connaître l'avenir...

— Le moment est peut-être venu de traverser le Dniestr, dit une des jeunes filles.

J'appris que toute la famille se tenait sur le qui-vive, les yeux fixés sur la rive roumaine.

Je regardai ces femmes avec admiration : je n'avais jamais vu tant de beautés réunies. Elles avaient toutes des traits classiques avec d'immenses yeux noirs et des sourcils arqués. Même la mère et la tante, malgré leurs cheveux grisonnants, ne cédaient en rien à la beauté des jeunes filles.

Un léger coup à la porte nous annonça le père Nadolski. On le mit au courant de mon aventure et il en fut très ému.

— Allons faire un tour, proposa-t-il. Sur les falaises nous ne recontrerons personne et pourrons parler librement.

Nous sortîmes discrètement par la cuisine, le père Nicolas, sa tante Mme Antonov et moi. Un sentier filait parmi d'épais fourrés de framboisiers menant au fond du jardin. La clôture s'était inclinée sous le poids des ronces et nous pûmes l'enjamber pour sortir sur un vaste terrain nu qui s'étendait jusqu'aux pentes du ravin. Au fond de l'immense vallée serpentait le Dniestr.

Nous nous assîmes sur une énorme dalle lisse suspendue comme un balcon au-dessus du vide. Une brise légère courait dans la vallée et balayait l'air surchauffé de la journée. Les rayons obliques du soleil déclinant donnaient des reflets dorés aux méandres du fleuve.

— Quelle belle vue, n'est-ce pas ? dit le père Nicolas.

— Et cette Bessarabie en face ! soupira Mme Antonov. Je voudrais bien y être...

— C'est une obsession chez nous, remarqua le père Nicolas, passer en Bessarabie.

— À votre place, dit Mme Antonov, je me serais sauvee. J'aurais essayé de traverser le Dniestr.

— Nous avons peur des représailles. Avez-vous bien regardé le commissaire ?

— Il a une drôle de manière de vous dévisager en plissant les yeux. C'est très déplaisant.

— Si ce n'était que ça... Il est malheureusement dangereux et par surcroît cinglé. Dieu merci, le commandant est un homme convenable. Il nous a promis de faire des démarches pour nous libérer.

— Je ne l'aurais pas cru, dit Mme Antonov, il n'est en somme qu'un bolchevik. Dites donc, comment les appelez-vous, ces bandits ?

— Com-Polk veut dire commandant du régiment, Voyenn-

Com, commissaire militaire. Et le petit trapu qui aime les concombres, c'est Com-Bat, le commandant de bataillon.

— Les idiots.

— Écoutez-moi, dit le père Nicolas, j'ose à peine vous donner des conseils, mais voici ce que je pense : si vous croyez que le commandant tiendra parole, il vaut mieux patienter. J'ai l'impression que pour le moment vous ne courez aucun danger. Mais il serait risqué de prolonger ce voyage en pareille compagnie.

— Le docteur est pour nous.

Le jeune prêtre soupira.

— Le docteur essaie de noyer dans l'alcool son propre désespoir. Que peut-il d'ailleurs contre ses chefs militaires ?

— Je ne vous cacherai pas, avoua Mme Antonov, qu'en vous voyant parmi ces bandits...

— Je sais. C'est très pénible pour moi de susciter de pareils soupçons.

— Regardez bien le village en face, dit le père Nicolas. Nous ne pouvons plus communiquer avec la rive roumaine, mais il nous reste nos yeux. Cette frontière si sévèrement gardée ne peut nous empêcher de voir ce qui se passe sur l'autre bord. Les gens travaillent, cultivent leurs champs, ne manquent de rien Les vaches descendent s'abreuver, les moutons grimpent sur les coteaux. Les femmes lavent leur laine dans le fleuve et l'étalent sur la berge pour la sécher. Les enfants se baignent avec leurs chiens. Et dire que tout cela nous l'avions aussi, sans jamais nous douter que cela pouvait devenir un bonheur inaccessible !

— Je comprends les Roumains, remarqua Mme Antonov, ils ont peur de nos désordres et ont raison de se clôturer. À leurs yeux nous sommes des pestiférés.

— Les contrebandiers réussissent à traverser malgré tout, mais c'est au risque de leur vie.

— Le jour viendra, dit Mme Antonov, où je ferai comme eux.

— Moi aussi, murmura le jeune prêtre.

— Je veux que vous sachiez ceci, dit Mme Antonov, si après tout vous décidez de vous évader, venez chez nous. Nous vous cacherons et vous mettrons en rapport avec des passeurs sûrs.

— Mais ne soufflez mot à personne, recommanda le père Nicolas. Une parole imprudente peut vous perdre.

— Ne craignez rien, nous commençons à avoir l'expérience. Mais nous devons absolument revoir nos parents avant de décider quoi que ce soit.

— Rentrons, dit le prêtre en se levant, il faut penser au repas du soir. Il faut pour le salut de tous que la journée se termine sans incidents et que vos « camarades » emportent une impression favorable de notre maison.

Une grande agitation régnait dans la cuisine : Mme Nadolski faisait un grand borchtch et un pâté au chou. Il n'y avait plus de vodka dans la maison, et la pauvre femme s'en faisait du souci.

— Il faut de l'alcool pour les militaires, ils n'aiment rien autant que cela !

— Tant pis, dit Mme Antonov qui avait l'esprit plus téméraire. Ils ont assez bu, le docteur surtout. Je me réjouis au contraire qu'ils soient obligés de s'abstenir.

Je me tenais auprès de la famille, résolue de ne plus la quitter jusqu'au lendemain. J'acceptai donc avec joie l'invitation de Mme Nadolski de partager leur repas à la cuisine. Mais le Voyenn-Com vint me réclamer et je dus le suivre dans la salle à manger et prendre place à côté de lui.

Le père Nicolas posa la soupière fumante au milieu de la table et Renski, saisissant la louche, me la tendit en criant :

— C'est vous qui allez nous servir ! Votre collaboration commence ce soir avec cet excellent borchtch ! Vous allez créer une atmosphère cordiale, si précieuse pour le moral des combattants !

Je servis le borchtch, mais l'atmosphère ne changea pas pour autant et resta assez pénible. Il y avait cependant un stimulant : un litre de vodka sorti de la musette du docteur. Personne ne fit de remarque, car tout le monde savait, et je le sus plus tard moi-même, que le docteur se procurait de l'alcool dans les pharmacies à l'aide de certificats médicaux.

Le commissaire était de bonne humeur. Il me débitait des compliments stupides mêlés de vantardise et de slogans politiques.

Le Com-Bat le regardait d'un œil narquois sans entrer dans la conversation. Le regard du docteur se voilait rapidement et prenait une expression vague.

Pour me débarrasser du commissaire, je lui dis que mon malaise du matin menaçait de revenir et que je devais aller me coucher. Le docteur, à travers les vapeurs qui embrumaient son esprit, saisit mes paroles et les confirma. Je pus ainsi me sauver et retourner à la cuisine. Une des sœurs du prêtre me céda son lit et déménagea elle-même sur un étroit canapé dans la chambre de sa mère.

Le presbytère n'était pas grand et la nombreuse famille qui l'habitait était déjà à l'étroit. Il n'y avait pas beaucoup de place disponible, et celle-ci était toute relative, comme le salon qui servait en même temps de salle à manger, le vestibule et la chambre du prêtre. Le père Nicolas offrit son lit au commandant et un matelas par terre au Com-Bat, puis transporta ses propres quartiers au grenier. Les autres camarades durent se contenter de simples sacs de foin étalés sur le plancher. Emmanuel eut le commissaire comme voisin de nuit.

Le lendemain matin, voyant mon frère assez défait, je lui demandai s'il avait pu dormir sur son sac de foin.

— Ce n'est pas le sac de foin qui m'a empêché de dormir, mais le commissaire. Il a péroré pendant des heures et m'a fait des confidences. Il paraît que je lui inspire une débordante sympathie ! Il ne regrette qu'une chose : que ma sœur ne me ressemble pas. Il m'a chargé de t'influencer pour que tu sois moins fière.

Le départ était annoncé pour sept heures, car on voulait

profiter de la fraîcheur matinale. Nos hôtes nous servirent du café d'orge grillée que nous bûmes rapidement. Je fis mes adieux aux Nadolski à la cuisine et ils renouvelèrent leur promesse de nous aider.

L'étape suivante fut longue et monotone à travers un pays plat et déboisé. Les chevaux trottaient sans entrain sur une route poussiéreuse, s'ébrouaient et secouaient la tête. Parfois Skrinnik faisait signe aux soldats d'arrêter et allait chercher un tournesol gros comme un plat. Il en grignotait les graines avec délice et nous en distribuait des poignées.

Un village se profila enfin au bord de la plaine et l'idée de l'étape, à présent proche, ranima les passagers et les chevaux.

Le village paraissait abandonné et nous ne vîmes âme qui vive. Quelques chiens aboyèrent au passage des équipages, quelques têtes apparurent furtivement derrière les petits carreaux des fenêtres, et ce fut tout.

Comme d'habitude les voitures stoppèrent devant le presbytère et Skrinnik alla frapper à la porte. Mais celle-ci resta close et les volets baissés.

— Les oiseaux se sont envolés, dit le commandant en examinant la porte bouclée.

— Des ennemis de la Révolution, des réactionnaires, murmura Renski entre ses dents.

Le Com-Polk haussa les épaules.

— Vous tirez vite des conclusions. Que savez-vous de ces gens ? Ils sont peut-être morts. Allons chez le maître d'école.

— Mais où est l'école ? dit le Com-Bat. À qui demander ?

Un bâtiment triste et laid, sans jardin, sans clôture, planté au centre d'une petite place nue non loin de l'église, avait tout l'air d'une école. Skrinnik allait frapper à la porte quand elle s'ouvrit brusquement. Un jeune homme débraillé s'élança vers nous les bras tendus.

— Mes amis ! Mes chers amis ! cria-t-il d'une voix pathétique, je vous attendais avec impatience ! Entrez, entrez ! Tout ce que je possède est à vous ! Je regrette seulement que ce soit si peu de chose ! Hélas, je ne puis vous faire honneur comme je le voudrais !

Je jetai un regard sur le commissaire : voilà un accueil selon son goût...

Nous suivîmes le jeune homme dans un couloir sombre et sale et entrâmes dans une chambre à peine meublée. Notre hôte ne tarissait pas :

— Je vais courir au village et essayer de trouver des provisions. Je n'aurai qu'à dire pour qui ! Pour de pareils visiteurs rien ne sera assez beau et chacun voudra donner ce qu'il a de mieux !

Là-dessus, il s'élança vers la porte.

— Attendez, attendez ! cria le commissaire, ne vous sauvez pas comme ça ! J'ai à vous parler..

Mais l'instituteur était déjà dans la rue et fit semblant de ne rien entendre. Pressentant un mauvais repas et des quartiers inconfortables, Renski arpentait les pièces de fort mauvaise humeur. L'absence de la famille du maître d'école et le visible abandon de la maison éveillaient ses soupçons.

— Ils ont tous filé, comme ceux du presbytère, remarqua-t-il d'un ton irrité. À la suite des Polonais, peut-être.

L'instituteur ne rapporta que quelques œufs et du fromage sec et salé. Contrairement à ses prévisions optimistes, la population ne s'était pas montrée très généreuse.

— Vous n'avez pas de vin ? demanda Renski en examinant d'un air maussade le modeste ravitaillement.

— Du vin ? s'exclama l'instituteur avec étonnement. C'est bien la première chose qui a disparu !

— Ah bon ! Alors du lait ?

— Du lait ? Mais il n'y a plus de vaches ! Ce fromage est du fromage de chèvre.

— Enfin, déjeunons de ce qu'il y a, dit le Com-Bat qui en avait vu d'autres et n'était pas comme le commissaire un novice de la guerre. Il en connaissait tous les inconvénients, mais aussi toutes les chances. Il ajouta avec un sourire malin et entendu :

— Le convoi sera là dans deux, trois heures. Attendez que nos hommes s'y mettent... Je vous promets un meilleur dîner... !

Nous ignorions comment le Com-Polk maintenait la liaison avec son état-major, mais il était évident que ce jour-là il reçut une communication urgente. À peine arrivé dans le village, il s'absenta un long moment et revint préoccupé et pressé de repartir.

Il faisait encore chaud et les chevaux étaient mal reposés quand nous reprîmes nos calèches. Cette fois, je dus déménager dans la calèche du docteur, un militaire inconnu ayant pris ma place. Le docteur était absent et nous nous trouvâmes, Emmanuel et moi, enfin seuls ! C'était une aubaine inattendue même si la présence des deux soldats ne nous permettait pas de parler librement.

À la nuit tombante nous arrivâmes à Stoudenitza, grand bourg sur le Dniestr, et cette fois le prêtre et sa femme étaient sur place.

Le fracas que faisaient les roues de nos voitures sur les pierres de la cour dut avertir la maîtresse de la maison, car elle surgit sur le seuil avec un sourire épanoui. Et nous souhaita la bienvenue... en ukrainien ! Elle récitait comme une leçon apprise des phrases élaborées pour la circonstance. Je compris son erreur : elle prenait nos bolcheviks pour des Ukrainiens.

La région dans laquelle nous avions pénétré avait été encore tout récemment le théâtre de combats et de mouvements de troupes, et nos compagnons rouges, sans uniformes, ressemblaient à s'y tromper aux soldats de Pétlioura.

Pour empêcher la pauvre femme de se compromettre davantage, je m'approchai d'elle rapidement et, en faisant semblant de demander où se trouvaient les toilettes, lui soufflai à l'oreille :

— Ce sont des bolcheviks, méfiez-vous...

Elle pâlit et se mit à parler russe en multipliant les sourires. Dès qu'elle le put, elle se sauva à la cuisine où je la rejoignis peu après.

Je vis avec stupéfaction que la table était couverte de plats dont l'abondance, après la pénurie de l'étape précédente, paraissait miraculeuse.

Avant d'aborder les autres sujets, je la mis au courant de ma situation afin de m'assurer un gîte pour la nuit.

Tout émue par la gaffe dangereuse qu'elle venait de faire, elle me remercia de mon intervention et promit de me loger dans un coin isolé. Elle m'interrogea ensuite sur les événements qu'elle ignorait et je racontai ce que je savais. De son côté, elle m'expliqua la cause de son erreur : il n'y avait pas vingt-quatre heures, sa maison était pleine d'Ukrainiens. Les victuailles étalées sur les tables étaient les restes du festin de la veille.

Nous parlions à voix basse et en surveillant la porte, mais, pour plus de sécurité, je me penchai à son oreille :

— Où sont les Ukrainiens ?

Elle fit un geste vague.

— Je n'en sais rien. Je ne sais même pas qui se bat contre qui.

— Pourquoi restez-vous là ?

— Nous avons été surpris du jour au lendemain et les transports étaient coupés. Nos enfants sont à Kiev, mais nous en sommes sans nouvelles depuis des mois. Ici, à Stoudenitza, nous les avons vus tous passer : Allemands, Autrichiens, Polonais, Ukrainiens... Il ne nous manquait que les bolcheviks !

— Comment vous êtes-vous procuré tant de vivres ? Le pays paraît dévasté.

— C'étaient les hommes de Pétlioura...

— Cela vous servira pour ce soir...

Le dîner, en effet, fut somptueux, la femme du prêtre s'étant décarcassée la veille pour les Ukrainiens. Le souvenir de cette soirée est resté dans ma mémoire comme un tableau vivant, étrange et coloré. L'atmosphère qui se créa spontanément autour de la grande table était, en dépit de toute logique, chaleureuse et amicale. C'était comme si chacun, par besoin de détente, avait remis ses soucis au lendemain.

Le Voyenn-Com rayonnait, mangeait à belles dents, louait le pâté de volaille, arrosait ses *vareniki* [1] au fromage blanc de crème fraîche, dégustait les champignons marinés. La saucisse ukrainienne fit la joie du Com-Bat et le docteur accompagnait ses innombrables verres de vodka de bonnes bouchées de chaque plat. Le commandant éprouva le désir d'adresser ses compliments au maître de céans pour une si large hospitalité. Celui-ci ne put que les accepter sans souffler mot sur l'origine de cette abondance.

Poussé par le commissaire, Skrinnik se mit à raconter des histoires.

— Écoutez bien, me dit Renski d'un ton confidentiel, c'est l'esprit du peuple russe !

— Connaissez-vous l'histoire de la puce de Pierre le Grand ? demanda le Com-Bat.

C'était évident qu'il voulait la raconter. Il ne posait la question que pour la forme.

— Tout le monde la connaît, répondit le docteur qui n'avait jamais l'humeur gaie.

— Racontez ! cria le commissaire, tant pis pour le camarade docteur si elle ne l'intéresse pas !

— Eh bien, voilà, se lança Skrinnik, Pierre le Grand, comme vous le savez peut-être, aimait la technique. Pour l'apprendre il allait souvent à Amstredam en Allemagne.

— Amsterdam ! corrigea le docteur. Et notez qu'Amsterdam est la capitale de la Hollande.

— C'est bien possible, dit le Com-Bat imperturbable. Il y allait pour voir faire des machines.

Le docteur haussa les épaules mais n'intervint plus, portant toute son attention sur le carafon de vodka.

1. Raviolis russes au fromage blanc.

— Eh bien ? Eh bien ? insista Renksi.

— Rentré chez lui, le tsar resta pensif et le repos le quitta. Comment ces diables d'Allemands étaient-ils devenus si adroits ? Est-ce que les Russes seraient capables de fabriquer des machines aussi compliquées ? Le tsar en perdit le sommeil. Un jour, c'était l'anniversaire du tsar...

— Ha, ha, ha ! l'interrompit Renski, vous y ajoutez ! Mais peu importe, continuez !

— Eh bien, ce jour-là le tsar reçut la visite du ministre de son cousin le roi de Prusse. Le ministre lui remit un cadeau que lui envoyait le roi. C'était une petite boîte en or. Le tsar l'ouvrit et vit... que la boîte était vide ! Il crut que c'était une plaisanterie et allait se fâcher, quand le ministre prussien s'inclina et dit :

» — Que Votre Majesté regarde encore une fois ! Au fond de la boîte il y a quelque chose.

» Le tsar regarda plus attentivement et vit une puce en acier assise sur un coussin en velours. Quand il la toucha, la puce sauta en l'air et se posa sur la manche de son caftan.

» Mâtin ! s'écria le tsar stupéfait, en voilà un truc ! Comment ces diables ont-ils fait pour construire une puce en acier, une vraie puce tout craché et qui saute tout aussi bien ?

» Il fut si ému, si jaloux des Allemands qu'il s'assombrit encore plus. Au bout de quelques jours il n'y tint plus et fit venir ses maîtres artisans pour leur montrer la puce allemande.

» Le maître forgeron l'examina longuement et dit :

» — Que Votre Majesté ne se tourmente pas. Que Votre Majesté me confie la puce pour trois jours. J'en réponds de ma tête.

» — Bon, dit le tsar, emporte-la.

» Au bout de trois jours, le forgeron revint et, après avoir salué le tsar jusqu'à terre, lui remit l'écrin en or. Le tsar l'ouvrit et regarda : à côté de la puce allemande, il y avait une autre puce, toute pareille.

» — Oh ! s'écria le tsar, tu as su refaire la même !

» — Non, répondit le forgeron, non Majesté, ce n'est pas la même.

» Le tsar prit la puce et l'examina attentivement. La nouvelle puce était ferrée aux quatre pattes.

— Ha, ha, ha ! rit le commissaire, j'aime bien cette histoire et vous la racontez bien, même si vous l'arrangez un peu à votre manière. Et qu'est-ce que Pierre le Grand donna au forgeron pour le récompenser ?

— Je ne sais pas, moi, il l'a sans doute fait comte.

Renski rit de plus belle.

— Comte de la Puce ! Et ses descendants ne savaient pas faire de puces en acier, mais sont restés comtes !

— Et voilà une histoire qui se passe au buffet d'une gare, reprit Skrinnik ravi de son succès. Deux voyageurs, un Russe et un Juif, descendent du train et vont au buffet se restaurer. Ils commandent un poisson frit pour chacun. Le garçon les apporte alignés sur un plat, mais ils ne sont pas de la même grandeur : l'un est grand et l'autre petit. Le Juif se sert le premier et prend le grand poisson. Le Russe fait la tête et remarque d'un ton aigre :

» — Si j'étais à votre place, en me servant le premier j'aurais pris le petit poisson et aurais laissé le grand à mon convive.

» Le Juif haussa les épaules et dit :

» — Eh bien, vous l'avez, le petit poisson, de quoi vous plaignez-vous ?

Renski allait rire, mais tout d'un coup s'arrêta.

— C'est une histoire raciste et pas si drôle que ça. Vous devriez vous en rendre compte, camarade Com-Bat !

Skrinnik resta interloqué, ne comprenant pas en quoi son histoire était raciste. Mais la réaction du commissaire le déconcerta et il ne proposa pas d'autres anecdotes.

Je passai cette nuit dans un débarras sur une grande malle couverte de vieux tapis. Il n'y avait pas de loquet sur la porte. Je la bloquai avec la malle, mais personne ne tenta de m'attaquer et je dormis en paix.

Kitaïgorod était une petite ville toute blanche, suspendue au-dessus d'un énorme ravin pierreux. Cette fois, ce n'est pas au prêtre mais au médecin municipal, le docteur Krassine, que nous imposâmes notre encombrante visite.

Le docteur et sa femme, médecin également, nous reçurent cordialement sans manifestation de joie artificielle ni autre comédie. Leur accueil fut simple, naturel et digne.

Pris au dépourvu, ils n'avaient pas grand-chose à nous offrir. Le docteur prit le parti de faire le tour des boutiques, comptant sur ses bonnes relations avec les commerçants pour dénicher quelques vivres.

En attendant, Mme Krassine sortit toutes les bouteilles qui lui restaient encore, ce qui prédisposa Renski en sa faveur.

Je demandai la permission de passer à la salle de bains. La doctoresse m'y accompagna elle-même mais, au lieu de me quitter, elle ferma la porte et me demanda à brûle-pourpoint qui j'étais et pourquoi je voyageais avec ces militaires.

Je refis mon récit une fois de plus et elle m'écouta avec un vif intérêt, comme s'il s'agissait d'un roman policier.

— Vous êtes, si je comprends bien, des prisonniers sans en avoir l'air, conclut-elle en me regardant avec sympathie. Mais ma pauvre enfant, dans deux jours vous serez dans la zone des opérations militaires. Que va-t-on faire de vous ?

Je dis qu'en principe nous devions rejoindre les services médicaux de l'arrière, mais que nous ne savions pas où ils se trouvaient.

— Quels services médicaux de l'arrière ? Tout cela me paraît très suspect. Et si vous voulez mon opinion, vous devriez vous sauver avant qu'il ne soit trop tard. Votre commissaire me déplaît souverainement, je l'ai jugé dès le premier coup d'œil. Votre sort m'inquiète beaucoup. Comptez sur nous en cas de besoin, nous vous hébergerons, nous vous cacherons si nécessaire. Non, non, ne me remerciez pas, c'est tout naturel et je me mets à la place de votre mère. Mais allons rejoindre les « camarades », il ne faut pas qu'ils pensent que nous complotons.

Le repas fut abondant, les démarches du docteur Krassine ayant été couronnées de succès. Ainsi que celles du docteur Mihaltchenko qui se procura encore une fois deux litres d'alcool. La recette qu'il pratiquait était simple : en ajoutant de l'eau bouillante à l'alcool pur, il obtenait un genre de vodka tout à fait buvable à juger d'après la quantité qu'il en consommait. Mme Krassine, après l'avoir observé pendant quelque temps, remarqua avec franchise :

— Cher collègue, je vous conseille de vous modérer. Sinon vous finirez mal.

— J'ai déjà mal fini, répondit celui-ci d'une voix morne. Ce ne pourrait être pis.

— Je ne vous comprends pas! s'exclama Renski, vous participez aux grands événements historiques de votre patrie, vous êtes utile, même indispensable, et vous gardez une humeur noire comme si vous suiviez un enterrement!

L'alcool chez Renski produisait l'effet contraire, car il le rendait jovial et bruyant, mieux que ça, il lui faisait oublier pour quelques instants son rôle sinistre.

Quant au commandant, il buvait avec mesure et se gardait bien de perdre le contrôle de lui-même. Conscient de ses responsabilités, il ne voulait pas se compromettre. Le Com-Bat suivait son exemple et restait toujours sobre. S'il avait peur du commissaire, ce n'est que pour le commandant qu'il ressentait du respect.

La doctoresse n'était pas intimidée le moins du monde par la présence de ses convives armés. Je frémis quand, tout à coup, elle déclara ne partager en rien les idées communistes. La monarchie, dit-elle, était pour la Russie la meilleure forme de gouvernement.

Au lieu de l'arrêter séance tenante, comme c'était de son devoir, Renski s'exclama grand genre :

— Chacun son opinion ! Mais vous changerez la vôtre, je vous le prédis. L'avenir est à nous !

— Peut-être, répondit Mme Krassine, mais ce ne sera pas pour le bonheur de la Russie.

On leva la séance brusquement, car le Com-Polk tenait à reprendre le voyage le plus tôt possible. De sorte que je n'eus plus l'occasion de parler à Mme Krassine seule à seule. Mais sa cordiale poignée de main et l'expression de son visage confirmèrent ses bons sentiments à notre égard.

La montée était longue et raide. Les chevaux trébuchaient sur la route inégale sillonnée d'ornières et parsemée d'éclats de silex. Sous le soleil ardent l'air était lourd et immobile.

Seule dans la calèche, je réfléchissais. Notre situation, somme toute, était moins tragique que nous ne l'avions cru lors de notre mobilisation. Tout se passait le mieux du monde et le commissaire ne tentait aucune extravagance. Bien au contraire, il jouait depuis quelque temps au galant homme et continuait à proclamer son amitié pour Emmanuel.

Avait-il changé d'idée ? Si tel était le cas, on pouvait espérer qu'il ne s'opposerait pas à notre libération. Le front, à présent tout proche, les démêlés avec une population hostile, la propagande politique avaient dû remplacer dans son esprit fantasque la lubie stupide qui l'avait saisi à Vassilki.

Et cependant, de la part d'un personnage au caractère aussi instable, on pouvait redouter les pires revirements. Fuir ? Mais à quel moment ? Je me disais qu'à mesure que nous nous rapprochions du front les préoccupations militaires prendraient le dessus. Le jour viendrait où nous serions oubliés.

L'équipage entre-temps avait atteint le plateau et le soldat arrêta les chevaux pour les laisser reprendre haleine. C'est à ce moment que j'entendis des pas rapides rattrapant la voiture et, un instant après, le commissaire sauta sur le marchepied et s'effondra lourdement à mes côtés. Il était rouge, essoufflé et empestait l'alcool.

— Avancez ! cria-t-il au cocher et la voiture démarra.

Et se tournant vers moi :

— J'ai à vous parler. C'est au sujet de votre attitude que je trouve inadmissible. Vous devez être plus aimable avec moi.

Je tressaillis. Le refroidissement de ses sentiments n'était donc qu'une illusion ?

— Comment plus aimable, camarade, je ne comprends pas.

— Cessez de me bouder et de me faire la tête. Je ne suis pas votre ennemi, au contraire. Vous me devez une fière chandelle : sans moi on vous aurait fusillée.

— Fusillée ? Mais qui donc envisageait de me fusiller si ce n'est vous ?

— Quelle idée ! Je vous ai défendue et c'est grâce à moi que le Conseil révolutionnaire vous a accordé un sursis. Mais laissons ça. Je tiens à vous dire que ma bienveillance ne s'est pas arrêtée là. J'ai pris certaines mesures en votre faveur au risque de paraître partial. Savez-vous que j'ai laissé mes agents à Vassilki ? Et savez-vous pourquoi ?

— Pour former un comité révolutionnaire. C'est lui qui m'avait condamnée, dites-vous, avant même d'être constitué.

— C'est la politique. Je ne parlais pas de cela. J'ai chargé mes agents d'amener les objets que j'ai choisis pour vous.

— Quels objets ?

— Tout ce qui peut rendre votre vie agréable : votre piano, vos livres, votre longue-vue. J'ai pensé que vous seriez contente de retrouver tous vos vieux amis.

— Vous plaisantez ?

Je n'en croyais pas mes oreilles, il devait divaguer.

— Je parle sérieusement, je veux que votre vie soit confortable.

— Et tout ce mobilier, on le mettra où ?

— On verra bien. Pour le moment nous sommes encore en

voyage. L'essentiel est de nous entendre. J'ai besoin de votre présence car je suis amoureux de vous.

J'essayai de plaisanter :

— Voyons, voyons, camarade, c'est la guerre, ce n'est pas le moment de flirter.

— Je vous répète que c'est sérieux. Je veux vous épouser.

Il saisit ma main et reprit :

— Je ne crois pas en Dieu, mais si cela peut vous faire plaisir, nous allons nous marier à l'église.

— Mais non, mais non, je ne veux pas me marier, je n'ai que dix-sept ans...

— Et moi vingt-deux. Ce sera parfait.

Il tenait toujours ma main et je n'osais pas la retirer malgré la répulsion qu'il m'inspirait.

— Nous retournerons à Vassilki dans ce même équipage, votre équipage, et vivrons dans le château, votre château...

— Le château est réquisitionné pour le peuple, c'est vous-même qui me l'avez annoncé.

— On en chassera toute cette racaille. D'ailleurs je travaillerai moi-même pour le peuple, j'y aurai donc droit plus qu'aucun autre. Vous serez mon adjointe, nous nous occuperons du village. Ce sera passionnant.

Suffoquée par cette demande en mariage saugrenue, je ne savais que dire. L'idée me vint que Renski doutait du succès de la révolution et voulait se préparer un autre avenir plus bourgeois. Mettant à profit son pouvoir actuel, il voulait me forcer à l'y aider. Notre situation, je le voyais à présent, ne faisait qu'empirer et notre évasion devenait plus problématique que jamais.

Tandis que je me taisais, le commissaire poursuivait :

— Vous pensez que je suis un guerrier endurci, en fait je vous ai dit moi-même que j'aimais la vie de campagne. Mais au fond, je suis un sentimental qui a besoin d'affection. Un rien m'émeut... Tenez, je ne puis oublier les paroles de votre mère : « Dieu existe, ne l'oubliez pas ! » Sur le moment, j'eus un accès de colère et me mis à crier. Mais, à présent, je la vois toujours sur le perron levant la main vers le ciel. Croyez-vous qu'elle m'en veuille beaucoup ?

— Qu'est-ce que cela peut vous faire ?

— J'en suis confus. Je veux être en bons rapports avec ma belle-mère.

Il n'en démordait pas. Il fallait quand même le dissuader.

— Ce n'est pas le moment de faire des projets de mariage. Qui sait si demain nous serons encore de ce monde ?

— Laissons la guerre aux militaires. Parlons plutôt de nous. Et pour commencer nous allons nous tutoyer. La première phrase que je dirai sera : Je t'aime !

Il se pencha sur moi et me saisit dans ses bras. Si je ne l'avais pas repoussé violemment, il m'aurait collé ses lèvres sur la bouche. Mon geste spontané fut si brusque qu'il faillit tomber de la voiture.

Avant de réfléchir je sautai de mon siège et allais bondir sur la route, quand le soldat ahuri tira avec force sur les rênes et arrêta l'équipage dans un affreux cahot.

— Attention, mademoiselle ! hurla-t-il, vous allez vous tuer !

Je retombai en arrière en face du commissaire qui, debout sur le marchepied, me regardait crispé de rage.

— C'est donc votre réponse ! Nous verrons où elle vous mènera !

Dès que le soldat se fut assuré que le commissaire était parti, il me jeta un regard apitoyé et moqueur et fit repartir les chevaux.

De sombres pensées m'assaillirent. Décidément, j'étais incapable de trouver le moyen de rester en bons termes avec le commissaire sans mettre en danger ma sécurité. Fuir devenait urgent, même aux plus grands risques.

Le commandant était de plus en plus absorbé par ses devoirs militaires et je comprenais qu'il eût d'autres problèmes à résoudre que celui de nos rapports avec le Voyenn-Com. Et le docteur, le plus souvent absent, avait l'esprit constamment dans les nuages.

Mes idées noires, en s'enchaînant, allèrent à Vassilki. Que se passait-il chez nous ? Serpouhov et Akoulkine étaient-ils encore chez nous ? Comment avait-il traité Maman ? Se trouvait-elle en danger ? Et Papa, était-il toujours en prison ?

Notre caravane s'arrêta sur la place d'une bourgade pour abreuver les chevaux. J'en profitai pour rechercher Emmanuel. Mais c'est le commandant, que je croyais absent, que je rencontrai le premier.

— Ah, vous voilà, dit-il, je vous cherchais. Qu'avez-vous fait au commissaire ? Il est furieux. Je vous ai pourtant dit d'être prudente.

Je racontai l'incident. Le Com-Polk haussa les épaules.

— Je ne sais pas comment vous allez vous en tirer. Faites très attention, à présent, il va vous surveiller.

Plus nous avancions vers la Galicie, plus les dévastations de la guerre et de la révolution étaient frappantes. Ozarenzi, grand village jadis prospère, était mort et à moitié brûlé.

La grande bâtisse lugubre, ancienne caserne des gardes-frontière au centre du village, avait l'air abandonnée. Et cependant, selon les renseignements fournis au Com-Bat par les fourriers, le prêtre et sa famille habitaient là.

Nos coups répétés restèrent sans réponse, Skrinnik essaya de forcer la serrure en y enfonçant un gros clou. La porte céda et nous pûmes entrer dans un long couloir sombre. De part et d'autre, des portes béantes donnaient sur des pièces vides envahies de poussière et de détritus.

Une porte seulement était verrouillée. C'est derrière celle-ci que devait se cacher la famille du prêtre. Le Com-Bat l'attaqua plusieurs fois, mais sans résultat.

— Laissez, dit le commandant, on n'en tirera rien. Et qu'importe, après tout ?

Renski aurait insisté, mais depuis la scène de la calèche il avait disparu.

— Venez, dit le commandant, nous n'avons pas de temps à perdre.

Et, nous laissant en plan sans même nous jeter un coup d'œil, les deux hommes s'éloignèrent à pas pressés.

L'agglomération grouillait de soldats que l'on devinait sous les accoutrements les plus invraisemblables. Des charrettes chargées de ballots et de sacs encombraient toutes les rues.

— Je crois que nous n'intéressons plus personne, dit Emmanuel.

— Et si nous fichions le camp tout de suite?

— Non, non, ce serait imprudent. Nous ne savons pas ce que mijote le commissaire et nous sommes sûrement surveillés.

Nous nous engageâmes dans une ruelle étroite qui se faufilait entre les clôtures, longeait les maisons silencieuses et les cours désertes. Pas une âme, pas un chien, pas même une poule ou une oie.

Nous fûmes bientôt hors du village entourés de champs. Je racontai la nouvelle sortie du commissaire et ma courte conversation avec le commandant.

— Tu vois, remarqua Emmanuel, j'avais raison, ce fou ne nous laissera pas nous échapper de ses griffes.

— Toi, tu as au moins la chance de lui plaire.

— Toi encore plus.

— Voyons, tu sais ce que je veux dire. Il te laissera partir, c'est à moi qu'il en veut.

— Tu as vraiment cru à sa sympathie pour moi? Ce n'était que de la comédie. De toute façon je m'en moque.

— Le Com-Polk n'est plus le même depuis qu'on est arrivés à la frontière. Quant au docteur...

Nous nous assîmes sur un haut talus. Sous nos yeux s'étalait le village et au-delà les bois, un ravin, des champs de maïs et de blé. Nous scrutâmes les environs, tâchant de nous orienter et de retenir des points de repère. C'est alors que nous aperçûmes un vieux paysan assis sous un pommier au bord de la route.

Nous descendîmes la pente et nous assîmes auprès de lui dans l'espoir de lier conversation. Mais le vieillard se montra méfiant et nous dévisagea d'un air hostile. Emmanuel lui offrit du tabac et l'assura que nous n'étions que de simples passants sans aucun rapport avec les militaires, quels qu'ils soient.

Le paysan finit par nous croire et nous donna du pain noir et un oignon. La glace rompue, il ne refusa plus de parler. Nous apprîmes que le prêtre vivait bien dans la caserne, mais n'ouvrait la porte à personne. Il venait d'arriver pour remplacer le vieux prêtre assassiné.

— Assassiné ? m'écriai-je.

— Eh oui... C'était un dimanche et le père Anton était en train de célébrer la messe, quand arrivèrent les bandits. Et ma parole, nous ne savons toujours pas qui c'était. Toujours est-il qu'ils entrèrent dans l'église en brandissant leurs fusils. Les gens se ruèrent vers les portes, saisis de panique. Seul le père Anton ne bougea pas et resta devant l'autel en tenant un crucifix. Les bandits tirèrent tous à la fois et le père Anton s'écroula criblé de balles. Les misérables passèrent par-dessus son corps pour piller l'autel. Ils emportèrent le ciboire, les chandeliers et l'Évangile relié d'argent. Mais le crucifix fut retrouvé sous le corps du prêtre, il le serrait encore sur sa poitrine.

— Et les bandits ?

— Ils commencèrent par s'enivrer et terrorisèrent pendant deux jours toute la population au point que personne n'osa aller à l'église pour en retirer le corps du père Anton. Il resta couché devant la porte Royale, la face tournée vers la terre. Vous comprenez que le nouveau prêtre soit méfiant ?

— Mais pourquoi vit-il dans cette caserne ?

— Le presbytère est toujours sous scellés. Le père Anton était un vieillard solitaire et, par les temps qui courent, il n'est pas facile de rechercher ses parents.

Nous retournâmes à la caserne, mais n'y trouvâmes personne. Les soldats avaient rangé les voitures pour la nuit et emmené les chevaux. Le village s'était encore rempli et les charrettes chargées d'hommes et de matériel recouvraient toute la chaussée.

Les réquisitions de chevaux chez les paysans étaient un des plus grands fléaux de l'époque. Les paysans devaient tout abandonner et transporter pendant des jours et des jours soit des troupes, soit le butin des rapines, sans rétribution et souvent au risque de se voir déposséder de leurs équipages et de rentrer à pied.

— Je crois que nous ne manquerons pas à nos camarades en nous procurant un logement privé pour cette nuit, dit Emmanuel. Cette caserne ouverte à tous les vents ne me dit rien. Je viens demander au commandant de nous donner quartier libre jusqu'à demain matin.

Nous ne trouvâmes pas le Com-Polk, mais seulement le Com-Bat qui eut un geste agacé en nous écoutant.

— Allez où vous voulez ! Personne n'a besoin de vous ! Et soyez rassurés, ajouta-t-il avec un petit rire moqueur, Renski est parti en inspection.

Nous allâmes de porte en porte, frappant, appelant, essayant tous les arguments. Aucune ne s'ouvrit. Découragés, nous revînmes à la caserne et je me mis à cogner à la porte du prêtre avec une telle insistance qu'elle finit par s'entrebâiller. Un visage pâle et inquiet apparut dans la fente.

— Je ne puis pas vous recevoir, dit une voix dure.

— Nous ne vous demandons pas de nous recevoir, mon père, mais seulement de nous dire où nous pourrions aller, un grenier, une grange... Un endroit pour passer la nuit.

— Attendez...

Au bout de quelques instants, la porte s'entrouvrit de nouveau.

— Allez à la sacristie. Et demain matin refermez bien la porte et mettez la clef sous cette pierre.

Une clef tomba à nos pieds tandis que le verrou était retiré.

Nous attendîmes la nuit pour nous glisser discrètement

jusqu'à l'entrée latérale de l'église qui menait à la sacristie. Nous y entrâmes à tâtons. Grâce au briquet d'Emmanuel nous découvrîmes un gros cierge dans un chandelier massif. Il y avait des sacs dans un coin et des bancs le long des murs. Nous pûmes nous installer avec un confort inespéré.

Dans le silence et la paix de la vieille église, le gros cierge crépitait doucement en répandant un léger parfum de miel.

Levés au point du jour, nous quittâmes notre refuge et trouvâmes la place en pleine effervescence. Des hommes armés jusqu'aux dents allaient, venaient, sellaient leurs chevaux, s'affairaient autour des charrettes. L'atmosphère avait changé comme par enchantement. Ce n'était plus l'agitation désordonnée de la guerre civile, mais l'activité de la guerre tout court.

Nos voitures déjà attelées et rangées en file indiquaient un départ imminent. Le Com-Polk avait abandonné son chapeau de paille et sa chemise décolletée pour revêtir une tenue kaki avec une cartouchière barrant la poitrine. Entouré de militaires et très préoccupé, il ne remarqua même pas notre présence et ce fut en montant dans sa voiture qu'il nous aperçut.

— Ah, vous voilà, les enfants ! Montez dans la voiture du commissaire, il est absent pour plusieurs jours.

Trois soldats s'y trouvaient déjà. Sur leurs chemises kaki le chiffre 363 était marqué à l'encre rouge. Ils faisaient donc partie de notre régiment.

En me voyant, ils ne cachèrent pas leur étonnement. L'un d'eux demanda :

— Vous venez avec nous, camarade mademoiselle ? Vous n'avez pas peur des canons ?

Ils nous firent une place et la voiture démarra.

— Mais dites donc, insista le soldat, où allez-vous comme ça ?

Un autre lui tira la manche.

— Tu ne comprends pas ?

Le sang me monta aux joues.

— C'est par ordre du commandant... bredouillai-je.

— Parbleu ! Il ne perd pas son temps !

Ils éclatèrent de rire.

— Si des fois vous avez envie de changer... pensez à moi ! ricana un des soldats.

— Et celui-là, qui c'est ? dit un autre en désignant Emmanuel.

— C'est mon frère.

Ils rirent de plus belle.

— Et moi, je suis votre parrain !

— Ma sœur est la collaboratrice du Voyenn-Com du régiment, dit Emmanuel d'une voix ferme.

— Du Voyenn-Com... ? s'exclama le soldat en changeant d'expression.

— Oui, du Voyenn-Com Renski. Il a engagé ma sœur pour des activités politiques.

Les trois hommes se turent net en cachant mal leur embarras. J'allais parler des services médicaux, du docteur Mihaltchenko pour me disculper du rôle ingrat que me faisait assumer Emmanuel. Mais je n'en eus pas le temps car, en se baissant vers moi rapidement, il me souffla en français :

— Tais-toi...

Alors je compris : l'ombre du commissaire me couvrait d'une immunité inattaquable et au lieu de provoquer des gouailleries, ma présence inspirait maintenant la peur.

Sans essayer de vérifier l'affirmation d'Emmanuel, les soldats changèrent d'attitude en prenant un ton cordial, même obséquieux. Cela ne leur coûtait rien et c'était plus prudent. De sorte que pour une fois le commissaire et sa sinistre réputation nous furent utiles. Et juste à un moment où nous avions nous-mêmes la tête sous le couperet !

Nous arrivâmes à Zagoriany, petite ville frontalière, vers le milieu de la journée. La ville regorgeait de troupes, d'artillerie, de convois. Des hommes en uniformes fripés et en costumes de tout genre, des vétérans barbus, des gamins aux visages juvéniles, des cavaliers aux montures de tout calibre, des paysans désemparés avec leurs charrettes — tout cet assemblage chaotique de l'Armée rouge de l'époque transformait l'agglomération en un vaste camp militaire.

Notre équipage s'arrêta devant un hôtel particulier affreusement détérioré mais gardant encore un air de grandeur. Les pièces dévastées aux portes béantes étaient jonchées de meubles mutilés. Toutes les chambres de la façade étaient occupées par l'état-major, et la cour, jadis la cour d'honneur, débordait de véhicules et de chevaux.

Il était inutile de rechercher des chefs pour leur demander des directives. Les nôtres ne nous apparaissaient plus que rarement et de loin. Dans ces conditions, il ne nous restait qu'à nous laisser guider par notre propre initiative. Nous eûmes la chance de trouver au fond du bâtiment des chambres inoccupées et encore pourvues de quelques meubles.

Une cantine installée dans la cour distribuait des vivres et les soldats affamés se bousculaient pour s'en approcher. Emmanuel se mêla à la foule et réussit à obtenir du pain et une saucisse ukrainienne.

Il rapporta aussi les dernières nouvelles : les Polonais continuaient à reculer sans combats et les troupes rouges avaient franchi la frontière. Notre régiment allait stationner à Zagoriany en attendant l'ordre d'avancer.

Quant aux décisions prises à notre encontre, nous les apprîmes de la bouche du commandant. Au cours d'un conseil de guerre qui se tint à Zagoriany, le Com-Polk souleva la question des éléments auxiliaires attachés à son régiment. Il précisa que ces derniers étaient inemployés et parfaitement inutiles. Le docteur, en effet, avait catégoriquement refusé d'accepter dans ses services des collaborateurs non qualifiés. Par ailleurs, le projet de créer une école pour les soldats, dont il avait été question lors du stationnement du régiment à l'arrière, devenait irréalisable à présent qu'il était entré dans la zone de feu. Le personnel mobilisé à cet effet ne pouvant plus servir, le commandant demandait sa dissolution.

Il ajouta que le souci du maintien de la discipline l'obligeait à insister sur le fait que la présence d'une femme, situation dont il déclinait énergiquement la responsabilité, créait un exemple dont pourraient s'inspirer les soldats.

Le rapport du commandant fut approuvé à l'unanimité car le commissaire était absent.

Mais à peine eut-il appris la décision du conseil militaire, qu'il éleva une véhémente protestation. Les actes accomplis par les services politiques, déclara-t-il, ne relevaient pas des autorités militaires, par conséquent les personnes mobilisées par lui ne dépendaient pas du commandant. C'était aux autorités politiques d'en disposer. Quant aux raisons qui avaient motivé l'engagement de ces forces auxiliaires, le commissaire n'estimait pas utile de les exposer.

Devant cette mise au point catégorique, le Com-Polk et ses camarades ne purent que s'incliner. Mais, à partir de ce jour, les rapports entre le commandant et le commissaire s'envenimèrent à un tel point que le Com-Polk commença à s'inquiéter pour sa propre carrière.

Les jours suivants se passèrent sans incidents. Nous vivions, Emmanuel et moi, livrés à nous-mêmes, apparemment non surveillés et ne rencontrant que rarement nos anciens compagnons de voyage. Nous n'osions plus importuner le commandant de nos problèmes, d'autant plus qu'il semblait nous éviter.

Un beau matin l'attention générale fut attirée par l'arrivée d'un nouveau convoi dont l'étrange cliquetis remplit la cour. Nous vîmes de nombreuses charrettes s'aligner devant la façade et, oh surprise ! nous reconnûmes les conducteurs qui étaient tous de Vassilki !

En dépit de la logique communiste, c'est avec eux que nous nous sentions solidaires et nous savions que c'était réciproque. Cependant, malgré notre vif désir de leur parler, nous n'osions pas les approcher pour ne pas les compromettre.

Je suivis des yeux les charrettes et ne pus réprimer un cri : tout ce qu'elles contenaient provenait de notre château ! Je reconnus notre glacière juchée les quatre pieds en l'air en compagnie de l'harmonium de Maman. Le piano occupait à lui seul une charrette et, dressé sur le côté, ressemblait à une épave. Les livres empilés en vrac dans des caisses ouvertes, les tapis roulés servant de sièges, les tableaux entassés le long des ridelles.

Le massacre le plus ahurissant avait été infligé à la vaisselle : sans aucun emballage et sans discernement, assiettes, cristaux, porcelaines avaient été jetés pêle-mêle dans des caisses et des cageots et ne formaient plus qu'un amas de débris.

Certes, comparé aux massacres d'êtres humains, à la mode à l'époque, celui d'objets, même précieux et chers, était peu de chose. J'avoue cependant que mon cœur se serra à la vue du service à thé de Maman, souvenir de sa mère, qu'elle gardait précieusement et n'employait qu'aux grandes occasions. Ces tasses bleues délicates avaient participé à toutes nos fêtes familiales. Il me sembla qu'avec ces tasses fragiles, tout notre passé avait été réduit en tessons.

Comme le commissaire était toujours absent, c'est au Com-Bat qu'on remit la liste des objets raflés dans notre maison. Voyant l'importance du butin, ce dernier appela quelques soldats pour donner un coup de main aux cochers.

Skrinnik, qui aimait rire et auquel le côté comique d'une situation n'échappait jamais, nous fit signe d'avancer.

— Tenez, puisque j'ai la liste, je vais vous la lire. Vous saurez ainsi ce que vous offrez à l'armée.

La machine à écrire de Papa, qui naturellement se trouvait dans le lot, avait servi pour taper cette liste et tout y était consciencieusement noté. Ah, ainsi j'appris que toutes mes robes, celles de Maman et de mes sœurs, se trouvaient parmi les articles réquisitionnés.

Le Com-Bat ne put retenir un éclat de rire.

— Ça, par exemple ! Pour le jeu de croquet et les échecs, va encore, même pour les tableaux et le lustre... mais des vêtements de femme... ! Et qu'allons-nous faire de tout ça ?

Le bon sens du vieux militaire se révoltait contre l'absurdité qui avait coûté plusieurs jours de travail aux malheureux conducteurs.

Cette matinée devait être riche en événements. Peu de temps après on nous appela dans le bureau du commandant. Il nous reçut debout sur le seuil de la porte et nous parut nerveux et pressé.

— Je pars pour le front, dit-il, mais je tiens à vous prévenir : on va vous arrêter et vous conduire à Kamenetz-Podolsk pour vous remettre à la Tchéka. C'est l'œuvre de Renski et je n'y puis rien. Quand on vous interrogera, racontez toute la vérité et n'ayez pas peur. Je suis sûr qu'on vous croira et qu'on vous laissera partir.

Sa voix sonnait faux et nous eûmes l'impression qu'il ne prononçait ces paroles d'encouragement que par acquit de conscience.

Il nous serra rapidement les mains et sortit d'un pas précipité, comme s'il craignait d'en avoir trop dit. Par la porte laissée ouverte nous le vîmes sauter en selle et disparaître derrière le portail.

— C'est gai... dit Emmanuel. Ce sera peut-être notre dernier voyage.

La suite ne se fit pas attendre : deux soldats armés vinrent nous arrêter et nous ordonnèrent de les suivre. J'allai chercher mon sac de voyage que j'avais laissé au fond d'une armoire, mais on l'avait volé.

Les soldats nous firent monter dans une carriole et nous prîmes place sur un sac de son jeté en travers. Un des soldats s'installa sur la planche qui remplaçait le siège du cocher, l'autre sur une botte de foin à l'arrière, et la carriole démarra.

Nous cahotâmes des heures et des heures sur la route rocailleuse, anéantis par le soleil implacable, la poussière, la faim, la soif, le corps meurtri par les secousses du véhicule misérable, sans ressorts. Épuisés et abattus, nous restions silencieux. Nous savions ce que voulait dire d'être envoyés à la

Tchéka. Il nous restait peu de chances de salut. De quoi étions-nous accusés ? Le commissaire avait dû composer un acte d'accusation accablant et il serait accepté à la lettre. Notre pauvre vérité ne pourrait le contrebalancer. Nous laisserait-on seulement parler ? Quelle version de notre épopée avait donnée Renski ? Et notre arrestation avait-elle été uniquement un geste de vengeance contre moi, ou également une démonstration destinée à humilier le commandant ? Ce qui était certain était que nous restions seuls en face de nos juges communistes et, étant donné que nous étions les enfants de propriétaires fonciers, nous étions à l'avance condamnés.

Le jour baissait quand notre triste équipage arriva devant la Tchéka. Les vitres cassées et les murs éraflés du bâtiment rappelaient les épreuves de la ville au cours de ces derniers mois.

Nos soldats nous conduisirent dans une grande salle délabrée jonchée de mégots et d'ordures, avec des tables couvertes de dossiers, des hommes assis, debout, circulant d'une pièce à l'autre. Un de nos gardes tendit une enveloppe cachetée à un tchékiste installé près de la porte.

— Des prisonniers ! annonça-t-il.

Avant d'ouvrir la lettre, le tchékiste nous examina de la tête aux pieds et parut surpris.

— De quoi êtes-vous accusés ? demanda-t-il.

Il n'avait pas l'air féroce, au contraire, il me parut sympathique. Il fallait saisir cette chance et essayer de gagner sa confiance. Aussi lui dis-je que notre affaire était confidentielle et que nous demandions quelques instants d'entretien privé.

— Bon, dit-il, venez avec moi.

Il nous fit entrer dans une pièce totalement vide, seul un cadre en bois, triste reste d'un divan turc, occupait un coin.

— Asseyez-vous, dit le jeune homme distraitement, les yeux fixés sur la lettre de Renski.

Nous fîmes un mouvement vers le squelette du divan mais restâmes indécis devant le bord tranchant de la planche. Le tchékiste leva les yeux et tous les trois, nous éclatâmes de rire.

— Oui, les meubles ici sont dans un triste état, dit le jeune homme. Et maintenant racontez ce qui vous est arrivé.

Le rire a une puissance psychologique insoupçonnée. Un mot drôle, une bonne plaisanterie peuvent changer l'humeur la plus féroce. Les caractères les plus haineux éprouvent parfois le besoin de se détendre. Un homme qui rit n'est pas sanguinaire, sauf évidemment dans les cas de perversité caractérisée.

Notre tchékiste n'avait rien de féroce, et maintenant qu'il riait, il était devenu tout à fait amical. Rassurée et pleine d'espoir, je racontai notre aventure depuis l'arrivée à Vassilki du 363e régiment, n'omettant aucun détail et ne ménageant ni le commissaire ni ses agents. La sincérité et le feu que je mis dans mon histoire impressionnèrent visiblement le jeune homme qui m'écouta sans m'interrompre jusqu'à la fin.

— Lisez, dit-il en me tendant la lettre de Renski.

Nous la lûmes en même temps, Emmanuel et moi, et ne pûmes retenir des exclamations d'étonnement et d'indignation, tandis que le tchékiste nous suivait des yeux.

Le commissaire nous accusait d'avoir trempé dans un complot contre le pouvoir soviétique et de nous être livrés à des activités contre-révolutionnaires. Mais le chef d'accusation principal était l'espionnage au profit des Polonais.

— Je ne crois pas à ces accusations, dit le jeune tchékiste, elles me paraissent invraisemblables. Tout cela sent la rancune personnelle qui n'a rien à voir avec la politique. Si nous devions nous occuper des affaires sentimentales de nos agents, nous n'aurions plus le temps de penser à la révolution. Mais rien ne m'étonne plus de la part de nos commissaires politiques... Quant à vous, je considère que ce n'est pas votre faute d'être nés dans une famille bourgeoise et il serait injuste de vous persécuter pour cela. Je ne puis malheureusement pas décider moi-même et je dois envoyer cette lettre au tribunal. Mais j'y ajouterai un rapport exposant ma conviction personnelle. On vous convoquera dans deux, trois semaines ou, au pis, on vous arrêtera de nouveau. En principe, je devrais vous enfermer, mais je n'en vois pas l'utilité. Je vous enverrai seulement dans notre foyer. Revenez me trouver ici demain matin et je vous donnerai mes instructions. Je ne vous ferai pas surveiller si vous me donnez votre parole de vous présenter demain avant midi.

Cette parole, nous la donnâmes avec empressement, tout en remerciant le jeune tchékiste de son jugement de Salomon.

— Vous demanderez le camarade Ilyne, ajouta-t-il pour terminer. Attendez, je vais vous envoyer un agent pour vous conduire au foyer de la Tchéka.

Cet agent arriva quelques minutes plus tard, souriant, la main tendue.

— Camarade Somine, se présenta-t-il.

Grâce à sa situation géographique et à la majesté de sa citadelle Kamenetz-Podolsk ne manquait pas d'allure. Perchée sur un haut promontoire rocheux encerclé par la boucle de la rivière Smotritch, la ville dominait la vallée et se détachait de la plaine.

Tout en étant la capitale de la riche Podolie, Kamenetz du temps de notre enfance ne possédait rien de ce qu'on appelle les acquisitions de la civilisation moderne. Ses rues étaient étroites et mal pavées, gardant par endroits les mêmes pierres rondes que les Turcs y avaient placées trois siècles auparavant. Les améliorations sanitaires n'étaient même pas en perspective et les transports se résumaient aux antiques ballagoullas, vieux phaétons à bout de souffle traînés par des chevaux exploités jusqu'à la dernière limite de leurs forces, dans lesquels s'engouffrait un nombre inimaginable de passagers. La ligne de chemin de fer récemment construite passait à dix kilomètres de la ville, ce qui compliquait considérablement la vie et le commerce.

Il y avait une cathédrale, un hôpital, deux lycées, des écoles techniques, des magasins et plusieurs hôtels. Ce sont ces derniers qui faisaient le plus penser au Moyen Âge. Il y avait l'hôtel de Paris, l'hôtel de Londres et aussi, mais ce n'était pas le plus luxueux, l'hôtel de Saint-Pétersbourg. On considérait que les noms étrangers avaient plus de prestige.

Le plus bel ornement de Kamenetz-Podolsk était (et je suis sûre l'est encore) la forteresse turque qui élevait le long de la courbe de la rivière ses murailles crénelées, ses bastions et ses tours. Elle figurait toujours sur les cartes postales avec une double legende en russe et en français. Ce qui était fort méritoire à l'époque où le tourisme n'existait pas. Le texte français disait :

« Générale vue de la turce fermeté. »

Le rédacteur avait traduit avec l'aide d'un dictionnaire et avait peut-être assez mal choisi les mots. Par ailleurs il avait suivi les règles de la grammaire française pour former le féminin de « turc ». L'erreur n'était donc pas grave et tout à fait excusable.

Les nouveaux quartiers de Kamenetz avaient un tout autre aspect. Leurs maisons coquettes entourées de jardins, leurs rues larges plantées d'arbres, l'hygiène introduite dans les demeures leur donnaient un visage presque européen.

La maison réquisitionnée pour le foyer de la Tchéka se trouvait dans un de ces quartiers. Elle avait belle allure malgré ses vitres brisées et son jardin dévasté. Les balustrades de la terrasse et des balcons étaient encore revêtues de rosiers grimpants tout en fleur qui avaient survécu par miracle.

Nous suivîmes le camarade Somine à travers les salles aux portes béantes, aux parquets couverts de boue et de détritus, butant tantôt sur un meuble éventré, tantôt sur des débris de vaisselle ou des livres déchiquetés. Un grand escalier en forme de lyre recouvert d'un magnifique tapis cruellement souillé menait au foyer installé au premier étage.

Le camarade Somine nous laissa en compagnie d'un énorme matelot à la mine renfrognée et d'un Juif alerte qui, comme notre Roubantchik, s'occupait des questions ménagères. Le matelot nous dévisagea d'un air soupçonneux et demanda :

— Vous êtes des paysans ?

Nos vêtements étaient indéfinissables et sérieusement ternis par la poussière. On ne pouvait rien déduire de notre aspect général. Emmanuel en profita en répondant fermement :

— Oui.

— Et que venez-vous chercher ici ?

Nous dîmes que par suite de difficultés avec un commissaire nous avons été convoqués à la Tchéka. Le matelot parut intéressé.

— Le commissaire était un bourgeois ?

— Un étudiant, dit Emmanuel.

Le matelot explosa :

— Un étudiant ? donc un bourgeois ! Nous les avons assez vus ces étudiants ! Ils ne sont pas du peuple. Ils sont tous des faux jetons et des salauds !

Il nous regarda avec plus d'insistance comme s'il doutait que nous soyons nous-mêmes du peuple. La pièce heureusement était sombre, à peine éclairée par une lampe à pétrole au verre cassé et enfumé. Les fils électriques pendaient le long des murs et les ampoules étaient absentes.

— D'où venez-vous ? demanda le matelot après un silence.

Nous n'eûmes pas le temps de répondre, car le camarade Somine, très à propos, entra dans la pièce.

— Les propriétaires vous attendent pour le dîner, annonça-t-il aimablement. Venez, je vais vous y conduire.

Chemin faisant il nous raconta que la maison appartenait aux Kamenski, riches propriétaires terriens de la région. Les vieux maîtres de céans vivaient au rez-de-chaussée où on leur avait laissé deux chambres par pitié pour leur âge. Nous devinions que notre visite leur avait été imposée et que Somine nous offrait l'hospitalité à leur compte. Nous étions terriblement gênés d'abuser de la situation, mais nous n'osions pas protester.

Nous descendîmes donc au rez-de-chaussée en suivant le camarade Somine qui continuait à jouer au propriétaire.

— Vous, camarade collaboratrice, resterez pour la nuit chez Mme Kamenski. Elle est prévenue. Ne me remerciez pas ! c'est tout naturel. Notre compagnie là-haut est un peu dissolue et les nuits se passent souvent assez bruyamment.

Le vieux couple nous reçut dans une immense pièce qui devait avoir été leur salon. À présent elle ressemblait à un garde-meuble, tant il y avait là d'objets entassés. Une grande table ovale couverte d'une nappe blanche occupait ce qui restait de place disponible et paraissait démesurée pour les besoins des deux vieillards.

Ils étaient petits et ratatinés et comme figés dans une torpeur qui les préservait des émotions et mettait une barrière entre eux et la réalité. Somine leur parlait sur un ton familier et protecteur sans se laisser dérouter par leur air absent.

Après avoir rappelé à Emmanuel qu'il devait remonter au foyer pour la nuit, le jeune tchékiste nous serra les mains et s'en alla de son pas désinvolte.

Je guettai un changement d'expression sur les visages de nos hôtes quand nous fûmes seuls, une lueur d'intérêt, même peut-être de sympathie. Je fus déçue car ils restèrent silencieux et fermés, ce qui n'encourageait pas les confidences. Mme Kamenski fit un geste pour nous convier à table et nous nous assîmes sans mot dire.

Vers la fin du repas l'atmosphère devint plus cordiale et je parlai de notre véritable identité et racontai quelle succession d'événements nous avait fait échouer à la Tchéka.

Je constatai avec tristesse que nos épreuves laissaient nos hôtes indifférents. Je me demandai même s'ils me croyaient. Néanmoins ils devinrent plus communicatifs et nous parlèrent d'eux-mêmes avec plus de franchise. Ils avaient décidé, dirent-ils, de finir leurs jours dans leur maison, quelles que soient les circonstances et les vexations. Je demandai s'ils ne craignaient pas qu'un jour on pût les arrêter, les déporter ou les tuer ?

— Eh bien, dit M. Kamenski, qu'ils nous arrêtent. Si ça leur plaît de nous tuer, qu'ils nous tuent. Que Dieu leur pardonne, c'est l'époque qui en est responsable, pas les individus. Notre vie est finie et il faudra bien mourir, comme ça ou autrement, qu'importe ?

Mes regards allèrent aux deux pianos de concert alignés côte à côte, aux bibliothèques en bois sculpté remplies de livres, aux vitrines renfermant des cristaux et des porcelaines de prix. Le soin qu'on avait pris pour sauver ces objets précieux témoignait d'un attachement aux souvenirs du passé. Qu'adviendrait-il de ces derniers témoins d'un monde englouti, quand leurs vieux maîtres ne seraient plus là pour les garder ? Les épaves éparpillées dans le reste de la maison en donnaient une idée.

— C'est affreux d'assister au massacre de tout ce qui vous est cher, dis-je en pensant à Vassilki.

— Oh, dit M Kamenski, qu'ils fassent ce qu'ils veulent. Nous ne pouvons pas emporter tout ça dans nos tombes. Nos enfants sont en sécurité, ils sont jeunes et en bonne santé. Que pouvons-nous souhaiter de plus ?

— Ils sont en Roumanie, ajouta Mme Kamenski, ils sont partis à temps... Nous recevons des nouvelles de temps en temps que nous transmettent les contrebandiers.

Quand Emmanuel eut pris congé pour rejoindre les tchékistes, Mme Kamenski m'installa sur un divan de la salle à manger.

— C'est votre chance que nous ayons encore deux pièces, me dit-elle, mais il paraît que ce n'est plus pour longtemps. Nous devrons débarrasser notre chambre à coucher et mettre nos lits dans celle-ci. Je me demande comment nous allons y arriver...

Je ne trouvai pas facilement le sommeil cette nuit-là, malgré la fatigue qui m'accablait. Tout mon corps était endolori et je me tournais et retournais sans trouver le repos. Mon sommeil fut agité et constamment interrompu par de brusques réveils qui me faisaient sursauter de terreur. À travers une brume d'inconscience il me semblait entendre des hurlements, des coups de feu, des gémissements. Dans la pénombre de la pièce les meubles amoncelés se transformaient en monstres avançant sur moi pour m'écraser. Je me sentais perdue, je voulais fuir, mais restais prisonnière de mon lit, comme enchaînée. La conscience revenue, je me raisonnais et essayais de me calmer. Mais à peine sombrais-je dans le sommeil, que le cauchemar revenait.

Je passai donc une très mauvaise nuit, meilleure cependant que celle que passa Emmanuel à l'étage des tchékistes. La réunion des camarades se transforma très vite en beuverie et le vacarme devint tel que tout le quartier en retentit. Le milicien posté au carrefour passa plusieurs fois sous les fenêtres, inquiet et perplexe. Mais c'était la maison de la Tchéka... et il passait outre.

À une heure avancée de la nuit Emmanuel qui n'en pouvait plus alla se refugier sous l'escalier où il resta jusqu'à l'aube couché par terre avec son manteau comme oreiller.

Une violente tempête éclata au cours de la nuit et l'atmosphère surchauffée et orageuse, chassée par des raffales de vent, céda la place à une vague de froid et de pluie. Les hurlements de cette nuit qui m'avaient glacée de terreur n'avaient pas été le fruit de mon imagination. La nature mêlait ses foudres à l'orgie qui se déroulait au-dessus de ma tête. Une vraie nuit de Walpurgis.

Fidèles à notre parole, nous nous rendîmes à la Tchéka dès le matin malgré l'averse qui battait son plein. Le camarade Ilyne n'était pas là et on nous dit de l'attendre dans le hall. Nous y restâmes deux heures et commencions à désespérer, quand il arriva.

— Ah, c'est vous! dit-il avec indifférence, je vous avais oubliés. Eh bien, puisque vous êtes venus, vous devez avoir bonne conscience. On va faire une enquête à votre sujet, mais en attendant vous êtes libres. Rentrez chez vous. Adieu, je suis pressé.

Nous retournâmes chez les Kamenski pour prendre congé et les remercier de leur hospitalité. Une joie intense nous transportait : libres ! Qu'allait dire le camarade Renski quand la nouvelle lui parviendrait ? Sa lettre n'avait pas eu l'effet qu'il escomptait...

Il n'y avait pas une minute à perdre, il fallait s'éloigner de la Tchéka, du front, de la sphère d'action du maudit commissaire. Il ne fallait pas tenter le sort.

Nous étions totalement démunis d'argent et ne pouvions faire la route qu'à pied, ce qui n'était pas facile, Kamenetz étant distant de Vassilki de quatre-vingts kilomètres et les chemins semés de ravins et de cours d'eau gonflés.

La pleine conscience de liberté ne nous vint qu'à la sortie de la ville. Nous étions seuls sous la pluie battante, pataugeant dans les flaques d'eau. Nos chaussures remplies de boue alourdissaient nos pieds et nous finîmes par les enlever. Pendant deux heures la joie nous fit marcher allégrement. Chaque kilomètre gagné nous éloignait un peu plus du danger.

Nos forces cependant commençaient à s'épuiser. Nous étions transis jusqu'à la peau et nos pieds blessés par les cailloux tranchants étaient couverts de sang. Le froid était devenu si vif que même l'effort physique de plusieurs heures ne suffisait plus pour nous réchauffer. Il ne nous restait cependant rien d'autre à faire qu'à continuer. Par comble de malheur nous ne connaissions pas la route et la pluie dense nous aveuglait et brouillait l'horizon.

C'est ainsi que nous nous arrêtâmes finalement à bout de forces. La steppe nue s'étalait à perte de vue. Rien sauf la terre détrempée et la pluie. Si, pourtant, un point de repère : un calvaire se dressant au-dessus d'un puits. Et cinq routes inondées, toutes semblables partant du carrefour. Laquelle était la bonne ?

Nous nous assîmes sur la margelle et attendîmes un passant.

Les jets obliques de l'averse nous fouettaient comme des lanières, le vent lourd d'eau s'engouffrait sous nos vêtements, les gonflait, les faisait claquer sur la peau. Le déluge n'invitait pas au voyage et pendant longtemps rien n'apparut sur la route.

Enfin la Providence s'aperçut de notre détresse et nous envoya une lueur d'espoir. Une carriole attelée de deux petits chevaux encrottés surgit de la brume et s'approcha du calvaire. Un paysan emmitouflé, la tête coiffée d'un sac, était tapi au fond de la carriole. Nous l'appelâmes en agitant les bras, courûmes au-devant des chevaux. Il sortit enfin de son engourdissement, écarta les pans du sac et arrêta ses bêtes.

— Mauvais temps, dit-il gravement.

L'espoir de faire un bout de chemin dans sa carriole ne se réalisa pas, le paysan allant dans une autre direction, mais il nous dit laquelle des cinq routes était la nôtre et nous pûmes nous remettre en marche.

Il était presque nuit quand nous arrivâmes à Kitaïgorod et, comme pour se moquer de nous, la pluie s'arrêta en même temps. Trempés jusqu'à la moelle des os, recouverts de boue jusqu'à la taille, les pieds nus et sanglants, nous produisions grand effet et les gens se retournaient sur notre passage.

Quand Mme Krassine nous vit dans la porte, elle poussa un cri et leva les bras au ciel.

Une heure plus tard, décrottés, lavés et vêtus de robes de chambre prêtées par nos hôtes, pendant que nos hardes séchaient dans la cuisine, nous pûmes apparaître dans la salle à manger. Voyant combien nous étions affamés, Mme Krassine nous laissa manger en silence et ne nous demanda rien avant la fin du dîner.

En écoutant notre histoire elle s'écriait à tout moment :

— Vous voyez, vous voyez ! Il ne faut jamais désespérer ! N'est-ce pas un miracle d'être tombé, au sein même de la Tchéka, sur un type comme le camarade Ilyne ?

Le lendemain le docteur nous procura une charrette ou plus

exactement persuada un de ses clients venu le consulter de nous emmener dans la sienne.

Nous pûmes ainsi faire une partie de la route en voiture, assis sur une botte de foin. Dans la bourgade où nous laissa notre conducteur providentiel nous eûmes la chance de trouver un paysan de chez nous rentrant à vide après avoir transporté du blé réquisitionné par l'Armée rouge. Tout le long du chemin le vieux paysan se lamenta sur les malheurs qui s'étaient abattus sur notre pays. Il n'avait jamais vu pire désastre : les champs saccagés, les récoltes brûlées, les villages pillés et réduits à la misère. Partout les bons étaient persécutés et les méchants élevés au pinacle ! Tout cela ne pouvait que présager la fin du monde.

Le vieil homme nous déposa devant le portail du château et continua son chemin vers le village.

Je ne tenterai pas de décrire notre émotion en revoyant Maman, ni la sienne. Nous étions là, débraillés, épuisés, lamentables, mais indemnes.

Voici comment s'étaient déroulés les événements à Vassilki après notre départ avec le régiment.

À peine nos équipages avaient-il franchi le portail, que le camarade Akoulkine se transforma. Son premier geste fut de sortir un revolver et il ne parla plus à Maman qu'avec l'arme à la main. Plus de trace de l'expression servile et obséquieuse qu'il affectait en face du commissaire. Le maître à présent, c'était lui et il entendait le faire sentir.

Il ordonna à Maman d'ouvrir devant lui toutes les armoires, tous les placards, toutes les commodes et choisit lui-même tout ce qui était à son goût. Son camarade Serpouhov réquisitionna des charrettes dans le village et les fit remplir à tour de bras.

L'opération terminée, les deux Polit-Rouks déguerpirent et on ne les revit plus.

Comme après un orage, le calme était revenu dans le pays. Calme provisoire et rempli de menaces.

Le lendemain du départ des derniers bolcheviks, Maman reçut la visite du maire de Vassilki, Ivan Dovgagne.

— J'ai appris, dit-il, que vous avez été dévalisés par les agents politiques du dernier régiment. Je viens vous assurer de la sympathie du conseil municipal ainsi que de la mienne. Croyez, madame, que nous sommes indignés de la manière de procéder du commissaire. Que pouvons-nous faire pour vous ?

Maman répondit qu'il n'y avait rien à faire, surtout maintenant que le convoi était parti.

— Nous avons pensé à élever une protestation. Le commissaire nous a déclaré que le domaine nous appartenait. Par conséquent en dévalisant le château, les Polit-Rouks volaient le village. Nous avons donc un excellent prétexte pour réclamer la restitution de tous les objets arbitrairement réquisitionnés dans cette maison. Voyez-vous, madame, j'ai toujours conseillé la raison et la prudence à mes concitoyens et, jusqu'à présent, ils m'ont écouté. Mais mettez-vous à leur place : ils veulent bien s'abstenir de porter la main sur vos affaires, mais n'acceptent pas que ce soit au profit d'individus qui n'ont aucun droit sur notre commune. Vous comprenez, nous n'avons besoin de rien de ce qu'ils vous ont pris, mais je profite de ce prétexte pour vous aider. Donnez-moi la liste des objets réquisitionnés et je vais la joindre à ma protestation.

Maman lui donna cette liste et Ivan Dovgagne la plia soigneusement pour la mettre dans son portefeuille. À présent que les Rouges étaient partis, il était bien plus sûr de son importance au village. Il allait, dit-il, exiger justice en envoyant sa réclamation... mais où ? et à qui ?

Entreprise illusoire qui naturellement n'aboutit jamais. Seule nous resta sa valeur morale et, par les temps qui couraient, cela valait peut-être encore plus.

Papa avait été relâché, sans doute parce qu'il n'avait pas d'ennemis et personne ne souhaitait sa perte. Il put donc regagner son pied-à-terre à Nouvelle-Ouchitza et essayer de reprendre contact avec nous à Vassilki.

Une petite surprise l'attendait dans son appartement. Pendant son séjour en prison les tchékistes étaient passés chez lui. Le propriétaire de la maison, le respectable commerçant Abramovitch, ne put leur refuser les clés. Lui-même s'enferma avec sa famille et n'osa plus montrer le bout du nez, ce qui ne l'empêcha pas d'entendre les coups de hache enfonçant le bureau de Papa.

— Ça me faisait une peine ! raconta M. Abramovitch en agitant les bras. C'était comme s'ils me cognaient sur la tête !

Ce qui, évidemment, était un peu exagéré.

Tout ce que possédait Papa, argent, valeurs, documents, avait disparu du bureau éventré, même nos croix de baptême alignées dans un écrin, ainsi que tous les vêtements de Papa, y compris les smokings avec leurs chemises à plastron, sa robe de chambre et ses pantoufles.

Il n'y avait plus de militaires dans la ville et la population bouleversée reprenait son souffle. On respirait à l'époque par bouffées, quand il y avait de l'air. Il était impossible de prévoir de quoi serait fait le jour suivant et la parole évangélique « à chaque jour sa peine » n'a jamais été mieux illustrée.

Papa ne revint plus à Vassilki et Maman, accompagnée de nos sœurs et du fidèle caniche Mars, alla le rejoindre à Nouvelle-Ouchitza. À pied, un sac sur l'épaule, elle quitta pour toujours cette demeure qu'elle avait tant aimée.

Vassilevska et Génia se séparèrent de nous en sanglotant pour retourner dans leur village natal.

Emmanuel alla se réfugier dans notre village où il avait de nombreux amis. Il n'avait pas encore décidé ce qu'il ferait par la suite et préférait pour le moment rester dans les environs du château.

Quant à moi, ma résolution était prise : j'allais tenter de traverser le Dniestr et gagner Khotine. Grâce à Vassilevska je pus m'habiller en paysanne. Au moment de la mise à sac du château, l'aveugle, au courant de tout comme d'habitude, déclara que la chemise brodée et la jupe noire que les tchékistes avaient trouvées dans ma chambre appartenaient à sa nièce et qu'elle priait les camarades de les lui laisser. Je pus ainsi me déguiser en Ukrainienne, ce qui me donnait une chance de plus de passer incognito.

La famille Nadolski me reçut avec autant de chaleur que la première fois. On m'entoura de gentillesse et d'attention et me félicita d'avoir échappé aux griffes du commissaire. Renski, décidément, ne laissait pas de bons souvenirs derrière lui.

Au cours du dîner familial autour de la même table où j'avais siégé avec les « camarades », le sujet principal était le Dniestr. Chacun avait son point de vue et voulait l'exposer. Mme Nadolski avait peur des traversées clandestines : les évasions manquées avec des suites tragiques étaient trop fréquentes selon les rumeurs qui circulaient à ce sujet. Les Roumains, disait-on, n'étaient que des traîtres vous recevant à coups de feu après vous avoir soutiré tout votre argent. Sa sœur Mme Antonov n'était pas de cet avis. Pour elle tout valait mieux que de rester en Russie rouge à la merci d'individus du genre de Renski. Et pour se voir dévaliser, où était-on mieux qu'ici ?

Le jeune prêtre était indécis et abattu. Un drame personnel s'ajoutait pour lui aux drames politiques et il semblait désorienté. Il ne savait plus où était son devoir et doutait de sa vocation.

Une de ses sœurs était déchirée par le souci de son mari resté à Kiev et dont elle n'avait pas de nouvelles. Passer en Roumanie voulait dire mettre une barrière infranchissable entre elle et lui. Rester sur place, se cacher et attendre étaient, croyait-elle, la seule chance de le retrouver.

Mon cas, évidemment, était différent et tout le monde approuva ma décision. Dès mon arrivée le père Nicolas se mit en contact avec les contrebandiers de sa connaissance et mena les pourparlers.

Pour me familiariser autant que possible avec la topographie de la localité d'en face, il me conduisit à l'endroit où, dix jours auparavant, nous avions parlé et nous nous assîmes sur la même dalle surplombant le fleuve. Il m'indiqua les sentiers à travers bois et me décrivit les environs.

— Allez frapper à la porte du père Grégoire Sosnov, dit-il, je suis sûr qu'il vous aidera.

Il regardait l'autre rive avec nostalgie et je sentais qu'il ne souhaitait rien autant que de suivre mon exemple. Comme pour soulager le poids qui l'opprimait, il me confia le fond de son tourment.

— Vous devez vous demander pourquoi je suis devenu prêtre... J'avais grandi avec cette idée sans me poser la question : avais-je réellement la vocation ? Au séminaire on nous traitait d'office comme de futurs prêtres et nous n'envisagions pas d'autre avenir. C'était décidé dès le début de nos études. Je ne m'étais jamais demandé si mon père était croyant et quelle idée il se faisait de sa mission spirituelle. Il avait suivi la filière et n'avait jamais, je pense, songé à s'en écarter. Avait-il seulement remarqué que je n'étais pas sûr de moi, que j'étais tourmenté par le doute ? J'étais encore séminariste quand un jour il me dit : « Tu seras mon successeur. Tu veilleras sur la paroisse et sur notre famille. J'ai le cœur malade, tu le sais, je puis mourir subitement. Je te laisse mon testament, tu y trouveras mes dernières volontés. Et aussi la somme d'argent que j'ai mise de côté pour ton établissement. » Un jour, du temps où je me trouvais encore à Kamenetz après avoir passé les examens de fin d'études, je reçus un télégramme de ma mère m'annonçant la mort de mon père. J'arrivai le jour même et trouvai ma famille en grand désarroi. Ma mère, prise au dépourvu, s'affolait. Par comble de malheur les papiers, le testament et l'argent étaient introuvables. Les premiers jours de deuil passés, je me rendis compte que le moment crucial de ma vie était arrivé. L'évêché me fit savoir que, par égard pour mon père et vu les circonstances, je pouvais être ordonné immédiatement et prendre la charge de la paroisse tout de suite après. Mais auparavant je devais me marier.

» Cette obligation me mettait dans un grand embarras, car je ne connaissais aucune jeune fille désirant partager ma vie et, de mon côté, je n'aimais personne.

» Je constatai avec effroi d'une part mon manque d'enthousiasme et d'autre part mon incapacité de sortir du cercle qui m'emprisonnait.

» Je sais que les miracles sont le fruit de la foi et justement parce que la mienne n'était pas à toute épreuve, le miracle qui se produisit eut un effet décisif.

» Imaginez-vous que je fis un rêve, oh, très ordinaire, qui aurait pu être la réalité. Je me vis simplement moi-même marchant seul dans la nuit vers l'église. J'entrai comme je le fais chaque jour, mais au lieu de m'approcher de l'autel, j'avançai jusqu'au mur du fond pour m'arrêter devant l'icône de la Résurrection.

» À ce moment, je me réveillai brusquement. Le rêve avait été si net que je fus étonné de me trouver dans mon lit. Je ne dis rien à personne et attendis l'heure des matines. J'allai à l'église calmement, plus curieux, à vrai dire, qu'ému. Je refis le trajet de mon rêve, arrivai devant l'icône de la Résurrection, et attendis tout préparé à recevoir un signe. Mais il ne se passait rien et je m'efforçais de reconstruire mon rêve dans tous ses détails et d'en comprendre le sens. J'appuyai la tête contre le rebord du cadre et implorai Dieu de me guider. Soudain je sentis l'icône bouger. Stupéfait, j'appuyai davantage et l'icône bascula en découvrant une petite niche dans le mur. Tout était là, l'argent, les documents, le testament.

» Depuis le début de la révolution, mon père avait craint les représailles et les persécutions dont le clergé était l'objet en Russie. L'Ukraine à son avis n'était pas à l'abri du danger et une invasion bolchevique était toujours possible. Il crut plus prudent de cacher tout ce qu'il avait de plus précieux dans une cachette que lui seul connaissait. Sa mort subite ne lui laissa pas le temps de la révéler à sa femme.

» Vous comprendrez que tout cela me bouleversa. À partir de ce jour, je m'interdis de raisonner et m'engageai avec résignation sur le chemin tracé pour moi par Dieu et mon père.

» J'épousai une jeune fille que je connaissais très peu et qui, je le compris très vite, ne m'aimait pas. À présent je me demande souvent : étions-nous fous de subir ainsi la routine et d'engager nos vies sans vérifier ce que nous avions dans nos cœurs ?

» En devenant le prêtre de Krouchanovka, je pouvais résoudre nos problèmes de famille. Le presbytère ne nous appartient pas et en cédant la place à un autre prêtre nous aurions dû le quitter. Où serions-nous allés ? De quoi vivrions-nous ? Avec ma formation ecclésiastique quelle carrière pouvais-je envisager ? Quelle responsabilité, mon Dieu à vingt ans !

— Et... votre femme ?

Je posai ma question en hésitant, car je sentais qu'elle était indiscrète, mais le père Nicolas n'éprouva aucune gêne à me répondre.

— Ma femme, elle, n'avait reçu aucun signe d'en haut et aussi ne fit aucun effort pour se résigner. Ce village, cet isolement, l'autorité de ma mère...

Je compris le drame du jeune prêtre. Il avait à présent vingt-deux ans. Le touchant miracle qui lui avait montré le chemin ne lui avait pas donné la foi. Les doutes continuaient à l'obséder et cette fois sans lui laisser le choix. L'église elle-même était menacée et ses paroissiens pouvaient du jour au lendemain se transformer en ennemis.

Il resta un long moment silencieux, les yeux fixés sur l'autre rive.

— Les Roumains sont orthodoxes, remarquai-je, vous pourriez obtenir une nomination...

— Je me demande si je resterai prêtre, dit-il soudain, et je sentis qu'il frémit lui-même en prononçant ces mots.

Je me rendis compte tout à coup à quel point j'étais libre. Même en ayant tout perdu, patrie, famille, fortune je gardais une richesse inestimable qui est la liberté. C'est la première fois, à ce moment-là, que je compris le véritable sens de ce mot. N'avoir aucune attache, n'appartenir à rien ni à personne, avoir perdu ses racines rendaient tout possible. Mon pays n'était plus mon pays et aucun autre ne le deviendrait jamais.

J'éprouvais une légèreté comme si je pouvais m'envoler, un enthousiasme sportif de tout gagner par moi-même. Je ressentais l'attrait grisant et effrayant de l'inconnu.

La rupture avec le passé ne se fit pas toutefois sans douleur. La nuit, seule dans la salle à manger sur le petit canapé en moleskine, je pleurai à chaudes larmes dans mon oreiller en pensant à Maman, à Papa, à toute ma famille, à tous ceux que j'ai connus et aimés et que je ne reverrais plus jamais. Les images de ma vie passée défilaient dans ma mémoire et me déchiraient le cœur. Tout serait différent dans ma vie nouvelle, sans lien avec le passé, bon ou mauvais, mais en tout cas différent.

Et n'étais-je qu'une égoïste en m'enfuyant seule pour sauver ma propre vie ? Je laissais les miens dans une situation précaire, entourés de périls. Je ne saurais même pas ce qu'ils allaient devenir ! Devais-je rester avec eux et partager leur sort ?

Non, ma présence avec Renski à mes trousses ne pouvait leur attirer que des malheurs. Et, au contraire, ne partais-je pas en éclaireur pour explorer d'autres horizons ? Qui sait s'ils n'allaient pas suivre mon exemple un jour ?

Malgré mon chagrin et mes doutes, je savais que je partirais. Au risque de ma vie, sans le sou, sans la moindre idée de ce qui m'attendait. Je sentais la fin d'une étape et le début de la suivante. Je me sentais déjà le pied à l'étrier...

Tapie dans un champ de maïs, immobile, tendue, j'attends. Les hautes tiges jaunissantes me protègent à peine des implacables rayons du soleil à son zénith. Les longues feuilles en forme de lances, desséchées et dures, crissent et craquent doucement comme du bois sec. Je dresse l'oreille sans bouger de peur de laisser échapper le léger sifflement qui sera le signal pour bondir.

Je n'ose pas m'enfoncer plus loin dans le fourré pour m'abriter dans son ombre fragile et incomplète, je n'ose pas m'éloigner du sentier. J'ai peur de me laisser distraire une seconde en soulevant la manche de ma chemise paysanne pour jeter un coup d'œil sur la petite montre que je porte au poignet, ou de faire un pas hors du champ pour scruter la descente caillouteuse qui mène au Dniestr. De ma cachette je ne vois que la forêt jaune du maïs et un tournant escarpé du sentier.

Le jeune contrebandier doit se trouver à deux pas et observer la rive opposée en guettant le moment propice pour se lancer vers la barque dissimulée dans une crique.

L'air est lourd, surchauffé, vibrant de lumière. Le moindre son, le frôlement d'une aile d'oiseau, le bourdonnement d'un insecte, le froissement d'une feuille me font sursauter.

Le temps pèse et dure, mais lentement les ombres se déplacent. Je dois être là depuis des heures. J'attends toujours, crispée, prête à m'élancer. D'une fraction de seconde dépendra ma vie.

Soudain le signal retentit et tout se passe en un éclair. Le contrebandier surgit à mes côtés comme sorti de terre, me saisit par le bras, me force à me plier et m'entraîne dans le sentier que nous dévalons en trombe. Nous traversons les quelques mètres qui nous séparent de la barque et je suis littéralement jetée au fond de la petite embarcation.

Couché sur les rames le jeune homme la lance dans le courant et j'entends le clapotis de l'eau et les gémissements des tolets. La barque balance de plus en plus fort, puis commence à danser follement dans le tumulte des tourbillons. Nous sommes au milieu du fleuve.

Je lève la tête et je vois que nous filons à toute allure en coupant le Dniestr en biais vers la rive roumaine.

— Couchez-vous ! crie le passeur et il se jette lui-même au fond de la barque. Au même instant éclatent des coups de feu.

Nous dérivons toujours plus et la force du courant diminue. Le contrebandier se relève et se met à ramer frénétiquement.

— C'étaient les Russes, dit-il.

À présent nous sommes hors d'atteinte, un promontoire boisé nous sert de rempart et nous pouvons accoster sans danger. Tout est calme et désert. Une rive escarpée, une grève, plus loin les premiers arbres d'une forêt clairsemée.

— Faites vite ! crie le jeune homme, cachez-vous dans le bois. Et bonne chance !

Je saute de la barque et cours vers la montée sans me retourner. Je grimpe en m'agrippant aux buissons et aux rochers. Quand enfin je parviens jusqu'à la forêt et regarde le fleuve, la barque a disparu. Mon contrebandier a dû suivre le courant pour traverser en aval à plusieurs kilomètres de notre point de départ.

Je restai pendant quelque temps abasourdie. Je l'avais fait... J'étais en Roumanie. J'étais seule et n'avais plus rien. Tout était resté derrière le Dniestr, même ma nationalité. Je ne ressentais pas encore à ce moment décisif toute la profondeur de la déchirure. Je ne ressentais que le transport de la délivrance. Je bénissais la terre sur laquelle je posai les pieds. J'avais envie de la baiser. L'autre rive m'avait tout pris, celle-ci me rendait l'espoir.

Je regardai autour de moi. La forêt montait vers le sommet du versant en pente raide, le sentier étroit et à moitié envahi d'herbes folles devait mener au village. J'espérais que mon costume de paysanne me permettrait de passer inaperçue. Je portais une chemise à longues manches brodées, une jupe noire froncée ornée de plusieurs rangs de rubans multicolores piqués au-dessus de l'ourlet et un foulard bleu ciel à grandes franges. Une large ceinture en laine tressée m'enroulait la taille. Mes longues tresses me pendaient dans le dos.

Ma ceinture était précieuse : elle renfermait toutes mes

possessions cachées dans une sacoche dissimulée dans les plis. Mes richesses se résumaient à peu de chose : un pendentif en vieil argent que m'avait donné Maman, une petite croix en or et quelques roubles en argent qui, j'en avais peur, n'avaient plus cours nulle part. Avec ma montre en nickel noir et une petite bague à rubis, c'était tout ce que je possédais.

Je jetai un dernier regard sur le Dniestr et, derrière lui, le monde que j'abandonnais et m'engageai dans le sentier.

— Halte !

À dix pas de moi un soldat me barra le chemin. Son arme levée, il me coucha en joue. Je me crus perdue.

C'était un jeune bougre de la garde côtière qui, du haut de la colline, avait dû voir ma traversée. Après un temps il baissa son fusil, s'approcha de moi et prononça des paroles incompréhensibles.

J'essayai d'expliquer par gestes que j'allais au village, mais cela ne sembla pas l'intéresser. Il montra le Dniestr et brusquement releva son arme. Je restai immobile tandis qu'il m'examinait. Ne voyant dans mes mains aucun bagage, il alla fureter dans les buissons. N'y trouvant rien non plus, il descendit jusqu'à la berge, cherchant toujours une valise cachée. Mais il en fut pour ses frais.

Il revint vers moi et recommença à manœuvrer avec sa carabine dans ma direction. Je tendis les mains vers le village comme pour le prier de me laisser passer. Les poignets brodés de ma chemise remontèrent sur mes bras et le soldat aperçut ma montre. Il bondit et me saisit la main. Il voulait la montre. Et tant qu'il y était, la bague.

Il ne me restait qu'à m'exécuter et je les lui donnai sans discuter. C'était juste, en somme : je voulais pénétrer dans son pays qu'il était chargé de garder. Il fallait commencer par payer l'entrée.

Ayant empoché mes pauvres bijoux, il m'arracha mon foulard et je compris que c'était pour voir si j'avais des boucles d'oreilles. Je me réjouissais de ne pas en avoir, car dans sa hâte il me les aurait arrachées sans ménager mes oreilles. Je me félicitais aussi d'avoir eu l'idée de coudre à ma ceinture ma modeste bourse.

La scène ne dura que quelques minutes, le soldat devant être pressé. Sa manière d'agir ne devait pas faire partie du règlement... Il fit un geste m'indiquant le sentier, comme s'il m'autorisait le passage, jeta son fusil sur l'épaule et s'éloigna à grands pas dans le sens opposé.

Je suivis lentement les lacets du chemin qui montait au village et mon cœur bondissait à l'idée que chaque pas m'éloignait un peu plus du Dniestr et me rapprochait de ce monde libre presque oublié que j'avais si ardemment convoité.

La route était déserte, et au dernier tournant que je croisai deux paysannes chargées de ballots de laine qu'elles descendaient laver à la rivière. Elles riaient et bavardaient et leur attitude dégagée et joyeuse me frappa. Elles avançaient d'un pas léger sans jeter de regards anxieux autour d'elles.

Pour ne pas attirer leur attention je détournai la tête et accélérai le pas. Mon costume ukrainien pouvait leur paraître étrange, car les Bessarabiennes s'habillaient autrement. Ce village à l'écart de la grand-route ne devait plus être très passant depuis que le contact avec l'autre rive était interrompu, et les villageois devaient tous se connaître. Une inconnue se promenant seule sur la route aurait pu les étonner. Mais elles passèrent sans m'interpeller.

Dans la large rue non pavée qui traversait le village tout était calme et silencieux. Les paysans n'étaient pas encore rentrés des champs et je ne vis que quelques enfants habillés de longues chemises blanches, jouant au bord du chemin.

Dans un fossé rempli de boue noire une truie pataugeait en grognant de plaisir et autour d'elle de nombreux porcelets se poussaient et se bousculaient avec de petits glapissements aigus et heureux. Cette famille-là, semblait-il, jouissait elle aussi de la vie.

J'arrivai au centre du village et vis que la porte de l'église était entrouverte. Je me glissai à l'intérieur en jetant des regards craintifs. L'église était vide et on n'entendait que le léger crépitement des veilleuses à huile devant les icônes. La paix qui régnait entre ces murs me parut irréelle.

La maison du prêtre était à deux pas, je la reconnus d'après son toit d'ardoises, ses volets peints, son perron couvert de vigne vierge. Tout cela la distinguait des maisons paysannes coiffées de chaume et entourées de hautes palissades en osier tressé.

Je pris mon courage à deux mains et tirai sur la chaînette suspendue au porche. Elle fit danser une petite cloche au son grêle. Au bout d'un long moment, la porte s'entrouvrit et la tête d'un gamin apparut dans l'entrebâillement.

— Que voulez-vous ? demanda-t-il en ukrainien.

— Je veux parler au père Grégoire.

La porte se referma et le gamin disparut.

J'attendis longtemps et allai sonner de nouveau, quand la haute silhouette du père Grégoire surgit sur le seuil.

— Vous désirez... ? demanda-t-il en m'examinant.

— Père Grégoire, puis-je vous parler ?

Il semblait hésiter.

— Mais qui êtes-vous ?

Je pris un ton confidentiel :

— Une réfugiée... Je viens de traverser le Dniestr...

Le visage du prêtre s'assombrit et il jeta un regard anxieux sur la place comme pour s'assurer que personne ne m'avait entendue.

— Vous venez de l'autre côté ? chuchota-t-il.

Il recula d'un pas et l'expression de Mme Antonov me revint à l'esprit : « Nous sommes des pestiférés. »

Cet accueil me troubla, j'avais imaginé qu'il me recevrait à bras ouverts. Or il ne manifestait qu'appréhension et méfiance.

Je m'empressai de me référer aux Nadolski, nommai mes parents et surtout ma grand-mère dont les propriétés se trouvaient dans les environs. Le père Grégoire parut un peu rassuré et me fit entrer dans la maison.

— Voyez-vous, dit-il quand nous fûmes assis sur de drôles de petites chaises en bambou tapissées de peluche verte, voyez-vous, la région frontalière est sous loi martiale depuis deux mois et il est formellement interdit d'entrer en relation avec l'autre bord ou de recueillir des réfugiés. Nous devons être prudents, très prudents...

— Mon père, dis-je consternée, je ne veux pas vous causer d'ennuis. Je voulais seulement vous prier de m'héberger jusqu'à ce que je trouve un moyen de me rendre à Khotine.

— Vous héberger... ?

L'idée n'avait pas l'air de l'enchanter.

Une grosse femme au visage rond et rose entra à ce moment dans le salon et le prêtre s'exclama avec soulagement :

— Ah, voilà ma femme !

Et en s'adressant à celle-ci :

— Mademoiselle vient se réfugier en Roumanie. Ses parents ont des biens en Bessarabie. Elle nous demande de l'héberger.

Le visage de la brave dame exprima l'étonnement et je me souvins que j'étais habillée en paysanne. J'expliquai rapidement les circonstances de ma fuite.

— Ma pauvre enfant ! s'exclama-t-elle, ils auraient pu vous tuer sur le Dniestr !

Bien sûr qu'elle allait m'héberger et pour commencer me donner à manger, car sûrement, depuis ce matin... ?

Elle m'emmena dans la salle à manger et m'apporta un verre de lait et un morceau de gâteau au chou. J'étais en train de lui raconter les événements de l'autre rive, quand le père Grégoire suivi d'un jeune homme vint nous rejoindre.

— Mon fils Serge, dit-il en s'asseyant. Il est étudiant.

Visiblement ce dernier était au courant des circonstances de mon arrivée et je compris que la question avait déjà été débattue entre lui et son père. Le jeune homme alla s'asseoir en face de moi et me regarda longuement.

— Nous comprenons tous les raisons de votre évasion et admirons votre courage, dit-il enfin. J'en aurais fait autant. Mais je dois vous prévenir que traverser la frontière ce n'est pas encore tout. Vous l'avez franchie illégalement avec l'aide des contrebandiers. Et c'est très grave, vous êtes passible de poursuites, même d'expulsion. Nous nous rendrions coupables de complicité en vous cachant chez nous. Et d'ailleurs, on aurait vite fait de vous trouver. Nous croyons, mon père et moi, que la seule chose raisonnable qui vous reste à faire est d'aller déclarer vous-même votre entrée dans le pays à l'officier de la garde frontalière. Ne croyez pas que c'est un loup-garou, ajouta le jeune homme en souriant, bien au contraire, c'est un homme charmant, je le connais très bien.

— Serge, dit Mme Sosnov, réfléchis à ce que tu dis. Si le lieutenant décide d'expulser cette malheureuse enfant, ce sera vers la mort.

— Non, non, protesta son fils, le lieutenant ne fera pas ça.

— Tu n'en sais rien. Il le tiendra peut-être pour son devoir.

— C'est très strict en ce moment, observa le père Grégoire, très strict. Vous tombez à un très mauvais moment. Il y a eu des désordres dans le pays et les règlements sont très sévères.

— Votre unique chance de rester en Roumanie, dit l'étudiant, c'est d'agir loyalement. Déclarer sa présence de son propre gré est bien plus prudent que de se laisser prendre. Cela prouverait que vous êtes de bonne foi et n'avez rien à cacher. Mais notez bien que ce n'est qu'un conseil. Si vous préférez ne vous signaler qu'en arrivant à Khotine, je ne dirai rien au lieutenant. Mais d'abord : comment irez-vous à Khotine ? Les paysans sont occupés, c'est la saison des moissons et vous ne trouverez pas de voiture. Les routes sont surveillées et on pourrait vous demander non seulement vos papiers, mais encore un laissez-passer. Or vous ne possédez ni l'un ni l'autre. Que feriez-vous alors ?

— Je n'ai jamais pensé me cacher... J'ai seulement pensé qu'à Khotine où ma famille est connue, j'ai plus de chances...

Et je n'avais pas idée que la frontière était gardée avec tant de rigueur.

— C'est assez normal, dit Serge, les Roumains veulent préserver leur pays du chaos qui règne en Ukraine. D'ailleurs, s'ils n'avaient pas fermé leurs frontières, ils seraient submergés par le flot des réfugiés.

— Est-ce qu'il arrive que l'on renvoie des fugitifs pris sur la frontière ?

Je posai la question avec anxiété.

— Oui, dit Serge, je veux être franc. Et quelquefois sous le feu des sentinelles russes.

— Il y a eu des cas où on a tiré des deux côtés, ajouta le père Grégoire.

— Ceux-là n'ont accosté ni d'un côté ni de l'autre.

— Non, ils sont restés dans le Dniestr.

— En hiver, il se trouve des insensés qui essaient de traverser en sautant d'un bloc de glace à l'autre. Quand on les prend, on les fait passer sous la glace.

— Il existe encore un moyen de se débarrasser des fuyards, dit Serge, on les conduit vers quelque ravin isolé où on les supprime sous prétexte qu'ils ont tenté d'échapper aux gardes.

— Croyez-moi, insista Serge, il vaut mieux que vous vous mettiez tout de suite sous la protection du lieutenant Nicoulescou. Le seul fait que vous lui fassiez confiance l'empêchera d'employer de pareils moyens. Il voudra se décharger de vous en vous passant aux autorités militaires qui se trouvent justement à Khotine.

— C'est lui qui se chargera de votre transport, dit le père Grégoire, voilà déjà la question du voyage résolue !

— Je comprends, murmurai-je, mon sort est entre les mains du lieutenant.

— Il ne voudra pas causer votre perte, assura vivement l'étudiant, je vous le répète, c'est un homme charmant.

— Tu oublies ce qu'on dit de lui, interrompit Mme Sosnov. De drôles de bruits circulent sur sa manière d'interroger les contrebandiers. Ceux qui ont eu le malheur de tomber entre ses mains.

Serge haussa les épaules.

— Que voulez-vous qu'il fasse ? Ses supérieurs exigent des mesures draconiennes, il est responsable de son secteur et doit rendre des comptes, or la contrebande est difficile à maîtriser.

— Mais aller jusqu'à torturer les prisonniers !

— Des racontars ! fit Serge avec irritation.

— Des racontars qui ont bien le son de vérité. On a entendu des cris dans les environs du poste... On a aperçu des choses...

— Laissez ça, Maman. Tout cela n'a aucun rapport avec le cas de mademoiselle.

Ma décision était prise : j'irais voir le lieutenant. Je demandai à Serge si je pouvais y aller tout de suite.

— Demain. Ce soir le lieutenant est en tournée.

— Tant mieux, dit Mme Sosnov, ça vous permettra de vous reposer et de vous remettre de toutes vos émotions. Il vous a été dur, j'imagine, de quitter votre famille et dans de telles circonstances !

— Quels temps nous vivons, soupira le père Grégoire, quels temps !

Pour ma part je ne doutais plus : mes épreuves n'étaient pas finies, elles n'avaient que changé de nature et rien ne garantissait une fin heureuse. En fuyant le loup j'avais rencontré la louve, voilà tout.

Et pourtant non, tout était différent. Les obstacles que je rencontrais à présent découlaient de mes propres actes et c'était moi qui étais en faute. J'arrivais en Roumanie en quémandeuse et si j'avais transgressé les lois de son pays, le lieutenant Nicoulescou n'y était pour rien.

Je me sentais, il est vrai, en droit de demander l'hospitalité à la Roumanie, puisque mes ancêtres y avaient vécu et possédé des terres. Et ma grand-mère n'était-elle pas à moitié moldave ?

Ma décision de déclarer mon arrivée soulagea le père Grégoire et son fils et détendit l'atmosphère. À l'heure du dîner on s'assit à la table familiale et, malgré mes inquiétudes, je jouis intensément de l'excellent repas. La différence entre la vie « ici » et celle de « là-bas » me stupéfiait et me bouleversait à tout moment. Cette table chargée de bonnes choses, la conversation tournant autour des petits problèmes quotidiens, les événements sans drame survenus dans le pays — cela ressemblait à un rêve.

Quand, après le dîner, je fus installée sur l'étroit canapé du salon et laissée seule, ce rêve étonnant continua. Ma tête bourdonnait, mes pensées s'entremêlaient et l'avenir m'apparaissait tantôt chargé de menaces, tantôt rempli de félicité. Mais ce qui dominait dans le tumulte de mes sensations était le sentiment de triomphe : je l'avais fait ! J'avais franchi la ligne de feu !

Je restai longtemps sans trouver le sommeil, tendue, attentive au moindre bruit. Le galop d'un cheval, l'aboiement d'un chien, une porte retombant dans ses gonds me faisaient sursauter. Mais je poussai aussitôt un grand soupir de soulagement et retombai sur l'oreiller comme délivrée d'un cauchemar.

Les rayons de la lune éclairaient les fenêtres et le petit salon se remplit de lueurs bleues. Chez nous le ciel s'embrasait de lueurs d'incendies... Oh, ce calme, cette certitude d'être en sécurité ! Demain je reverrais sains et saufs les amis de la veille, car rien ne leur arriverait au courant de la nuit... Mme Sosnov avec son bon sourire, le père Grégoire, Serge seront là... Je verrais le lieutenant... Ah oui, le lieutenant !

Comment allait-il me recevoir ? S'il décidait de me renvoyer derrière le Dniestr, je refuserais d'obéir. Qu'il me fasse fusiller si ça lui plaît.

Que trouverai-je à Khotine ? Le fondé de pouvoir de Grand-Maman était-il toujours là ? Que restait-il du château de Rachkov ? Et comment était Khotine ? Je l'avais traversé jadis avec mes parents une fois ou deux, mais n'en gardais aucun souvenir. Ou si vague : des rues très larges bordées de maisons basses, des boutiques juives dans l'avenue centrale, la cathédrale... Quoi encore? Ah, oui, la forteresse turque au bord du Dniestr, la plus importante du chapelet de citadelles bâties par les Turcs le long de leurs frontières d'il y a trois siècles.

Celle de Khotine frappait par ses gigantesques murailles crénelées surplombant le fleuve. Véritable place forte de l'époque avec ses casemates, son arsenal, ses poudrières, ses canons figés dans les bastions, les cachots des prisonniers, la place d'exécutions.

Les dernières années orageuses avaient pu changer bien des choses, mais sûrement pas cette immense construction. Pour la détruire ou simplement la modifier, il aurait fallu plus d'une guerre ou un bouleversement politique.

Dans mon sommeil tourmenté de cette première nuit roumaine, tout se mélangea et se confondit, les Turcs tapis derrière leurs gigantesques remparts, les cavaliers armés de grands sabres recourbés, les lourds canons de fonte noire, toute cette machine de guerre vieille de trois siècles et les bandes armées de fusils et de grenades d'il y a à peine quelques heures.

Ma première réaction au réveil du matin suivant fut un sursaut de joie. Je ne l'avais pas rêvé, j'étais en Roumanie! Les difficultés qui m'attendaient me parurent moins graves. Qu'était-ce à côté de ce que j'avais laissé derrière moi? Non, rien ne pouvait me faire peur ni m'enlever ma joie.

En rangeant mon lit, je me demandais cependant si la nuit suivante je ne dormirais pas en prison...

La famille du prêtre était réunie dans la salle à manger. Une énorme cafetière au milieu de la table trônait auprès d'un pot de lait, une motte de beurre, des confitures, du miel, un gros pain blanc. Je regardai, ébahie par tant de merveilles!

— Comment avez-vous dormi? demanda Mme Sosnov avec bonté. Je regrette de n'avoir pu vous loger mieux. Avez-vous pu vous reposer?

J'assurai la brave femme que, de ma vie, je n'avais passé une nuit plus merveilleuse. Et c'était vrai.

— Le café n'est pas très bon, reprit Mme Sosnov, on ne trouve plus de bon café dans nos boutiques. Je pense toujours au bon café d'avant ! Et les cerises, cette année, ont été aigres, je ne sais pas pourquoi. J'ai mis plus de sucre que d'habitude, mais la confiture n'est pas réussie.

— La vie n'est pas facile de nos jours, soupira le père Grégoire, pas facile.

Je n'essayai pas d'exprimer mes pensées et mon étonnement devant leurs petits soucis. À quoi bon ? Je savais et eux ne savaient pas et ne sauraient jamais. Du moins je l'espérais.

Serge, qui venait d'arriver, était d'excellente humeur.

— Bonjour, bonjour, me dit-il, j'ai vu le lieutenant. Il s'est montré très compréhensif. Je vous l'avais bien dit, j'en étais sûr. Il viendra lui-même dès qu'il sera libéré de ses obligations.

Mme Sosnov me jeta un regard anxieux et le prêtre parut un peu gêné. Moi-même je sentis un pincement au cœur. Seul Serge restait décontracté et gai.

— Vous n'avez pas... — Mme Sosnov hésita et rougit. — Vous n'avez pas une autre robe ?

— Je suis confuse... murmurai-je. C'est vraiment choquant ? C'était une chance de plus pour sauver ma vie...

— Oh, excusez-moi, c'était par pure sympathie...

Elle rougit davantage et le père Grégoire secoua la tête avec compassion.

Le galop d'un cheval dans la cour nous interrompit.

— Le lieutenant, dit Serge.

Un jeune homme très brun, sanglé dans un élégant uniforme gris clair, entra d'un pas léger et rapide. Il se dirigea vers la maîtresse de maison et lui baisa galamment la main, s'inclina devant le père Grégoire, puis, se tournant vers moi, me tendit la main en souriant. Serge avait dû lui dire que je ne connaissais pas un mot de roumain, car il prit la parole en français qu'il parlait couramment.

— Soyez la bienvenue dans notre pays, mademoiselle !

— Merci, lieutenant, bredouillai-je émue par tant de gentillesse. Mais vous savez sans doute... Je veux dire que...

Il sourit d'un air malin.

— Je sais, je sais, le Dniestr...

Il fit un geste dans la direction du fleuve. Puis tout à coup sérieux :

— Discutons, voulez-vous ?

Il prit une chaise et me fit signe de m'asseoir en face de lui. Tous les regards se fixèrent sur nous, ceux de Mme Sosnov exprimaient l'inquiétude et encore plus la curiosité. Je regrettai qu'elle ne pût comprendre notre conversation, ignorant totalement le français. Le père Grégoire qui partageait avec sa femme cette ignorance tiraillait la chaîne de sa croix pectorale et passait sa large main dans son épaisse chevelure. Serge fumait en silence sans nous regarder.

— Je comprends très bien les raisons qui vous ont poussée vers nos frontières, commença le lieutenant, et je veux avant tout vous assurer de ma sympathie. Mais je ne puis vous cacher que je suis obligé de vous poursuivre.

Comme je me taisais, il reprit :

— Vous avez très mal choisi le moment.

— Je n'ai rien choisi du tout. Je me suis sauvée quand j'ai pu.

— Évidemment. Vous ne pouviez d'ailleurs pas savoir que nous avions eu... quelques incidents. L'état d'urgence a suivi. Les passages clandestins et la contrebande sont en ce moment très sévèrement poursuivis. Je suis responsable de mon rayon et ne puis faire semblant d'ignorer votre passage illégal.

— Vous allez me mettre en prison ?

Le lieutenant rit.

— Non, non, rassurez-vous.

— Alors m'expulser ?

— Pas davantage.

— Car je vous préviens que je ne retournerai pas là-bas.

— La décision ne dépendra pas de moi.

— Qu'allez-vous faire de moi ?

— Vous remettre à la Kommandantur de Khotine.

Il se tourna vers Serge et ils discutèrent longuement en roumain. Le prêtre et sa femme se ranimèrent et ce fut mon tour de faire la muette de Portici, d'Auber.

— Écoutez, dit le lieutenant en s'adressant à moi, et son ton était amical, sans rien d'officiel, tout ira bien si vous gardez votre sang-froid. J'envoie ce matin même un officier de liaison à Khotine. Vous accompagnerez le sous-officier Doumitrescou et c'est lui qui vous conduira à la Kommandantur. Je ferai un rapport au sujet de votre cas et ce sera au général de division d'émettre une solution.

— Au général de division ?

— Oui. Les violations de frontière, étant donné l'état de siège, sont jugées par les autorités militaires. Quand l'instruction sera terminée...

— L'instruction ?

— Ça vous étonne ?

— Je ne comprends pas ! C'est clair il me semble ! On me persécutait dans mon pays et je me suis réfugiée en Roumanie. Nous avons des attaches en Bessarabie, des biens...

Le lieutenant m'interrompit :

— Il faut avant tout que je fasse mon rapport.

Il sortit un calepin et un crayon et les posa sur la table.

— Voyons, votre nom ? Date de naissance ?

Il marquait tout.

— Lieu de naissance ?

— Moscou.

Le lieutenant fit une grimace.

— Hm... C'est embêtant. Je croyais que vous étiez originaire de Bessarabie.

— Ah non ! Je veux dire que nous sommes du Nord, mais avons toujours vécu en Ukraine et en Bessarabie.

Je parlai de Vassilki, de Rachkov, de Kapliovka. Je nommai

Me Tomachevski à toute éventualité. Le lieutenant notait tout. Il relut ses notes et réfléchit quelques instants.

— Vous êtes sûre d'être née à Moscou ?

— Voyons, lieutenant, j'ai tout perdu, mais pas la mémoire !

— Mettons que vous êtes née à Rachkov... Pour le moment. Après on verra. Ça facilitera les choses.

C'est ainsi que mon lieu de naissance fut déplacé de trois mille kilomètres et je me sentis soudain devenir roumaine. Que Nicoulescou ait introduit une fausse date dans mon dossier m'étonna. Mais il devait savoir mieux que moi ce qu'il fallait dire. Il griffonna encore quelque chose dans son carnet, puis le ferma et le mit dans sa poche.

— Et dites donc, où exactement avez-vous franchi la frontière ?

Je dressai l'oreille en me souvenant à temps qu'il faisait une chasse acharnée aux contrebandiers. Ceux-ci m'avaient pris une somme exorbitante pour me passer en Roumanie, mais je leur devais la liberté, liberté relative, comme je commençais à m'en apercevoir. Le lieutenant s'était montré humain à mon égard, mais avait l'air d'en exiger le prix. Service pour service. Je ne voulais pas trahir les contrebandiers et répondis évasivement :

— Là-bas, derrière le bois, je ne sais pas au juste.

— Vous étiez seule à traverser ?

Il le demandait nonchalamment, croyant sans doute que dans ma naïveté j'allais raconter mon épopée et livrer ainsi les compagnons d'infortune que j'avais pu avoir.

— J'étais seule ! m'écriai-je, seule avec mon jeune contrebandier !

Je me mordis les lèvres, en avais-je déjà trop dit ?

— Je ne l'ai pas beaucoup regardé, ajoutai-je vivement, il n'était peut-être pas si jeune que ça. Ça s'est passé si vite !

Je vis qu'il ne me croyait pas. Ces choses ne se passent jamais vite. Sans parler des pourparlers, des marchandages et des préparatifs, on guette la frontière pendant des heures en attendant le signal du complice d'en face. Sans complice ce serait impossible et le lieutenant le savait. Je me tourmentai en pensant que j'avais peut-être compromis mes passeurs en parlant trop franchement avec le prêtre. Serge me paraissait dangereux et j'essayais de me rappeler ce que je lui avais dit.

Le lieutenant changea de tactique et prit un ton sévère :

— Je vous conseille de me dire la vérité. Cela ne vous nuira pas, au contraire.

— Mais je vous ai tout dit ! assurai-je nerveusement, je ne sais rien de plus.

— Vous avez payé ? demanda Nicoulescou brusquement.

— Oui... bien entendu. Mais sur la rive ukrainienne, je vous assure !

Il n'avait qu'à essayer de mettre la main sur les contrebandiers de l'autre côté !

— Qui vous attendait du côté roumain ?

— Personne, je vous l'ai déjà dit. La première personne à laquelle j'ai adressé la parole était le père Grégoire.

C'était vrai, puisqu'avec le soldat je n'avais échangé que des gestes.

— Quelle heure était-il quand vous avez accosté ?

Machinalement et bêtement, puisqu'il s'agissait de la veille, j'écartai la manche de ma chemise pour jeter un regard sur la montre qui n'y était plus. Je rabattis la manche vivement, mais le geste n'échappa pas au lieutenant.

— Il devait être... laissez-moi me rappeler... autour de trois heures.

— La sentinelle n'était donc pas au poste, or c'est l'heure de la ronde. Je vais interroger les gardes-frontière. Il est possible cependant que le soldat se soit trouvé dans le voisinage. Vous ne l'avez pas remarqué ?

— Je n'ai vu personne.

— Vous n'avez pas emporté de bagage, m'a-t-on dit. Mais peut-être quelques bijoux, un peu d'argent ?

— Non, non, je n'avais rien sauf cette petite bague...

Je m'arrêtai net, mais trop tard. Je vis les yeux du lieutenant glisser sur mes mains. Mais il ne dit rien et se leva.

— Je vais préparer ce rapport et ma lettre au général. Le sous-lieutenant Doumitrescou viendra vous chercher au début de l'après-midi.

Nous entendîmes son étalon piaffer et s'ébrouer, puis s'élancer sur la route.

Le lieutenant était à peine sorti que tout le monde s'anima. Mme Sosnov avait dépéri de curiosité pendant tout mon entretien avec l'officier, entretien, avait-elle senti, rempli de choses palpitantes. Je dus tout lui raconter par le menu.

— Je vous quitterai donc tout à l'heure, conclus-je en soupirant. Je n'oublierai pas votre bonté.

Maintenant qu'ils allaient être débarrassés de moi, ils semblaient regretter d'avoir montré tant d'empressement à me signaler à Nicoulescou. Ils se mirent à louer le général dont dépendrait mon sort, mais il était évident qu'ils n'en savaient rien. S'occuperait-il seulement de mon affaire personnellement ? Il avait sûrement d'autres chats à fouetter dans une province nouvellement acquise et encore agitée. Les passages clandestins tout le long de la frontière se faisaient par milliers. Pourquoi mon cas attirerait-il son attention plus qu'un autre ?

Au cours du déjeuner on m'entoura de prévenances. Le père Grégoire déboucha une bouteille de vodka et on but à ma santé et à mes projets d'avenir, comme s'il ne s'agissait pas d'un seul et modeste souhait : ne pas échouer en prison.

Il y eut des champignons marinés et du hareng garni d'oignons crus pour accompagner le petit verre. La servante apporta un rôti entouré de pommes de terre que le père Grégoire découpa lui-même. Une tarte aux prunes couronna le merveilleux repas.

L'entrain cependant restait factice et couvrait à peine une gêne générale. Je ne pouvais pas chasser l'obsession que c'était peut-être mon dernier repas, celui du condamné. Tout en luttant pour me donner l'air insouciant, je ne cessais de penser à mon voyage en compagnie de cet officier de liaison qui ressemblerait fort à une arrestation. Mes hôtes, de leur côté, ne se sentaient pas à leur aise et leurs prédictions optimistes sonnaient faux.

Il était environ deux heures et nous étions encore à table, quand arriva le sous-lieutenant. Je fus frappée par sa jeunesse et n'eût été son uniforme militaire, je l'aurais pris pour un collégien.

Son frais visage d'adolescent aux traits réguliers et fins s'éclaira d'un charmant sourire timide quand, après s'être présenté, il me fit comprendre qu'il venait prendre possession de ma personne. C'était donc lui mon geôlier.

Notre jeunesse créait entre nous un lien de sympathie, presque de camaraderie. En dépit des circonstances nous avions envie de nous parler. Hélas, il ne connaissait que le roumain et nous dûmes nous contenter de nous sourire.

Toute la famille du prêtre, la bonne, le gamin qui la veille m'avait entrouvert la porte, même quelques curieux du voisinage assistèrent à mon départ. La voiture avec ses deux soldats sur le haut siège me rappela les événements d'il y avait deux semaines. Mais cette fois ce n'était pas un commissaire politique communiste, mais un général roumain qui déciderait de mon sort. Et ce qui avait été mon plus grand crime — mon origine bourgeoise — était devenu mon meilleur atout.

Nous traversâmes le village à vive allure en soulevant des nuages de poussière mais, au lieu de prendre la route, tournâmes dans un chemin vicinal qui conduisait à un grand bâtiment en retrait qui devait être le poste frontière. Le jeune sous-lieutenant me fit descendre et me conduisit dans un triste bureau militaire où m'attendait le lieutenant Nicoulescou.

— Je voulais vous souhaiter bon voyage, dit-il aimablement, et aussi vous recommander encore une fois la plus grande franchise dans toutes vos déclarations.

Il commençait à m'agacer avec sa franchise, comme s'il me soupçonnait de mystification ou de supercherie. Jusqu'à présent c'était lui qui avait triché en falsifiant mon lieu de naissance.

— Et maintenant...

Il fit un signe au soldat qui se tenait près de la porte et celui-ci poussa les deux battants. Je ne pus réprimer un cri : mon malheureux garde-frontière, blême de terreur, fut traîné par deux camarades au milieu du bureau. Il me jetait des regards éperdus comme pour m'implorer de le sauver.

— Connaissez-vous cet homme ? demanda le lieutenant.

— Non, non, bredouillai-je, je ne l'ai jamais vu !

Le lieutenant eut un sourire ironique.

— Et ceci ?

Il tenait dans la main ma montre et ma bague.

On avait donc découvert ce pauvre soldat stupide. La convoitise de ces objets sans valeur l'avait perdu. Je les pris machinalement et restai sans paroles, comme pétrifiée. On emmena le malheureux et aussitôt le lieutenant changea de ton.

— Oubliez tout ça. Je suis obligé de veiller à la discipline, mais cela ne vous regarde pas.

— Je vous supplie d'être indulgent pour cet homme, ce n'est vraiment pas grand-chose et je n'y tenais pas... Il aurait pu tirer sur moi... Je lui dois la vie.

— Il ne lui arrivera rien de grave, je vous le promets. Et, à présent, il est temps que vous partiez pour arriver à Khotine avant la nuit. Le sous-lieutenant me rapportera de vos nouvelles et je suis sûr qu'elles seront bonnes.

Il était nuit noire quand nous entrâmes dans la ville de Khotine. Notre voiture s'engagea dans la large avenue centrale à peine éclairée de quelques réverbères à pétrole et se mit à cahoter sur les pavés mal ajustés.

Les maisons bordant la chaussée se confondaient dans les

ténèbres, tout était désert et le silence n'était rompu que par le fracas de nos roues.

Nous nous arrêtâmes devant une bâtisse trapue aux volets fermés et je devinai que c'était une auberge. Le sous-lieutenant sauta de la voiture et alla sonner à la porte. Il dut recommencer plusieurs fois avant qu'une fenêtre ne s'entrouvrît doucement et que la tête d'une vieille femme n'apparût dans la fente. Le jeune officier lui parla en me désignant de la main et je compris qu'il demandait une chambre pour moi.

Mais la vieille femme fit un signe de refus catégorique et referma la porte.

Le sous-lieutenant restait là, perplexe : qu'allait-il faire de moi au milieu de la nuit ?

J'allai alors frapper moi-même et appelai les aubergistes en russe. La porte s'ouvrit de nouveau, cette fois devant un vieillard en caftan. Je le suppliai de me donner un coin pour la nuit et expliquai que j'avais une affaire à régler à la Kommandantur où je devais me rendre dès le matin.

L'aubergiste parut surpris, mais ne posa pas de questions. Il me fit signe de le suivre au grand soulagement du sous-lieutenant.

Le vieil homme alluma une bougie et me précéda dans un long couloir, monta un escalier raide et ouvrit une porte.

— Voilà, dit-il, c'est tout ce que je puis vous offrir.

C'était une misérable petite chambre nue et sale avec comme mobilier un lit en fer et une chaise. L'aubergiste posa sa bougie sur le rebord de la fenêtre et me regarda longuement.

— Qui êtes-vous ? demanda-t-il.

Je le mis rapidement au courant de ma fuite de la Russie soviétique et lui demandai s'il connaissait Me Tomachevski.

— Me Tomachevski ! Mais je crois bien ! Qui à Khotine ne connaît pas Me Tomachevski ?

— Il est le fondé de pouvoir de ma grand-mère.

Cette information eut l'effet que j'escomptais : la méfiance céda la place à la considération. Je nommai Grand-Maman et oncle Rostislav dont la propriété se trouvait à quatre kilomètres de Khotine et que l'aubergiste connaissait très bien. Avant de me quitter, il tint à me rassurer :

— Ne craignez rien, Me Tomachevski vous tirera d'affaire.

Je n'avais pas fini de faire ma toilette le lendemain matin, lorsqu'on frappa à la porte : mon escorte était là et m'attendait.

Le jeune Doumitrescou m'accueillit avec son sourire désarmant et un peu gêné, comme s'il se sentait en faute en venant m'importuner de si grand matin. Il avait changé de vêtements et était élégant et net. Je me sentis grotesque auprès de lui avec ma chemise fripée et grise de poussière.

Les chevaux bien reposés nous entraînèrent à vive allure à travers la ville qui m'apparaissait différente sous les rayons du soleil matinal. Elle ressemblait à nos bourgades podoliennes avec ses rues larges et mal pavées, ses maisons basses entourées de jardins et ses acacias le long des trottoirs. Khotine devait être une petite ville paisible et profondément ennuyeuse.

L'état-major occupait l'ancienne préfecture dont le portail à présent était gardé par des sentinelles.

Nous parcourûmes un grand hall, puis un long couloir et aboutîmes dans un bureau où un officier d'un certain âge siégeait derrière un rempart de dossiers. Doumitrescou échangea avec lui quelques phrases en roumain, le salua militairement, me serra la main en prononçant des mots incompréhensibles et se retira. Je ne le revis jamais.

L'officier se leva, s'inclina galamment devant moi et se présenta :

— Colonel Atanasiou. Je crois que nous pouvons parler français.

Il le parlait avec aisance et j'en fus grandement soulagée : la perspective de raconter mon histoire par gestes m'inquiétait beaucoup. Il se rassit à son bureau et me fit signe de prendre place en face de lui.

— Je suis au courant de votre affaire, dit-il, et espère pouvoir vous être utile.

C'était un bon début et je me sentis plus sûre de moi. Ça

allait s'arranger. L'essentiel était de le persuader que j'étais une personne inoffensive que pouvaient garantir des personnalités connues dans le district, Me Tomachevski, par exemple.

À peine l'eus-je nommé, que le colonel remarqua :

— Je ne sais pas s'il est à Khotine en ce moment, il voyage beaucoup.

Il le connaissait donc. Je me crus sauvée, mais il ajouta une phrase qui gâta tout :

— S'il veut se porter garant pour vous, je pourrais vous laisser en liberté provisoire jusqu'à votre procès.

— Mon procès ?

Je crus avoir mal entendu.

— Mais oui, mademoiselle, vous avez passé la frontière illégalement et sans papiers. La Roumanie n'est pas un moulin où on entre comme on veut.

— Écoutez, colonel, je fuyais sous les balles. Il était bien question de papiers !

— Je le sais. L'ennui est que les violations de la frontière dans les secteurs déclarés sous loi martiale sont jugées par les tribunaux militaires.

— Le lieutenant Nicoulescou me l'a dit... Et si ce tribunal me refuse le droit d'asile ?

Le colonel Atanasiou fit un geste évasif.

— Je ne retournerai pas en Ukraine.

— Vous paraissez bien décidée.

— Je préfère me laisser fusiller, ajoutai-je d'un ton tragique.

— Voyons, voyons, nous ne sommes pas des monstres pour fusiller des jeunes filles.

— Me renvoyer là-bas est encore plus cruel.

— Le général décidera. Mais pour l'instant, allez trouver Me Tomachevski. Je vous ferai accompagner par un soldat.

— Oh, je vous remercie, vous êtes trop aimable. Je trouverai bien mon chemin toute seule.

— Si, si, j'insiste. Il vous rejoindra dans le hall.

Je sortis de la Kommandantur flanquée d'un soldat, dont

j'aurais très bien pu me passer. À mon grand étonnement, il ne me quitta pas au portail, mais resta sur mes talons. Ce n'était donc pas pour me guider, mais pour me surveiller qu'on l'avait attaché à ma personne.

J'eus du mal à trouver la maison de Me Tomachevski car la ville est très étendue, les rues se ressemblent. Le soldat n'était d'aucun secours. Je demandai aux rares passants la direction à suivre et arrivai enfin à une villa décorée de faïences et de colonnettes d'un mauvais goût assez naïf.

Je me rendais compte du ridicule de mon aspect avec mon costume ukrainien fripé et ce soldat à mes trousses. Qu'allait penser le vénérable fondé de pouvoir de Grand-Maman ?

Ce n'est pas Me Tomachevski, mais une vieille dame ratatinée, les cheveux relevés en chignon pointu sur le sommet de la tête, qui m'ouvrit la porte, sans cependant me laisser entrer. J'expliquai hâtivement qui j'étais et demandai à voir l'avocat. Après un moment d'hésitation la vieille dame me fit entrer. Le soldat, aussitôt, me suivit.

— Mais qu'est-ce que c'est que ce soldat ? demanda la dame étonnée.

— On me l'a octroyé à la Kommandantur. Je suppose que c'est pour me surveiller.

— Ah bon... Qu'il attende dans le vestibule.

Elle lui indiqua une chaise près de la porte et m'emmena au salon.

— Je suis Mlle Tomachevski, la sœur de votre fondé de pouvoir. Mon frère est en voyage, mais je pourrais peut-être vous aider.

Je racontai mon évasion de Vassilki et Mlle Tomachevski fut très impressionnée par les dangers que j'avais courus. Elle exprima beaucoup de sympathie à l'égard de ma famille si cruellement éprouvée. En ce qui concernait la garantie qu'exigeait le colonel Atanasiou, elle allait me la donner. Nous composâmes sur-le-champ une déclaration détaillée et elle la signa.

— Et si ce document ne suffit pas, allez donc voir votre tante la baronne Dorff.

— Quelle baronne Dorff? demandai-je étonnée.

— Vous n'êtes pas au courant? C'est vrai, vous venez d'un autre monde. Mais vous devez savoir qui est la baronne Dorff?

— Si c'est de la tante Anne qu'il s'agit, c'est une cousine de mon père. Mais je ne la connais pas personnellement.

— Eh bien, elle est à Khotine depuis un an et habite avec ses deux enfants dans la maison du baron Rosen.

— Oncle Grégoire a une maison à Khotine?

Voyant à quel point j'étais ignorante des nouvelles concernant ma propre famille, Mlle Tomachevski me fit ce récit :

— Vous devez savoir que votre grand-mère avec ses trois filles se trouve à Odessa. Hélas, dans le plus grand dénuement ! En tant que son fondé de pouvoir, mon frère l'a représentée devant les autorités roumaines et a défendu ses intérêts. Dès l'annexion de la Bessarabie au royaume roumain, une réforme agraire est entrée en vigueur non seulement dans les provinces nouvellement acquises, mais dans tout le pays. Le roi Ferdinand a le premier montré l'exemple en distribuant ses terres aux paysans. En Bessarabie, la propriété foncière fut limitée à cent hectares de terre arable par propriétaire exproprié. Le reste a été racheté par l'État.

» Mon frère réussit à obtenir l'attribution de cette quote-part à sa cliente nonobstant son absence et ces cent hectares ont été pris sur le domaine de Kapliovka.

» Le sort des forêts est toujours en suspens et le ministère de l'Intérieur n'a pas encore pris de décision à leur sujet. Un seul point semble établi : les forêts seront expropriées, elles aussi. Si les discussions continuent, ce n'est que pour fixer le taux des indemnisations. On espère de meilleures estimations que celles que le gouvernement avait appliquées aux terres cultivées. En effet, les propriétaires avaient reçu des obligations d'État dont la valeur réelle ne représentait que trente pour cent de la valeur nominale. Ajoutez à cela l'estimation dérisoire des terres elles-mêmes, fixée à trente pour cent de leur valeur véritable. Cela d'ailleurs n'a pas beaucoup d'importance, ces obligations ne sont pas négociables et seront, dit-on, bientôt annulées.

» La distribution des terres ne se fit pas sans douleur et on se heurta à mille obstacles qu'il ne fut pas facile d'aplanir. Les terres n'étaient pas toutes de la même qualité, les villages étaient plus ou moins peuplés, plus ou moins prospères. Chaque village considérait que les terres de son châtelain lui appartenaient en propre et ne voulait rien en céder aux voisins moins bien lotis. Des révoltes et des règlements de comptes sanglants éclatèrent partout et on eut du mal à les réprimer. Le paysan, vous savez, est plus jaloux d'un autre paysan qu'il ne l'a jamais été du propriétaire terrien.

» L'ordre malgré tout était revenu et les paysans qui s'étaient rendus coupables de pillages crurent plus prudent de se défaire des objets volés. On retrouva de nombreux meubles ou fragments de meubles abandonnés dans les forêts, on repêcha dans le Dniestr des chaises, des tables, des armoires. Les maires des villages, pour se faire bien voir par les autorités, entreprirent des recherches eux-mêmes. Ceux de Rachkov et de Kapliovka ramenèrent un tas de choses qu'ils remirent à mon frère. Avec ce que les gérants ont pu sauver lors des incendies, ça représentait un tas impressionnant de caisses d'objets mélangés. On entassa tout dans un hangar.

» Nous en étions là quand le baron Rosen, mari de votre tante Olga, arriva à Khotine venant d'Odessa. Saviez-vous qu'il avait perdu une jambe à la guerre ? Il avait une prothèse qui lui permettait de marcher.

» Le baron resta à Khotine plusieurs mois et ne perdit pas de temps. Il donna la terre attribuée à sa belle-mère en location, vendit tous les objets de valeur qu'il put récupérer, et acheta une maison à Khotine où on transporta le reste. Il vendit également les récoltes anticipées des vergers attenants à la maison. Il convertit l'argent qu'il put ainsi rassembler en pièces d'or et les cacha... dans sa prothèse !

» Odessa à cette époque n'était pas encore aux mains des bolcheviks et le baron put rentrer par la mer. La ville était envahie de réfugiés venus du nord avec l'espoir de fuir la Russie par la mer Noire. La baronne Dorff, arrivée de Moscou, se trouvait également à Odessa.

» Maintenant, vous savez que le baron Dorff, qui venait de tomber au front, et le baron Rosen étaient cousins, comme leurs femmes sont cousines. Au titre de cette double parenté la baronne Dorff demanda au baron Rosen de lui venir en aide. Ce qu'il fit très généreusement en l'envoyant à Khotine. Mon frère reçut la permission de la part de votre grand-mère de lui donner de l'argent ainsi que la disposition de la maison achetée par son gendre à Khotine. Ce n'était, croyait-on, que pour une période assez courte, car la baronne Dorff devait continuer son voyage jusqu'en Serbie où s'étaient réfugiés ses frères. Malheureusement ce voyage se termina à Khotine, et la baronne ne nous donne pas l'impression de vouloir le reprendre.

» Je ne sais pas si le baron Rosen se rendait compte à quel point la présence de sa cousine allait peser sur la bourse de sa belle-mère. La baronne mène un train de vie que mon frère refuse de financer au compte de sa cliente qui, elle, se trouve dans le besoin en Russie. Le séjour de la baronne, qui devait être provisoire, dure depuis un an et rien n'indique sa fin.

» Entre-temps toute correspondance avec Odessa est devenue impossible, cette ville étant tombée aux mains des bolcheviks. Et le baron Rosen, reparti au front malgré son infirmité, n'en est pas revenu. De sorte que mon frère est très ennuyé et ne voit aucune solution à ce problème.

Je sentis que ma parente n'inspirait aucune sympathie à Mlle Tomachevski et je me demandais pourquoi. Ça ne pouvait être causé par le seul souci des intérêts de Grand-Maman. Il y avait autre chose qu'elle ne disait pas. Je me rappelai que Papa avait parlé du mauvais caractère de tante Anne et surtout de ses airs hautains. Visiblement elle n'avait pas changé.

— Allez voir la baronne Dorff, insista Mlle Tomachevski, et

demandez-lui de vous héberger. La maison est à vous, après tout, ou presque...

— J'irai, certes... Mais je n'oserai rien lui demander. Oh, encore une question : que reste-t-il du château de Rachkov ?

Mlle Tomachevski soupira.

— Rien. Il ne reste rien. Ça me fait de la peine de vous le dire, mais vous ne pourriez l'ignorer longtemps. Le château a brûlé.

— Et celui de Kapliovka ?

— Je ne sais pas exactement, mais je crains...

— Je vois. En somme, il ne reste à notre famille que cette maison de Khotine ?

— Oui, et ces cent hectares qui produisent un certain revenu.

Ce revenu, j'avais compris, la baronne s'en chargeait. Aurait-elle seulement la générosité de me loger ? La visite que j'allais lui faire me remplissait de malaise que les arguments de la logique ne parvenaient pas à dissiper.

Je remerciai Mlle Tomachevski de son aide et de ses conseils et allai retrouver mon soldat. Il dormait paisiblement sur sa chaise en répandant autour de lui une odeur de caserne.

— Allons, en route, mon vieux ! lui dis-je en le secouant.

S'il ne comprit pas mes paroles, il comprit mon geste et se dressa sur ses pieds. Nous reprîmes notre promenade, mais cette fois munis d'indications précises fournies par Mlle Tomachevski.

C'était la coutume en Russie d'appeler « oncle » et « tante » les cousins germains des parents. On nous avait donc toujours parlé de la baronne Dorff comme de tante Anne. Je savais peu d'elle, seulement qu'elle appartenait à la branche Gagarine de Moscou. Papa avait beaucoup fréquenté ses parents lors de sa jeunesse, du temps de ses études universitaires. Il disait que tante Anne n'avait pas hérité la gentillesse de ses parents. Comment allait-elle me recevoir ?

La maison du baron Rosen, comme on appelait ce dernier refuge familial, se trouvait dans une rue calme, éloignée du centre et bordée de jardins et de haies vives. Je la reconnus grâce à la description que m'en avait faite Mlle Tomachevski : une façade blanche, un perron ombragé de deux grands châtaigniers et un groupe de sapins autour d'une pelouse. Tout y était, je devais donc être arrivée à bon port. Je montai les quelques marches du perron et sonnai.

Une jolie femme de chambre en coquet tablier orné de dentelles ouvrit la porte et s'arrêta perplexe sur le seuil.

— Que désirez-vous ? demanda-t-elle enfin en m'examinant avec curiosité ainsi que le soldat.

— Je veux voir la baronne, dis-je résolument.

— Madame la baronne n'est pas encore sortie de sa chambre. Madame la baronne ne reçoit pas à cette heure. Et qui êtes-vous, s'il vous plaît ?

Je n'allai pas lui faire le récit de mes aventures et cela importait peu qu'elle me prît pour une paysanne. Ce qui me frappa était qu'à midi ma tante n'était pas encore habillée.

Je fis signe au soldat de m'attendre sur un des bancs que j'apercevais sous les châtaigniers.

— Donnez-moi de quoi écrire, dis-je à la femme de chambre sans répondre à sa question.

Elle fit la moue, mais apporta une feuille de papier et un crayon. Je traçai quelques lignes et signai.

— Portez ça à la baronne.

La jeune femme me jeta un regard soupçonneux mais alla transmettre mon message. Elle revint avec un visage étonné et, sans dire un mot, ouvrit la porte du salon.

Je me trouvai dans une grande pièce meublée d'objets disparates mais disposés avec tant de goût que l'ensemble devenait élégant. Un immense tapis persan recouvrait tout le plancher et donnait une note de chaleur et même de richesse à ce salon peuplé de rescapés d'un déluge. Un grand divan turc et ses deux fauteuils, un piano, des bergères, une grande lampe sous un abat-jour en soie fanée, des étagères avec des livres, des gravures anciennes aux murs. Je fouillais dans mes souvenirs pour retrouver les endroits que tous ces objets avaient occupés dans le château de Rachkov.

Ma rêverie fut interrompue par des pas rapides et saccadés que j'entendis se rapprocher de la porte et un instant après je me trouvai en face de la baronne Dorff.

Tout en elle, en commençant par sa démarche, proclamait qu'elle était quelqu'un et vous faisait un honneur en vous recevant. Ce qui frappait dès le premier coup d'œil était son opulente chevelure presque blanche relevée sur le sommet de la tête et enroulée en torsade. Son visage au teint mat et ses grands yeux un peu proéminents devaient faire l'objet de soins attentifs mais trahissaient discrètement les fards savamment appliqués. Ses vêtements étaient simples, élégants et coûteux

Il émanait de toute sa personne une conscience fondamentale de supériorité que toutes les révolutions du monde ne pourraient ébranler. Aucune adversité ou catastrophe n'avaient de prise sur cette profonde conviction. Le monde pouvait s'écrouler, mais jusqu'à son dernier souffle elle se sentirait placée au-dessus des foules par sa naissance. Les accidents que distribuait la vie n'avaient rien de çommun avec cette réalité.

Tous les membres de ma famille étaient essentiellement modestes, et cette modestie allait souvent jusqu'à la timidité Malgré mon caractère fougueux, j'étais, moi aussi, dans le fond de l'âme, assez timide. Je me sentis donc dès le premier instant dominée par la personnalité de ma tante. Que ce fût elle et non moi à solliciter la charité de ma grand-mère ne pouvait rien y changer.

— Maroussia ? dit la baronne en me tendant la main. Comme je suis contente que vous ayez pu vous sauver de la Russie ! Asseyez-vous et racontez-moi tout ça.

Je racontai ma traversée de la frontière, mon transfert à Khotine, mon entretien avec le colonel Atanasiou. Elle parut enchantée de ce dernier détail et tout de suite proposa :

— Je vais voir le général. Il m'a été présenté chez les Groubenski. C'est un homme aimable, assez bien élevé pour un

Roumain. Mais à la guerre comme à la guerre, il faut les accepter comme ils sont.

On entendit frapper doucement à la porte.

— Entrez, Véra, dit la baronne, que voulez-vous ?

— Le soldat de mademoiselle demande si ce sera bientôt fini, car il doit retourner à la Kommandantur.

— Quel soldat ? demanda tante Anne étonnée.

J'expliquai que le colonel me faisait surveiller par un soldat armé d'une carabine et que ce garde-chiourme ambulant était en ce moment assis sous un châtaignier.

La baronne rit de bon cœur, puis s'adressant à Véra, ordonna :

— Dites-lui que mademoiselle va déjeuner chez moi et invitez ce soldat à la cuisine. Tâchez de lui expliquer que je garde mademoiselle et qu'il n'a plus à s'en inquiéter. Et servez-lui à déjeuner.

— Bien, madame la baronne, dit Véra, et elle sortit.

— Après le déjeuner je vous accompagnerai à la Kommandantur et vous prendrai officiellement sous ma garde. Je parlerai au général, c'est toujours mieux de s'adresser au chef. Il sera ravi et flatté de me rendre service.

Tandis que nous parlions, un autre coup discret vint gratter la porte. On n'apparaissait pas devant la baronne sans en avoir préalablement demandé la permission. Elle dut reconnaître ce coup léger, car elle répondit en anglais :

— *Come in John !*

Un garçon d'une quinzaine d'années curieusement habillé d'une blouse bleue au col marin et d'un pantalon court qui lui arrivait aux genoux s'immobilisa sur le seuil de la porte, ses grands yeux noirs allant tour à tour de ma personne à celle de la baronne dans une muette interrogation.

— Mon fils, dit tante Anne. Puis, s'adressant au garçon : *Come and greet Maroussia, she is a cousin of ours* [1].

1. « Entrez saluer Maroussia, notre cousine. »

John baissa les yeux, inclina la tête, s'approcha gauchement de moi et prit la main que je lui tendais. Tout en lui n'était qu'obéissance et humilité. Ou semblait l'être.

— *What were you going to ask me?* demanda sa mère et en se tournant vers moi, ajouta : Je ne sais pas si vous parlez anglais ?

Je la rassurai à ce sujet, mais pour ne pas paraître importune, allai vers les fenêtres et contemplai la rue. Tout était immobile et somnolait sous le soleil éclatant des premiers jours du mois d'août. Le soldat n'était plus sous le châtaignier et devait se trouver en compagnie de la cuisinière.

En ramenant mes yeux au salon, je vis que John n'y était plus et que Véra se tenait à sa place en face de la baronne qui lui donnait des ordres.

La pièce voisine était une salle à manger dont la grande table était dressée pour le déjeuner. Toujours en quête de souvenirs, mes yeux rencontrèrent une grosse malle avec deux cadenas accrochés au couvercle, dont la présence détonnait. Tante Anne suivit mon regard et me dit en français :

— Vous regardez cette malle ? Il y en a une autre dans le vestibule. Elles pourront peut-être vous être utiles. Je ne sais pas ce qu'elles contiennent, mais vous y trouverez sans doute quelques vêtements. Je doute qu'ils soient du dernier chic, mais ce sera toujours ça. C'est Tomachevski qui a les clés. Il faudra le prier de vous les donner.

— Je n'oserai pas y toucher ! Les affaires de ma grand-mère et de mes tantes ne sont pas les miennes !

— Je suis sûre qu'elles ne refuseront pas de vous les offrir pour remplacer le costume que vous portez. En attendant je vais vous prêter une robe, car votre déguisement a joué son rôle et n'a plus de raison d'être. Vous ne pouvez pas retourner à la Kommandantur dans cet accoutrement. Suivez-moi, Véra, je vous donnerai des vêtements pour mademoiselle. Après le déjeuner vous lui préparerez la chambre à côté du salon qui est inoccupée et remplie de fatras. Mademoiselle habitera chez moi.

Quand une heure plus tard, nous fûmes réunis à table, tante Anne, John, Any et moi, je portai un joli chemisier blanc et une jupe grise un peu courte pour moi, car j'étais plus grande que tante Anne, mais, vu ma jeunesse, cela n'avait pas d'importance.

Any était une enfant pâle, l'air maladif. Son visage terne et sans attrait n'avait rien de la sombre beauté de son frère. Les deux enfants restaient silencieux, les yeux baissés sur leurs assiettes, ne répondant que par des phrases courtes et respectueuses aux rares questions que leur posait leur mère. Celle-ci ne leur parlait qu'en anglais. Any ne connaissait que quelques mots de russe, ce qui me parut à peine croyable chez une enfant qui avait grandi à Moscou et n'avait jamais mis les pieds hors de Russie.

La baronne causait sur un ton léger, passant du russe au français chaque fois que la bonne entrait pour servir. Elle ne parlait d'ailleurs qu'à moi en me traitant d'adulte. J'étais bien plus proche des enfants par mon âge et leur attitude me peinait. Mais les gouvernantes anglaises qui les avaient élevés leur avaient inculqué des principes rigoureux, dont le silence à table.

Ils n'étaient plus de très jeunes enfants et les gouvernantes ne reviendraient plus les importuner, mais l'habitude était prise et leur mère n'avait pas l'air de vouloir les en affranchir. Elle les appelait « Baby John » et « Baby Any ».

Après le repas nous passâmes au salon, tante Anne et moi, et Véra nous servit du café. John s'éclipsa immédiatement et Any, suivie de ses deux petits chiens, se retira dans sa chambre où, comme je le sus bientôt, elle passait sa vie, solitaire et désœuvrée.

Pour aller à la Kommandantur la baronne s'arma d'une charmante ombrelle en dentelle écrue et fit appeler le soldat. Elle se divertissait franchement de cette démarche et trouvait très original et drôle de se promener escortée d'un soldat armé.

Arrivés devant l'état-major, elle fit signe au soldat de

disposer, et le pauvre bougre ne savait plus où était son devoir. Après l'excellent déjeuner qu'il avait reçu dans la cuisine de cette dame, il comprenait que c'était une personne importante, mais avait-elle le droit de contrecarrer les ordres militaires ?

Tante Anne ne parlait pas un mot de roumain, mais cela ne semblait pas la gêner. Elle sortit sa carte de visite et ordonna à un des soldats qu'elle aperçut devant le porche d'aller chercher un officier. Je me disais qu'elle se faisait des illusions en s'imaginant que sa carte de visite bouleverserait l'état-major. Mais il ne se passa pas plus de trois minutes qu'un officier surgit de la grande porte ouverte de l'entrée et se précipita à notre rencontre. Tante Anne lui tendit gracieusement la main et l'officier la baisa en s'inclinant profondément.

— Voulez-vous me conduire dans le bureau du général ? dit-elle en français le plus simplement du monde. J'ai une affaire personnelle à régler avec lui.

— Madame la baronne, balbutia l'officier gêné, le général est occupé. Il vient de rentrer de Bucarest, je ne puis pas le déranger.

Elle ne l'écoutait pas et se dirigeait résolument vers le hall suivie de l'officier.

— Transmettez-lui ma carte et dites-lui que j'ai besoin de le voir tout de suite, dit-elle en pliant son ombrelle.

— Je vais essayer... Je vais voir si c'est possible..., bredouillait l'officier très embarrassé. Voulez-vous prendre un siège en attendant ?

Nous nous assîmes dans un coin du hall, la baronne tout à fait à son aise et ne doutant pas un instant du succès de sa démarche.

— Ils ont l'air de tous parler français, remarquai-je, cela facilite les choses.

— Ils sont bien obligés d'apprendre une langue européenne, autrement comment se feraient-ils comprendre ?

L'officier de tout à l'heure revint au bout de quelques minutes, son visage exprimant une déférence accrue.

— Le général vous attend, madame la baronne, veuillez avoir l'obligeance de me suivre.

Tante Anne me jeta un regard malicieux, comme si elle voulait dire : « Vous voyez, ça n'a pas été plus malin que ça... », et s'éloigna accompagnée du militaire.

Je restai seule dans le hall. Autour de moi grouillait la vie militaire. Les portes s'ouvraient et se fermaient en claquant, des hommes en uniforme affairés circulaient d'un bureau à l'autre. En passant devant moi ils me jetaient des petits regards amicaux souvent accompagnés de sourires. J'étais à présent gentiment vêtue et avais relevé mes cheveux en un nœud sur la nuque. Ma présence dans ce carrefour militaire était insolite et je me sentais ridicule, d'autant plus que le temps passait et ma tante ne revenait pas.

Quand, au bout d'une heure, elle apparut enfin, toujours suivie de l'officier, je poussai un soupir d'aise.

— Voilà, dit-elle d'un ton satisfait, j'ai tout arrangé. Vous m'êtes confiée jusqu'à nouvel ordre. Il paraît qu'ils sont obligés d'instruire l'affaire, quoique je me demande ce qu'il y a là à instruire ? Tout le monde connaît votre famille et je me suis portée garante de votre loyalisme politique. Mais les Roumains cherchent toujours midi à quatorze heures. Le général s'est montré tout à fait charmant.

— Comment vous remercier, tante Anne... ?

— Voyons, voyons, cela n'a pas été difficile. Il paraît qu'à présent vous devez aller chercher un papier...

Elle regarda l'officier.

— Ai-je bien compris, capitaine ?

C'était exact et on m'indiqua le bureau où je devais me rendre et qui n'était autre que celui du colonel Atanasiou.

J'eus le temps d'apercevoir, avant de m'engager dans le couloir, qu'une calèche attendait tante Anne devant le portail et qu'elle s'y installait avec l'aide du capitaine.

— Ah, s'exclama le colonel quand je fus introduite, vous voilà bien changée ! Et laissez-moi vous dire que je vous aime mieux comme ça. Eh bien, je vois que vous ne perdez pas votre temps et que vous êtes capable de vous débrouiller.

— Ce n'est pas moi, c'est ma tante.

— Le général m'a fait savoir qu'il considérait la garantie de la baronne Dorff suffisante. Je vous ferai délivrer un permis de séjour provisoire à condition que vous ne changiez pas de domicile. Nous vous faisons confiance, mais je vous préviens qu'une tentative de fuite...

— Colonel ! m'écriai-je sans pouvoir retenir mon agacement, pourquoi voulez-vous que je me sauve ? Ce n'est pas pour cela que je suis venue en Roumanie au risque de ma vie !

— C'est bon, c'est bon, dit le colonel d'un ton paternel. C'était mon devoir de vous prévenir. Voici donc un permis de résidence provisoire. Gardez-le précieusement. Et n'oubliez pas qu'on vous fait là une faveur, que vous avez une dette envers la Roumanie.

— Je crois que cette dette, ma grand-mère l'a payée de trois domaines...

— Oh, oh, vous n'avez pas la langue dans la poche !

Il se leva et me tendit la main.

— Je vous souhaite bonne chance.

— Encore une question, colonel... Je ne voudrais plus priver l'armée roumaine d'un de ses soldats...

Il éclata de rire.

— Je vous le reprends, soyez rassurée. Il avait pourtant comme mission de veiller sur votre sécurité.

— Je suis donc en danger dans votre pays ?

— Allez, allez, dit le colonel en ouvrant la porte. Je dois m'occuper d'autres problèmes et de personnes qui n'ont pas de tantes pour les tirer d'affaire.

Le nouvel univers dans lequel j'étais entrée continuait à ressembler à un rêve. La rupture totale avec le passé le rendait fantastique, irréel. J'avais peur de le voir s'envoler comme un songe lumineux et fugitif.

L'inquiétude pour ma famille ne m'avait certes pas quittée, mais elle revenait surtout la nuit. Le silence et la paix qui m'entouraient ramenaient des souvenirs qui me remplissaient d'effroi. Le contraste entre ma sécurité et les dangers qui les menaçaient m'apparaissant dans toute sa cruelle réalité et me donnait un sentiment de culpabilité. Mon bonheur me semblait criminel et je me reprochais de m'être tirée de l'incendie en les laissant dans les flammes. Je me tourmentai jusqu'à l'aube et m'endormis sur un oreiller noyé de larmes.

Mais le jour m'apporta une joie irrésistible et le rêve me reprit. Tout me paraissait merveilleux dans ce monde où chacun avait le droit de vivre.

Avec l'aide de Véra, je débarrassai ma chambre de tout ce qu'on y avait entassé pêle-mêle comme dans un garde-meuble. Je m'installai dans un cadre nouveau et en même temps familier, au milieu d'objets qui évoquaient des souvenirs lointains et confus.

Je trouvai dans un tiroir une exquise petite broche en mosaïque vénitienne et une montre pendentif en vieil argent finement ouvragé. Je les fixai sur mon corsage en essayant de me rappeler si je les avais vus jadis sur ceux de Grand-Maman ou de mes tantes.

De mon lit en chêne sculpté je voyais les branches d'un rosier en fleur se pencher sur ma fenêtre et j'entendais les oiseaux gazouiller sur le rebord du toit. Les tendres rayons du soleil levant venaient m'annoncer une nouvelle journée de bonheur et je sautais du lit en frémissant de joie, l'âme en fête.

Tante Anne s'amusait à jouer à la bonne fée. On ne pouvait être plus démunie que moi et un rien me comblait. Elle décida de me constituer une garde-robe et m'emmena dans les boutiques pour m'acheter des tissus. Véra recommanda une couturière qui me confectionna des robes et du linge. Au bout d'une semaine je fus équipée et l'air hagard commun à tous les rescapés de la Russie s'effaça de ma personne.

J'accompagnai ma tante chez ses amis et dus raconter mes aventures qui produisaient chaque fois un grand effet. On voyait dans mes épreuves la confirmation de ce qu'on avait toujours dit : le chaos règne dans notre patrie, le chaos et une bande d'énergumènes.

Khotine était le chef-lieu d'un important district mais, privé de chemin de fer, se développait peu et la vie y était stagnante. Cependant, faute de mieux, les anciens propriétaires fonciers y achetaient des maisons, la plupart des résidences campagnardes ayant péri dans la tourmente. Celles qui avaient échappé au cataclysme étaient trop exposées aux dangers du brigandage et aux excès d'une population encore excitée par les événements.

Les autorités responsables de l'ordre public conseillaient à tous ceux qui en avaient les moyens de déménager en ville. Il se forma ainsi une société assez fermée de « gens bien » qui se rendaient visite, s'invitaient à dîner, se communiquaient les dernières nouvelles et discutaient sans fin sur le thème palpitant du sort de leurs forêts. On se lamentait sur les nouvelles circonstances, on pleurait sur la malheureuse Russie, on se plaignait des Roumains, en les traitant de primaires et d' « inachevés ». Ce qui n'empêchait pas de lancer des invitations aux officiers supérieurs de l'état-major et de rechercher les grâces des fonctionnaires haut placés.

À Khotine ceux qui réussissaient à mettre la main sur le général de division se sentaient favorisés et allaient jusqu'à s'en vanter, en soulignant toutefois que ce n'était que naturel et que le général devait en être le premier flatté.

La question des forêts étant chroniquement en suspens, on allait à Bucarest déposer des pétitions au ministère de l'Intérieur, on rapportait des nouvelles optimistes ou pessimistes selon le vent qui soufflait dans les ministères.

Me Tomachevski s'occupait d'une série de procès et de gérances, il était éternellement en voyage, tantôt en Pologne où il possédait lui-même une propriété près de Lvov, tantôt en Bukovine, tantôt à Bucarest où il se démenait dans les tribunaux en défendant les intérêts de ses clients.

Tante Anne guettait toujours son retour à Khotine pour se faire remplir la bourse, mais Me Tomachevski prenait des mesures pour la laisser dans l'ignorance de ses mouvements et éviter ainsi ses visites.

La baronne n'apparaissait que pour le déjeuner, après avoir passé la matinée devant sa coiffeuse couverte d'une multitude de flacons en cristal, de bocaux mystérieux et de coffrets auxquels personne n'avait droit de toucher. La cuisinière Nina, qui venait demander des directives au sujet du menu et des courses à faire, stationnait longuement devant la porte fermée, penchée sur la serrure pour mieux capter les ordres lancés de l'autre côté du battant.

Je remarquai bientôt qu'à la cuisine, qui était grande, claire et gaie, il se passait une vie à part, très différente de la vie officielle de la maison. Je m'aperçus que John s'y trouvait très souvent et qu'il se transformait en un autre garçon dès qu'il sortait de l'orbite surveillée par sa mère. Il devenait subitement un véritable voyou, indiscipliné, arrogant et insupportable. Il embêtait la cuisinière, taquinait Véra, chipait des provisions, fouillait dans les placards et se faisait servir des petites collations. Il s'emportait facilement et aussitôt devenait violent. Les glapissements des deux servantes indiquaient qu'on en était venus aux mains.

Un jour, frappée par le bruit de verre brisé qui venait du sous-sol, j'allai voir ce qui s'y passait. C'était le « petit baron », comme tante Anne faisait appeler son fils par les domestiques, qui jouait aux quilles avec les verres en cristal qu'il avait sortis d'une caisse déposée là par Me Tomachevski.

Ce vandalisme dans la maison qui offrait l'hospitalité à sa famille me stupéfia et je me demandai si la baronne connaissait le véritable caractère de son fils.

Elle avait l'habitude de le faire venir dans sa chambre et

l'obligeait à écouter d'interminables discours en anglais, ce qui durait parfois des heures. Il restait là silencieux, les yeux baissés, attendant qu'elle lui permît de partir.

Je découvris avec le temps que la baronne était haineuse, tourmentée par son complexe de supériorité et le besoin de déverser sur quelqu'un son amertume. Elle employait John comme souffre-douleur sans se soucier du mal qu'elle lui faisait.

Any était ménagée et traitée avec douceur. Aussi la fillette était-elle attachée à sa mère qui pourtant la laissait mener une vie claustrée et malsaine qui la conduisait à la tombe.

— Voulez-vous aller à la fête de demain? demanda tante Anne au cours du dîner. J'ai reçu une invitation. On m'invite toujours. Mais il ne faut pas se faire d'illusions, Khotine, c'est Khotine... Je n'ai pas compris qui exactement organise ces festivités et en honneur de quel saint. D'ailleurs peu importe. Les Roumains veulent les patronner, c'est une excellente occasion de manifester leur bienveillance à l'égard de la population. Le général lui-même fera une apparition officielle au pavillon réservé aux personnalités. Vous avez dû remarquer qu'on a construit un tas de pavillons et de kiosques dans le jardin municipal. Il y aura un buffet, un orchestre, des attractions... j'imagine! Un bal enfin et je ne sais quoi encore.

Tante Anne venait de récolter ces renseignements chez les Kazimir où elle avait pris le thé. Malgré son ton ironique, je compris qu'elle allait assister à ce gala, même si ce n'était qu'une ridicule fête de Khotine.

J'exprimai quelques doutes au sujet de ma toilette, car ma garde-robe ne comprenait pas de vêtements de gala. Mais tante Anne déclara qu'elle me prêterait des vêtements appropriés.

Je fis donc le mannequin en enfilant une à une les robes qu'elle sortait de l'armoire. C'est elle qui fixa le choix : une robe en taffetas vert pâle et une petite veste assortie. Tout cela m'allait fort bien et je ne m'étais jamais sentie aussi élégante.

Elle-même portait un ravissant ensemble en soie mauve qui faisait ressortir ses magnifiques cheveux argentés. Quand je lui fis un très sincère compliment, elle dit avec un sourire satisfait :

— Je ne dois pas oublier que je suis un oiseau rare pour Khotine et que les gens sont curieux de voir les toilettes d'une dame d'honneur de l'impératrice.

Une calèche attelée d'une paire de beaux bais stoppa devant le perron à huit heures et deux jeunes gens en descendirent prestement.

— Ah, dit la baronne, voilà les neveux de Nicola Groubenski, ils ont promis de venir nous chercher.

Nicola Groubenski avait été, avant l'expropriation des terres, un des plus grands propriétaires terriens de la Bessarabie. À présent il ne possédait plus que les cent hectares réglementaires et une maison à Khotine. La baronne le voyait régulièrement, surtout depuis que Mme Groubenski était partie rendre visite à ses parents à Kichinev. Les deux neveux de M. Groubenski passaient leurs vacances à Khotine.

Très jeunes mais parfaitement mondains, s'exprimant en un français impeccable, ils comblèrent tante Anne de prévenances et de compliments, ce qui la mit de bonne humeur et la remplit d'entrain.

À peine eûmes-nous franchi le portail du parc municipal pavoisé et illuminé de lampions, que je me sentis gagnée par la féerie. La cohue joyeuse dans les allées, les pavillons scintillants de feux multicolores, les roulades de l'orchestre couvrant le brouhaha de la foule, les arbres argentés par les projecteurs, tout me paraissait merveilleux et me donnait le vertige.

Dans un restaurant de verdure décoré de lanternes chinoises, une table était réservée pour nous. D'autres convives se joignirent à notre groupe et la baronne prit place à la tête de la table, comme il convenait à son rang. Le champagne pétilla dans les verres créant une chaleur spontanée. Un colonel d'un certain âge faisait une cour assidue à tante Anne, et je remarquai qu'elle appréciait beaucoup les propos qu'il lui tenait à l'oreille. Je vis les frères Groubenski échanger un regard malicieux.

Je m'amusais follement, mes compagnons ne cessaient pas de me faire rire et de me faire des déclarations d'amour. J'étais en train de lever une coupe de champagne et cherchais dans ma tête, déjà un peu bourdonnante, quel toast je pourrais formuler, quand tout à coup je vis le lieutenant Nicoulescou debout en face de moi. Il me regardait en souriant d'un air mi-amical mi-moqueur.

Je ressentis un choc qui me dégrisa et me ramena à la réalité. Je compris soudain à quel point mon bonheur était fragile. Mais, maîtrisant mon trouble, je présentai le lieutenant à ma tante et à mes amis.

La baronne posa sur le jeune officier un regard pénétrant et lui fit signe de prendre place auprès d'elle. Le colonel fit la grimace, mais ne dit rien et se concentra sur son verre.

— La baronne ne le lâchera pas de sitôt ! dit Michel Groubenski en lançant un coup d'œil malin vers tante Anne. Tant mieux ! Vive la baronne !

Les deux frères reprirent leur bavardage, mais je ne les écoutais plus qu'à moitié, obsédée par la présence du lieutenant Nicoulescou. Je jetais de son côté des regards furtifs : il écoutait la baronne la tête baissée et semblait ne plus penser à moi.

Le moment arriva où tante Anne s'aperçut des manèges du colonel délaissé pour reprendre le terrain perdu et le lieutenant put s'échapper. Il revint vers nous et s'assit à côté de moi.

— Votre tante m'a raconté les péripéties que vous avez traversées en arrivant à Khotine, dit-il en riant. Avouez que j'ai été bon prophète.

— Oh, je ne suis pas encore sortie du pétrin ! L'hospitalité qu'on m'a accordée n'est que provisoire.

Il ne répondit rien et parla d'autre chose, mais je gardai

l'impression qu'il en savait plus sur mon affaire qu'il ne voulait le laisser paraître. Cette fête joyeuse perdit pour moi tout son charme.

Voyant une ombre passer sur mon visage, le lieutenant dit gaiement :

— La baronne m'a fait l'honneur de m'inviter pour une tasse de thé. J'aurai donc le plaisir de vous revoir demain.

Il nous quitta peu après et la fête continua, mais je ne retrouvai plus mon entrain et mon insouciance. L'enchantement avait disparu et les plaisanteries de mes jeunes compagnons ne me semblèrent plus aussi drôles.

Quand le lendemain le lieutenant Nicoulescou, fidèle à sa promesse, vint présenter ses hommages à tante Anne, je restai préoccupée et silencieuse. La baronne, par contre, très à son aise, paraissait enchantée de la visite du jeune officier. Je savais qu'elle me voyait sans me regarder et sentais qu'il ne lui déplaisait pas de me trouver à mon désavantage.

Plus tard, quand le lieutenant fut parti, elle me dit d'un ton nonchalant :

— Vous n'avez pas eu l'air ravie de voir le lieutenant Nicoulescou.

— Mais si, mais si, protestai-je, seulement sa vue me rappelait ma situation équivoque. Et, en me regardant, ses yeux avaient parfois une expression étrange.

— Il vous trouvait peut-être moins jolie qu'hier soir, dit-elle négligemment.

Le temps reprit son cours sans amener de catastrophes et l'inquiétude éveillée par ma rencontre avec Nicoulescou commençait à se dissiper. Ma vie s'était remplie de tant de nouvelles impressions que je n'avais pas le temps de spéculer sur l'avenir.

Les jeunes Groubenski, auxquels s'était jointe leur cousine

Sophie récemment arrivée de Kichinev, organisaient des excursions, des pique-niques, des randonnées à cheval et j'en faisais toujours partie.

Nous escaladâmes un jour les murailles de la forteresse turque et montâmes jusqu'aux donjons. La plaine de Podolie se déployait à perte de vue au-delà du fleuve, vaste, paisible. Rien ne trahissait ses drames, ses dévastations, les luttes acharnées pour la possession de son sol. Je fus soudain envahie de tristesse et ne pus plus arracher mes yeux de l'horizon. Là-bas, derrière ces plaines vertes se trouvaient mes parents, Emmanuel et mes sœurs, Vassilki...

Mes amis vinrent m'arracher à ma nostalgie et m'entraînèrent à la brasserie qui se trouvait au pied même de la forteresse C'était une grande entreprise vétuste qui cependant produisait une bonne bière consommée dans tout le pays.

Une odeur écœurante remplissait tout l'établissement, particulièrement violente autour des immenses cuves dans lesquelles un liquide foncé et nauséabond fermentait sous un chapeau d'écume verdâtre. Il était difficile de s'imaginer que cette substance repoussante deviendrait de la bière claire et mousseuse.

Michel Groubenski aimait faire le pitre pour nous faire rire et nous épater. Par bravade il déclara qu'il allait goûter à ce liquide effrayant et plongea un gobelet dans la cuve. Nous crûmes qu'il allait vomir, mais il tint bon et assura que ce breuvage était excellent.

Nous descendîmes au bord même du Dniestr et nous assîmes sur le gravier. Mais une sentinelle accourut aussitôt pour nous prier de nous éloigner des fortifications.

— Racontez-moi votre promenade, dit tante Anne au cours du dîner.

Je décrivis notre escalade, la visite à la brasserie et l'exploit de Michel.

— Vous avez de la chance d'avoir trouvé à Khotine des jeunes gens de bonne famille, remarqua tante Anne. Khotine en temps normal ne devait pas en être riche. Mais avec tous ces bouleversements, on rencontre les gens dans des coins tout à fait inattendus.

— Peu importe Khotine si on y trouve la société de Pétersbourg, dis-je bêtement, car je ne connaissais pas Pétersbourg et encore moins sa société.

— Ah ! non, protesta tante Anne, tout de même. Ils ont beau faire, ils garderont toujours leur petit fumet de Kichinev. Mais enfin, il ne faut pas être trop exigeant. Si ce n'est pas tout à fait ça, c'est presque ça.

Je baissai les yeux dans mon assiette, car je savais que la baronne me considérait encore plus provinciale que les Groubenski. Pour mériter le titre « de notre monde », il fallait être autrement huppé.

J'étais consciente de sa grandeur et c'est bien pour cela que j'étais surprise du choix de ses amis. Ce sous-lieutenant Clopotar par exemple, rustaud qui ne pouvait même pas se vanter d'un physique avantageux. Bien au contraire, il était repoussant avec son visage boutonneux, ses cheveux gras, ses mauvaises dents.

Il était pourtant un de ses visiteurs les plus assidus, et je me demandais de quoi ils pouvaient parler et surtout comment, Clopotar ne parlant que roumain.

D'autres militaires venaient demander à la baronne une tasse de thé. Elle semblait toujours ravie de leur venue. Ils avaient des grades différents et il lui fallait beaucoup de doigté pour éviter des rencontres gênantes. En Roumanie, à cette époque, les distances entre les niveaux sociaux étaient très marquées. Il valait mieux que le colonel Dragouescou, par exemple, ne trouvât pas le sous-lieutenant Clopotar en train de fraterniser avec son hôtesse. En face d'un supérieur en grade, même Clopotar perdait son aplomb.

Je n'étais pas conviée à ces thés et connaissais à peine les amis de ma tante. Je guettais cependant l'arrivée du colonel Dragouescou pour voir son étalon. John partageait ma passion des chevaux et dès que le galop nerveux du splendide moreau retentissait le long de la haie, nous courions nous poster au bord de la route pour le voir passer.

Le colonel sautait lestement de selle et jetait la bride à son ordonnance qui le suivait sur un gros bai. Il n'était pas facile de retenir la fougue de l'étalon et nous suivions le souffle coupé la danse des deux chevaux et les manœuvres du soldat pour les concilier et ramener le moreau à la raison.

Le colonel Dragouescou était un petit homme silencieux, toujours tiré à quatre épingles, affectant un air mystérieux et profond. La baronne insinuait qu'il lui avait rendu de grands services et en disait beaucoup de bien.

Je faisais tapisserie dans le salon pendant que le gros M. Osadza débitait des platitudes à tante Anne, quand Véra entrouvrit discrètement la porte et me fit signe de venir.

— Il y a un jeune homme qui vous demande, dit-elle d'un ton énigmatique, il est dans la cuisine.

Je me demandais qui cela pouvait être quand soudain je vis Emmanuel!

Émue et bouleversée, je l'entraînai dans le jardin où nous pouvions parler sans témoins. Comme moi, il avait passé la frontière avec l'aide de contrebandiers, mais à un autre endroit, plus rapproché de Vassilki. Il était venu à Khotine à pied et jusqu'ici personne n'était au courant de son arrivée.

Il m'apportait une lettre de Maman et me raconta ce qui s'était passé chez nous depuis mon départ. Nos parents et nos sœurs étaient à Nouvelle-Ouchitza et pour l'instant n'étaient pas persécutés. La propriété était envahie de soldatesque, le parc saccagé, le château transformé en caserne. Les paysans se terraient dans leurs trous, abandonnant les champs et seul un comité révolutionnaire rapidement formé manifestait une activité qui, pour le moment, consistait à terroriser le village. Les incidents sanglants ne se comptaient plus, les gerbiers flambaient, les églises servaient d'écuries et de dépôts de munitions.

Emmanuel avait passe ces dernières semaines chez les paysans qui l'avaient hébergé et caché jusqu'à la fin.

Je racontai de mon côté tout ce qui m'était arrivé. Je parlai de tante Anne et prévins Emmanuel de son caractère autoritaire en ajoutant qu'elle etait l'incarnation même de l'ancien régime et qu'il fallait la traiter en conséquence.

Emmanuel haussa les épaules.

— L'ancien régime ! Le monde s'ecroule, il est temps de s'en apercevoir.

— Je t'en prie, fais un effort pour lui plaire et fais-lui un brin de cour, elle y est très sensible.

— Je déteste les vieux singes qui se prennent pour le centre du monde. Le monde s'en moque éperdument. Mais sois tranquille, je ferai de mon mieux.

Quand je jugeai le moment opportun, je conduisis Emmanuel dans la maison et trouvai la baronne en consultation avec la cuisinière. La nouvelle de l'arrivée de mon frère lui était déjà parvenue.

Je sentis tout de suite qu'il ne lui plut pas, mais elle ne le laissa pas paraître et proposa de faire pour lui les mêmes démarches qu'elle avait faites pour moi.

Je pense qu'elle était inquiète et se demandait si l'exode allait continuer. Mais il ne lui restait qu'à faire bonne mine a mauvais jeu.

On mit un lit pour Emmanuel dans la chambre de John, qui était enchanté de la compagnie de ce cousin inattendu.

Pendant le dîner un peu guindé la baronne posa des questions sur les événements en Ukraine, auxquelles Emmanuel répondit avec mesure et sans faire de descriptions dramatiques ou maudire les bolcheviks et la révolution. Il ajouta même qu'il était trop tôt pour se faire un jugement sur une évolution encore chaotique et en pleine fermentation.

Tante Anne en conclut, comme je le sus plus tard, que mon

frère était trop indulgent pour l'ennemi et le baptisa lui-même de « bolchevik ».

John se taisait, mais je voyais qu'il écoutait de toutes ses oreilles et attendait avec impatience le moment où il pourrait reprendre la conversation.

— Que comptez-vous faire maintenant que vous êtes en Roumanie ? demanda tante Anne.

— Essayer d'y rester, répondit Emmanuel.

Je n'accompagnai pas tante Anne et Emmanuel à la Kommandantur le lendemain matin. Le résultat de leur démarche fut des plus satisfaisants : on accorda à Emmanuel un permis de séjour provisoire semblable au mien. Les renseignements pris à notre sujet devaient être positifs. On ajouta son nom au dossier et on lui fit les mêmes recommandations. Il ne restait plus qu'à attendre la décision des autorités chargées de notre cas.

Tante Anne était persuadée que la cause était gagnée et s'en attribuait tout le mérite. Elle se plaisait à raconter à tous ses amis qu'elle nous avait sauvés, ce qui dans une certaine mesure était vrai.

— Nous devons absolument aller voir Me Tomachevski, dit Emmanuel quelques jours plus tard. C'est lui qui représente Grand-Maman et c'est lui surtout qui détient les cordons de la bourse. Nous ne pouvons faire de projets avant de l'avoir vu. Lui seul peut trouver le moyen de correspondre avec Grand-Maman et lui communiquer notre arrivée en Roumanie.

Cette démarche était d'importance vitale. Nous eûmes la chance de le trouver chez lui.

Me Tomachevski était un homme d'un certain âge, l'air sévère, le regard pénétrant. Il nous reçut très aimablement, nous fit raconter nos évasions et les événements en Ukraine.

— En ce qui concerne l'autorisation de séjour, dit-il, je ne puis rien pour vous, sauf au besoin ajouter ma signature à la garantie de ma sœur. Mais je suis convaincu que les autorités roumaines vous accorderont le droit d'asile. Je suis également persuadé que votre grand-mère me permettra de vous entretenir à son compte. Aussi vous donnerai-je une pension. Elle sera modeste, car je suis obligé de tenir compte des dépenses que cause la présence de la baronne Dorff.

» Mais, poursuivit-il après un silence, j'espère qu'elle vous permettra de continuer vos études. Vous pourriez entrer à l'université, et pour cela vous installer à Czernowitz.

Il alla vers son bureau et fouilla dans un tiroir.

— Prenez ces trois mille lei pour l'instant. Ah, j'allais oublier : on a ramassé un tas de vêtements dans le château de Rachkov. Voici les clés des malles qui se trouvent dans la maison. Voyez s'il y a quelque chose qui puisse vous servir.

Un matin, alors que nous prenions le petit déjeuner, Emmanuel et moi, une étrange silhouette noire apparut sous les fenêtres et ne tarda pas à entrer dans la salle à manger. C'était une femme voûtée, la tête recouverte d'un grand châle et le corps affublé d'une houppelande qui lui arrivait aux chevilles. Dès l'entrée elle se mit à faire de profonds saluts en récitant d'une voix monotone :

— Bonjour mademoiselle, bonjour mon jeune monsieur ! Je suis Grounia Chiline, vous souvenez-vous de moi ? J'ai servi votre grand-mère et votre oncle M. Rostislav. Je viens vous souhaiter la bienvenue et vous demander des nouvelles de mes chers maîtres.

Nous reconnûmes à peine dans cette femme ratatinée l'énergique et pétillante Grounia, la femme du gérant de Kapliovka. La nouvelle, dit-elle, lui était parvenue que les petits-enfants de Mme Belski étaient arrivés à Khotine et elle n'avait cessé depuis de souhaiter les voir.

Nous lui dîmes ce que nous savions de Grand-Maman et de nos tantes, mais ce n'était pas grand-chose. Quant à oncle Rostislav, il avait disparu dès le début de la révolution. Avec ses idées loyalistes et son incapacité de changer ses convictions ou simplement tenir sa langue, le pire était à redouter.

Grounia n'arrêtait pas de se lamenter sur sa propre vie devenue difficile depuis la mort de son mari Moïse Chiline. Elle vivait toujours à Kapliovka, dans la même maison que jadis, puisque M. Rostislav l'avait vendue à son mari.

Les faits réels, nous les connaissions à peu près. Moïse, aussitôt après la promulgation du décret de l'expropriation des terres, avait réussi à se faire allouer un bon morceau du domaine sous prétexte qu'il l'avait toujours exploité pour son propre compte. La maison construite par oncle Rostislav pour son gérant n'entrait pas dans le programme agraire. Moïse trouva le moyen de mettre la main dessus par un autre tour de force : il déclara qu'oncle Rostislav la lui avait vendue. Les fonctionnaires roumains n'approfondirent pas la question et les choses en restèrent là.

Le retour d'oncle Rostislav aurait pu tout gâcher. Même l'apparition de ses neveux était inquiétante. Grounia s'empressait de prendre les devants pour prévenir toute investigation gênante de notre part.

Sans cesser de proclamer les mérites de Grand-Maman, elle étalait sur la table des cadeaux qu'elle nous avait apportés : du beurre, des fruits, des volailles.

— Venez me voir à Kapliovka, répétait-elle. Mais n'allez pas au château ! Je vous en prie, n'y allez pas ! Cela vous ferait trop de peine. À quoi bon ? On ne peut pas relever les ruines, comme on ne peut pas ressusciter les morts.

Les ruines ? Le château de Kapliovka avait donc subi le même sort que celui de Rachkov ? Mais Grounia récitait sa litanie sans donner de précisions. Nous décidâmes d'y aller en dépit de ses avertissements.

C'est ainsi qu'un beau matin, nous prîmes la grande chaussée et après une demi-heure de marche arrivâmes à Kapliovka.

Au carrefour où débouchait le chemin privé du domaine se dressait, comme par le passé, le moulin à vent de Jacob Lesnitzki. Ses grandes ailes déchiquetées appartenaient au paysage. Cent mètres plus loin commençait la descente à travers bois vers le château caché au fond de la vallée.

On racontait des histoires effrayantes au sujet du moulin et du meunier, car tout le monde savait que Jacob Lesnitzki était le chef d'une dangereuse bande de brigands et son moulin un repère de voleurs.

On chuchotait que certaines nuits noires, des ombres se glissaient dans le moulin à pas de loup et des lueurs furtives passaient derrière les volets clos des petites fenêtres. Les exploits des compagnons du meunier étaient si bien connus que le moulin lui-même inspirait l'effroi et la curiosité.

Le moulin se trouvait sur la terre d'oncle Rostislav en vertu d'un bail depuis longtemps périmé. Oncle Rostislav avait maintes fois essayé de s'en défaire, mais n'y avait jamais réussi. C'est qu'en prévision des visites que lui rendaient souvent les gendarmes, Lesnitzki empiétait sur la forêt où il devait avoir des cachettes à toute épreuve.

Mais rien n'est parfait et la police finit par se douter des manèges du vieux renard. Un beau jour le pot aux roses fut découvert et Jacob Lesnitzki coffré.

Après une longue absence, il réapparut et en bon voisin vint présenter ses hommages à oncle Rostislav.

— J'ai souffert pour mes idées politiques, déclara-t-il avec dignité.

Il était grand, majestueux et portait une belle barbe de patriarche.

— Ah, dit oncle Rostislav, vous faites bien de me le dire, car j'avais cru que c'était pour avoir dévalisé le fourgon postal.

M. Lesnitzki protesta avec indignation, tout en sachant parfaitement qu'oncle Rostislav était au courant de la vérité. Mais il tenait à garder son rôle de martyr et de héros politique.

Grand genre, il n'opérait jamais « chez lui » et la chaussée dans les environs de Kapliovka n'était jamais attaquée.

Je ne pense pas que la prison lui ait inculqué la vertu, mais en tout cas la prudence, car il ne fut plus repris.

Le ravin boisé au fond duquel se trouvait le château comportait des essences variées qui se mêlaient les unes aux autres dans un désordre pittoresque et charmant. Les chênes centenaires au feuillage sombre voisinaient avec les aunes clairs et vaporeux, les hêtres droits et élancés côtoyaient les érables larges et trapus, les noisetiers et les cornouillers recouvraient les pentes plus arides, les prunelliers noueux et vivaces s'accrochaient aux rochers calcaires. Et çà et là des peupliers pyramidaux surgissaient de la broussaille et la dominaient comme des minarets. Un ruisseau zigzaguait au fond de la vallée au gré des caprices du terrain, tantôt étroit et bruyant, tantôt s'étalant en nappes silencieuses sur les dalles de schiste gris perle.

C'est cette forêt-là que nous avions dans la mémoire. Nous savions certes que tout avait changé, mais nous la recherchions inconsciemment.

Le moulin nous aida à retrouver l'endroit où devait déboucher le chemin privé, mais ce chemin n'existait plus. Sous nos yeux s'étendait un ravin nu, hérissé de taillis à peine repoussés et une mer d'herbes sauvages.

Nous descendîmes à travers les broussailles jusqu'à l'endroit où devait se trouver le château. Devant nous au milieu d'un amas de pierres se dressait un pan de mur. C'était tout.

Le grand bassin ovale, vide et fissuré, et le socle de la fontaine sec rappelaient avec ironie la grandeur du passé et faisaient penser à un monument funéraire. Le chiendent perçait entre les dalles sur lesquelles se chauffaient des lézards verts.

Nous nous assîmes sur le bord du bassin.

— Hm... fit Emmanuel, c'est à peine croyable !

— C'est presque un symbole, soupirai-je, tout le passé est détruit. Nous devons bâtir notre existence sur de nouvelles bases. Mais nous sommes jeunes, comme ce jeune bois qui repousse déjà partout. Rentrons, nous en avons assez vu.

En passant devant le moulin, Emmanuel s'arrêta.

— Je me demande si le vieux gredin y est encore. Je suis sûr que celui-là a trouvé le moyen de tirer parti de la nouvelle situation et qu'il s'entend très bien avec les Roumains. Il a dû leur raconter ses épreuves du temps des Russes qui l'avaient persécuté pour ses sympathies moldaves.

Les jours passaient, septembre était là avec son temps doré encore tout plein de chaleur, ses couleurs éclatantes, ses nuits profondes. Les champs moissonnés semblaient se reposer dans une torpeur heureuse. Le Dniestr, épuisé par l'été, s'était assagi et resserré dans son lit. Khotine, comme les campagnes qui l'entouraient, était immobile et engourdi.

Nous n'avions certes pas oublié que notre destin était en suspens, mais une issue heureuse nous paraissait de plus en plus probable. Les Roumains avaient sûrement compris que nous étions inoffensifs et de bonne foi et que nous méritions leur protection.

Un soldat porteur d'un pli au cachet de la Sigourantsa [1] vint un beau matin détruire cette illusion. Nous étions convoqués d'urgence à la Kommandantur pour prendre connaissance des directives nous concernant. La lettre était laconique et le soldat impénétrable.

L'inquiétude nous gagna, mais nous espérions qu'il ne s'agissait là que de la prolongation de nos permis.

Le soldat restait planté là, l'air sombre, et répétait une phrase que nous finîmes par comprendre grâce au geste qui l'accompagnait. Il termina en posant la main sur son fusil, ce

1. Service de sécurité roumain.

qui voulait dire que l'ordre était formel et qu'il serait dangereux de s'y opposer. Brusquement il nous tourna le dos et partit. Cette façon cavalière de nous inviter à la Kommandantur ne présageait rien de bon.

— Nous irons directement chez le colonel Atanasiou, décidai-je, car j'avais l'intention d'appliquer la méthode de tante Anne.

Excellente méthode quand on peut l'employer. Or tout se passa autrement. Un militaire nous arrêta sur le seuil de la Sigourantsa, jeta un regard sur la convocation et, sans mot dire, nous conduisit à travers les couloirs dans une direction opposée à celle du bureau du colonel. Nous nous trouvâmes dans une pièce nue occupée par un greffier militaire qui nous regarda à peine et ne nous laissa pas parler. Il nous tendit simplement une feuille que nous n'eûmes pas de peine à déchiffrer : nous devions nous présenter le lendemain matin en vue de notre transfert à Czernowitz.

Nous rentrâmes en silence. Tout nous paraissait changé. Nous nous rappelâmes que Czernowitz, ou Cernâuti, auquel nous avions rêvé, n'était pas seulement une ville universitaire, mais aussi le siège de la cour martiale.

La baronne se montra pleine de gentillesse et, si notre départ la soulageait, son ton amical n'en trahit rien. John fut indigné et traita les Roumains en terme très peu académiques. Véra, qui aimait assez les malheurs d'autrui, et était fière des excellents rapports qu'elle entretenait elle-même avec des soldats de sa connaissance, nous regarda avec une pitié teintée de mépris.

— Qui sait si vous reviendrez... dit-elle.

Puis elle ajouta d'un ton compétent :

— Emportez des manteaux, vous en aurez besoin.

C'est à cette occasion-là que nous décidâmes d'ouvrir les malles. Nous y trouvâmes une multitude de choses inattendues, tout ce qu'on peut ramasser au hasard dans une maison éventrée. Vêtements, linge, nappes, rideaux, dentelles, broderies moldaves. Il y avait là une véritable collection de ces longues serviettes faites à la main dont les Bessarabiennes s'enveloppaient la tête et qui ornaient les châsses des icônes. Il y avait aussi un ravissant manteau d'astrakan avec un grand manchon et une toque assortie. Il provenait certainement de l'élevage de l'oncle Anatole Gagarine.

La salle à manger était envahie de ces choses hétéroclites. Tante Anne les regardait avec intérêt et Véra était littéralement fascinée.

Je choisis une redingote en drap noir et Emmanuel un pardessus gris presque neuf. Nous prîmes aussi un nécessaire en cuir de porc qui commença ce jour-là le long périple à travers le monde que me réservait le destin.

Ainsi équipés, ponctuels, corrects et graves, nous nous présentâmes à la Kommandantur à l'heure indiquée. Une charrette attelée de deux petits chevaux paysans et deux soldats armés de carabines nous attendaient devant le porche.

Et nous voilà encore une fois sur la route, et encore une fois en compagnie de convoyeurs armés. Khotine défile, s'éloigne et disparaît derrière un nuage de poussière, la longue chaussée s'étire devant nous comme un large ruban gris. Le moulin du grand brigand à la lisière des bois massacrés de Kapliovka a l'air de nous narguer. Malgré ses planches pourries et disjointes, il avait tenu bon face à tous les orages et s'était montré plus solide que tous nos beaux châteaux.

Nos soldats ne sont pas bavards. Assis côte à côte sur la banquette du cocher, ils échangent de temps à autre quelques mots en roumain, se retournent pour vérifier si nous sommes toujours là, allument une cigarette et fument en silence. Ils se plongent bientôt dans une demi-somnolence.

La plaine est infinie, les champs succèdent aux champs, ponctués de rares villages aux maisons blanches couvertes de chaume et entourées de cerisiers; des bois clairsemés, ruisseaux, ravins. Les heures se traînent et la voiture cahote, sautant sur les pavés inégaux. Les chevaux ont les pattes meurtries et trébuchent constamment. Dès que l'on peut, on abandonne la chaussée pour passer sur un bord de champ sans ménager les cultures.

Mais voilà enfin Novosélitza sur le Prut, ancienne ville-frontière russo-autrichienne. À présent, elle s'appelle Sulitza-Nova et les deux côtés du Prut sont roumains. Le pont était jadis le point de jonction entre deux empires et si ceux-ci n'existent plus, la coupure entre les deux pays reste frappante. L'Autriche a laissé à la Bukovine un héritage de civilisation trop solide pour qu'un changement politique puisse l'effacer du jour au lendemain.

La chaussée perd brusquement son caractère cahoteux et notre charrette, après un dernier sursaut, se met à rouler harmonieusement dans une belle avenue plantée d'arbres. On a l'impression d'avoir changé de véhicule. Les chevaux, d'abord étonnés et hésitants, relèvent la tête et partent d'un trot régulier.

Novosélitza autrichienne, comme on l'appelle encore, est une vraie petite ville qui ne ressemble en rien à la sinistre bourgade qu'est Novosélitza russe. Des maisons coquettes ont remplacé les taudis, les magasins, les cafés, les hôtels ont un aspect occidental.

On fait halte sur une place en face d'un grand café et nos gardiens nous font signe d'aller nous restaurer. Nous sommes impressionnés, Emmanuel et moi, par le luxe de la salle. Tout respire encore la vieille Autriche et on se croirait au temps des Habsbourg.

Nos soldats nous ont suivis et, installés à une table voisine, ne nous quittent pas des yeux.

Novosélitza autrichienne, comme Novosélitza russe sont peuplées de Juifs, mais ici on parle allemand. On ne parle roumain ni d'un côté ni de l'autre. Ici la population est persuadée d'avoir tout perdu avec l'effondrement de l'Autriche-Hongrie et la nostalgie du passé semble plus profonde de ce côté que du côté russe.

Czernowitz, capitale de la Bukovine, n'est pas seulement une très jolie ville autrichienne, en quelque sorte une filiale de Vienne, mais aussi le dernier bastion de l'Europe occidentale face à l'océan russe. Avantageusement placée au carrefour de la Pologne, des Carpates et du Dniestr, elle devait sa prospérité à son commerce intensif et à la richesse de la région. Favorisée par un climat salubre et revigorant, magnifiquement située sur le sommet d'une colline dominant le Prut, entourée d'un pays d'une beauté exceptionnelle, Czernowitz avait été richement dotée autant par la nature que par les circonstances politiques. L'Autriche l'avait choyée et en avait fait le centre universitaire et la résidence métropolitaine de la Bukovine. Elle lui légua sa civilisation, sa langue, sa manière de vivre et sa gaieté.

Depuis l'annexion de la province à la Roumanie, bien des choses avaient changé et, tout en gardant ses avantages, Czernowitz avait perdu son âme. Loin des centres vitaux de sa nouvelle patrie, isolée de sa mère Vienne, plantée au bord du gouffre russe, submergée par une population mélangée de langues différentes, placée entre deux mondes, la ville s'interrogeait sur son avenir.

Le soleil baissait quand notre triste équipage arriva enfin au bout de son voyage. Czernowitz nous parut formidable et étonnamment propre. Avec leur tenue correcte et leurs airs affairés, les gens dans les rues ne ressemblaient pas à ceux de chez nous.

Notre voiture s'arrêta devant un grand bâtiment gris.

— Ça a l'air d'une caserne, dit Emmanuel promenant ses yeux sur la façade lugubre.

— Descendez ! ordonna un de nos gardiens en sautant de son siège.

Nous le suivîmes sous un portail et la lourde porte en fer claqua derrière nous. Nous étions dans une grande cour isolée de l'extérieur par des bâtiments uniformes qui en faisaient le tour. Le soldat nous poussa dans un vestibule sombre où un militaire assis auprès d'une petite table feuilletait des papiers.

— Les prisonniers ! annonça le soldat.

Le militaire leva la tête et nous regarda d'un air absent. C'était un jeune homme au visage pâle et triste, vêtu d'une tunique kaki sans galons. Il n'avait rien de la suffisance des officiers roumains et semblait plutôt abattu. Il nous regarda avec un léger sourire mi-amical, mi-moqueur et demanda en allemand :

— Pourquoi vous amène-t-on ici ?

Emmanuel expliqua que nous venions de Khotine et qu'ayant traversé la frontière illégalement...

— *Ach, die Grenze !* interrompit l'officier. Je comprends.

Que voulait-il dire ? Et pour commencer, où étions-nous ?

Il chercha dans ses dossiers en tenant à la main le papier que lui avait remis le soldat.

— *Wo sind wir denn ?* demanda Emmanuel.

— Où vous êtes ? mais à la prison militaire !

Il se remit à écrire en silence, consulta un registre et se leva.

— Suivez-moi.

Un grand escalier, un large corridor flanqué de portes.

— Voilà, dit le jeune homme en ouvrant l'une d'elles. C'est votre cellule.

Et en nous voyant interloqués, il ajouta en souriant :

— Je regrette si ce n'est pas très confortable...

Il fit un geste vers un énorme lit en planches qui occupait tout un mur et la fenêtre grillagée.

— Je ne vous enfermerai pas si vous me promettez de ne pas essayer de vous sauver. Vous n'êtes pas après tout de véritables criminels.

Criminels ? La première stupeur passée, je n'y tins plus.

— Mais tout cela n'est qu'un malentendu ! Nous sommes des réfugiés et non des criminels ! Nous avons des permis de séjour provisoires et on nous a promis...

— Je n'y puis rien, m'interrompit le jeune homme, et si ça peut vous réconforter, sachez que je suis moi-même aux arrêts.

Là-dessus il nous laissa et ferma la porte.

— Nous voilà dans de beaux draps ! s'exclama Emmanuel en déambulant dans la cellule qui était très grande. Nous étions mieux à la Tchéka.

Je ne possédais pas le sang-froid de mon frère et la rage m'étouffait. Ah, les Roumains ! C'était donc ça leur justice ! Leur service d'information ! Et la protection du général ? Et la garantie de Mlle Tomachevski ? Et celle de tante Anne ? Ça n'a servi qu'à nous fourrer en prison !

Tandis que je courais d'un coin à un autre indignée et exaspérée, la porte s'ouvrit de nouveau et le jeune gradé réapparut dans l'entrebâillement.

— De la compagnie pour vous ! lança-t-il en s'écartant pour laisser entrer d'autres prisonniers.

Un homme trapu portant un long manteau de coupe militaire, comme les portaient les fonctionnaires russes, s'avança à pas hésitants. Son gros visage slave orné d'épaisses moustaches rousses exprimait l'ahurissement le plus complet. Derrière lui une dame potelée en tailleur à col de fourrure, coiffée d'un petit chapeau à voilette, tirait par la main un bambin joufflu, la figure parsemée de taches de rousseur. Ils étaient suivis d'un individu long et maigre, typique boutiquier juif de nos bourgades de Podolie. Un jeune paysan blond en veste de peau de mouton et un bonnet d'astrakan sur l'oreille fermait la marche

Comme nous une demi-heure auparavant, ils jetaient des regards ahuris autour d'eux et devaient se poser la même question : Où sommes-nous ?

— Aïe, fit le Juif d'un ton dégoûté, et qu'est-ce que c'est ?

La dame s'élança vers moi, le visage défait.

— Vous aussi, vous aussi ? Mon Dieu, mais qu'est-ce qui nous arrive ?

— Tu vois bien, cria son mari, nous sommes en prison !

Nous sûmes bientôt que le couple s'appelait Doubrov et que le mari — ô ironie du sort ! — était le directeur du pénitencier de Kamenetz-Podolsk. Comme nous, ils avaient pénétré en

Roumanie illégalement et, après mille démarches, avaient cru que l'affaire était réglée. Quand tout à coup...

L'homme maigre en manteau noir était un commerçant dans une petite ville en Podolie. Son nom était Stievel. Il avait fui la Russie avec l'aide des contrebandiers.

Le jeune paysan Ivan Pigouliac avait fait de même. Son village était au bord du Dniestr et un beau jour il décida de le traverser.

Nous étions tous très dissemblables, mais le délit qu'on nous reprochait était le même : violation de la frontière. Le sort qui nous attendait serait le sort commun.

— Combien de temps vont-ils nous garder là ? s'inquiétait Mme Doubrov. Ce n'est pas possible que l'on nous laisse ici pour la nuit !

— Pas possible ? ironisa M. Stievel. Pour moi c'est certain.

Et se tournant vers le lit de planches, il ajouta :

— Vous pouvez commencer à faire vos lits !

— On m'avait pourtant assuré, protestait M. Doubrov, que ce ne serait qu'une simple formalité. Que nous n'aurions qu'à nous présenter au contrôle pour recevoir nos passeports.

— Vous les recevrez peut-être un jour, dit M. Stievel, mais sûrement pas aujourd'hui.

— Maman, dit le petit garçon en tirant la jupe de sa mère, j'ai besoin de faire pipi.

— Voilà, voilà ! s'exclama Mme Doubrov, est-ce qu'il y a seulement une toilette ?

— Les complications commencent, remarqua M. Stievel.

— C'est inadmissible qu'on nous traite de cette manière ! s'exclama M. Doubrov. Car enfin, nous ne sommes pas des criminels !

M. Stievel, malgré ses remarques défaitistes, se montra le plus débrouillard de nous tous. Il ouvrit résolument la porte et passa la tête dans le couloir pour s'assurer qu'il était désert.

— On n'a pas le droit de quitter la cellule ! le prévint M. Doubrov d'un ton sévère.

Il connaissait évidemment mieux que nous les règlements pénitentiaires.

— Et alors ? cria M. Stievel, vous voulez que votre fils fasse pipi dans sa culotte ? Et nous aussi après lui.

Là-dessus, il se glissa dans le couloir et disparut.

Il revint en annonçant que l'endroit en question existait et se trouvait au bout du corridor. Reprenant ses investigations il se mit à observer l'étage en passant la tête dans l'entrebâillement et en la retirant rapidement dès qu'il entendait un bruit de pas. Soudain, jugeant le moment propice, il poussa la porte un peu plus loin et disparut de nouveau.

— Eh bien... dit M. Doubrov hésitant, on y va ?

La découverte de M. Stievel l'intéressait visiblement autant que son fils. Nous sortîmes l'un après l'autre sans rencontrer personne. L'étage entier paraissait abandonné.

M. Stievel resta absent assez longtemps et nous commencions à penser qu'on s'était aperçu de ses manœuvres et qu'on l'avait transféré dans une autre cellule et, cette fois, en y donnant un tour de clef.

Nous nous trompions, il réapparut sain et sauf. Le sourire malicieux qui flottait sur son maigre visage exprimait la satisfaction. Il alla droit à la haute fenêtre grillagée et ses yeux ne quittèrent plus la cour, que l'on apercevait bien malgré le crépuscule.

— Je ne puis plus rester debout, gémit Mme Doubrov, et Vassia devrait se coucher.

L'enfant pleurait de faim et de fatigue. Son père enleva son manteau, en enveloppa le bambin et l'installa sur le châlit près du mur.

— Qui sait s'il n'y a pas de poux là-dedans ? dit Mme Doubrov avec une grimace, mais elle alla tout de même s'étendre auprès de son fils en posant la tête sur son bras replié.

— *Ach !* s'écria tout d'un coup M. Stievel et il se précipita dans le couloir.

— Mais qu'est-ce qui lui prend ? fit M. Doubrov.

— Oh, s'il y a moyen de sortir de là, c'est lui qui le trouvera, dit Emmanuel.

La nuit commençait à tomber et des lumières s'allumèrent à quelques fenêtres. Notre cellule s'éclaira soudain d'une faible lueur jaune et sale projetée par une ampoule vissée au plafond.

M. Doubrov faisait les cent pas le long du lit de planches tout en monologuant avec irritation :

— Cette cellule n'est pas réglementaire ! Ce n'est qu'une chambrée de troupes. On devait allonger huit soldats sur ce châlit. Une cellule de détenus doit comporter des sièges ou au moins un banc. Dans cette cellule on ne peut pas s'asseoir, le châlit nous arrive à la poitrine. Nous n'avons pas d'autre choix que de nous allonger ou de rester debout. Je n'accepte pas ce traitement ! Je ne vais pas m'asseoir par terre !

Ces critiques si bien fondées furent interrompues par l'entrée d'un soldat qui portait un seau. La louche qui en sortait indiquait que c'était la soupe, autrement dit notre dîner. Le soldat posa son seau au milieu de la pièce et nous invita d'un geste à nous restaurer.

Ivan Pigouliac s'approcha du seau et examina le brouet.

— Tfou ! fit-il, ce qui veut dire pouah !

— Il vaut mieux mourir de faim ! s'écria Mme Doubrov qui était descendue du lit pour jeter un regard sur ce dîner peu engageant.

Le soldat renouvela l'invitation en saisissant la louche et en la remuant dans le seau.

— Non, non, mon ami, dit M. Doubrov, emportez ça !

Ces mots prononcés en russe s'accompagnaient d'un geste éloquent vers la porte que le soldat comprit.

Ce seau, même traité par le mépris, nous rappela l'heure du dîner. Comment se procurer à manger ?

— Je me demande où est passé M. Stievel ? dit M. Doubrov.

C'est à ce moment que ce dernier apparut dans la porte tenant deux miches de pain qu'il brandissait comme un drapeau.

— Oh ! comment avez-vous réussi... ?

— Et alors ? lança M. Stievel de sa voix traînante, on trouve toujours moyen, vous savez... Mais servez-vous, servez-vous !

Le petit Vassia dégringola prestement du lit et se jeta sur le morceau de pain que lui tendait sa mère. Pour se donner un air digne, Mme Doubrov remarqua :

— Ce pain autrichien est très bon...

Pendant quelque temps on mâcha en silence.

— Je vous demande encore une fois, M. Stievel, comment... ? dit M. Doubrov.

Mais celui-ci fit un geste vague qui voulait dire : Pensez ce que vous voudrez.

— Que c'était bon ! dit Emmanuel, merci M. Stievel. Mais maintenant, puisqu'on ne peut pas s'asseoir, il vaut mieux se coucher.

— Non ! m'écriai-je, non je ne vais pas me coucher là ! Je préfère passer la nuit debout.

Il me semblait qu'en acceptant ce lit d'infamie, je capitulerais devant la persécution.

— À ta guise, dit Emmanuel en haussant les épaules, mais je ne vois pas en quoi tu seras plus avancée.

Il allait grimper sur les planches quand notre jeune gardechiourme dégradé entra dans la cellule en compagnie d'un autre militaire, lui aussi sans galons et vraisemblablement pour la même raison.

— Comment ça va, vous autres ? demanda notre geôlier, je parie que vous trouvez le temps long. Aussi je viens vous proposer d'assister à une séance d'hypnotisme. Mon camarade Johann Schmidt que voici va m'hypnotiser.

— Qu'est-ce qu'il dit ? demanda Mme Doubrov qui ne comprenait pas l'allemand.

Je lui expliquai de quoi il s'agissait et elle eut peur.

— Oh, je n'aime pas ces choses-là, je n'irai pas.

— Mais si, allons, dit son mari. De toute façon, nous ne pourrons pas dormir.

M. Stievel, Emmanuel et moi étions du même avis. Ivan Pigouliac n'exprima pas d'opinion.

— Ils s'ennuient à périr, ces deux-là, dit M. Stievel en russe, et essaient de se distraire par les moyens du bord.

— Pourquoi les a-t-on dégradés ? demanda Mme Doubrov, M. Stievel, vous devez l'avoir déjà appris.

— Mais non, mais non, se défendit celui-ci en faisant la grimace, ce sont là des secrets militaires. J'ai seulement deviné qu'ils ne sont pas roumains, qu'ils sont de Czernowitz.

— Alors, vous venez ? répéta le jeune homme. C'est très curieux et on ne rencontre pas souvent un hypnotiseur de cette force. Je serai le médium et vous pourrez me poser des questions dès que je serai entré en transe.

— Ça tombe bien, dit Emmanuel, justement nous étions en train de nous poser des questions sur notre avenir. Vous réussirez peut-être mieux à y répondre.

— Je viendrais bien avec vous, dit Mme Doubrov que la perspective d'en apprendre plus sur notre sort tentait visiblement, mais j'ai peur de quitter Vassia. Pour l'instant il s'est endormi.

Ivan Pigouliac proposa de veiller sur l'enfant car il ne comprenait rien à ces histoires d'hypnotisme et préférait se coucher.

Le corridor était plongé dans le noir et le silence. Nos pas résonnaient étrangement dans le vide de l'immense bâtisse qui paraissait inhabitée. M. Stievel trottinait auprès des jeunes militaires dont la déchéance, croyait-il, autorisait la familiarité. Se servant de son yiddish et surtout de ses mains, il parvenait à se faire comprendre et les deux Autrichiens lui répondaient en allemand.

— C'est bizarre, dis-je à Emmanuel, il me semble que nous sommes les seuls hôtes de cette maison. Est-ce une caserne désaffectée ?

— Nous le saurons tout à l'heure, quand M. Stievel aura terminé sa conversation avec les officiers.

Nous arrivâmes à une grande salle vide, à part quelques chaises le long des murs et deux tables au centre. Otto Werner, notre sympathique garde-chiourme, alluma la lumière et nous fit signe de nous asseoir.

Les deux amis prirent place au milieu de la salle, l'un en face de l'autre, et restèrent longtemps immobiles se fixant en silence.

— Je ne crois pas à ces simagrées, dit M. Doubrov à voix basse.

— Ça ne coûte rien de regarder, observa M. Stievel, et vous n'avez rien d'autre à faire.

Le visage de Johann Schmidt se détachait dans la pénombre et plus je le regardais, plus j'étais impressionnée. Une face blême aux traits réguliers encadrée d'une courte barbe en mentonnière et des yeux de jais immenses et brillants. Ces yeux avaient une fixité qui mettait mal à l'aise et en même temps attirait.

L'hypnotiseur ne faisait rien d'autre que regarder le médium, sans le toucher ou faire le moindre geste. Brusquement les traits de Werner se contractèrent et il poussa un gémissement, puis se renversa en arrière, tandis que ses bras glissèrent le long de son corps. Il semblait se vider de toute sa volonté et s'offrir à celle de l'autre. S'il jouait la comédie, il la jouait bien.

— Mon Dieu ! chuchota Mme Doubrov, il va le tuer...

— Chut ! ordonna son mari, car la scène commençait à l'impressionner.

L'hypnotiseur devait donner des ordres sans les prononcer, car c'est la voix d'Otto Werner, rauque, méconnaissable, qui résonna dans le silence. Il bredouillait des phrases saccadées et incohérentes que nous ne comprîmes pas.

Lentement, comme s'il craignait de réveiller le médium, Johann Schmidt se leva et s'approcha de nous.

— Venez, me dit-il en me prenant la main. Il me fit asseoir en face de Werner qui avait les yeux fermés et paraissait inconscient.

— *Wer steht da bei mir?* Qui est à côté de moi? demanda-t-il au médium.

— *Ein Mädchen,* répondit l'autre, une jeune fille.

— *Was erwartet sie im Leben?* Qu'est-ce qui l'attend dans la vie?

— *Ein Weg,* une route.

— *Und dann?* Et après?

— *Ein anderer Weg,* une autre route.

— *Und was noch?* Et quoi encore?

— *Viel Schmerz und viel Freude... aber der Weg bleibt immer da.* Beaucoup de peine et beaucoup de joie, mais la route sera toujours là.

— Merci, dis-je, ça suffit, je ne veux pas en savoir plus.

J'allai reprendre ma chaise, émue malgré moi.

— Qui désire poser des questions au médium? demanda Johann.

Maintenant qu'il avait quitté l'hypnotisé, il était redevenu comme avant et ses yeux avaient perdu leur éclat effrayant.

— Allez, dis-je à Mme Doubrov, vous vouliez savoir ce qui nous attend.

— Non, non, protesta-t-elle affolée, je ne veux rien savoir! Dites-lui qu'il réveille ce malheureux!

— Dépêchez-vous, insista Johann Schmidt, la transe ne peut pas durer.

Je regardai M. Stievel, mais il secoua énergiquement la tête. Ce genre d'information n'était pas de son goût.

Johann reprit sa place en face du médium, mais toute son attitude avait changé. Il lui prit les mains et lui parla doucement comme à un enfant. Otto se leva lentement, chancela comme pris d'un malaise, repoussa son camarade et alla s'appuyer contre le rebord de la fenêtre. Il resta là pendant un moment la tête dans les mains.

— Que vous a-t-il prédit? demanda Mme Doubrov, je n'ai rien compris.

— Il a l'air de croire que je deviendrai nomade...

— Nous le deviendrons peut-être tous, soupira M. Doubrov. Sauf M. Stievel, qui se fixera sans doute à Czernowitz.

— Et pourquoi pas ? fit celui-ci piqué. J'ai de la famille en Bukovine.

— Naturellement... Ne serait-ce qu'une famille de coreligionnaires, qui vous tirera toujours d'affaire.

— Et alors ? Nous, vous savez, il y a deux mille ans qu'on erre dans le monde. On a fini par s'y habituer.

Quand nous fûmes rentrés « chez nous », le problème de la nuit se posa pour de bon. Comment dormir sur ce châlit ? Il n'y avait pas de paillasse sur les planches, même pas de paille.

— La nuit sera dure, remarqua M. Stievel qui aimait les calembours.

Un petit détail s'ajouta à ce tableau déjà peu fait pour remonter le moral. Otto Werner qui, à présent, avait retrouvé toute sa lucidité, s'étant assuré que nous étions tous présents, donna un double tour de clé à la serrure de la porte.

Ivan Pigouliac étendu sur le dos émettait des ronflements paisibles et Vassia à ses côtés, la tête enfouie dans le pardessus de son père, dormait à poings fermés. Emmanuel et M. Stievel s'installèrent de leur mieux. M. Doubrov aida sa femme à grimper auprès de son fils et se hissa lui-même en poussant de gros soupirs. Je restai seule adossée au mur et décidée à faire la grève du sommeil.

Je passai une très mauvaise nuit, rompue de fatigue, grelottant de froid, au bord des larmes. L'aube me trouva par terre, recroquevillée dans un coin, car le sommeil eut raison de mon obstination et me terrassa. Quand je me réveillai en sursaut, tout ankylosée et abrutie, tout le monde était déjà levé et le soldat était de nouveau là avec son seau de soupe.

— Le café ! cria M. Stievel sarcastique. Servez-vous, prenez la louche ! Je cède mon tour.

Comme la veille, personne ne voulut y toucher et le soldat indifférent retourna aux cuisines sans insister.

Il y avait un robinet sur le palier et nous pûmes faire un peu de toilette. Mme Doubrov remit son chapeau à voilette comme si elle était sûre que notre détention allait prendre fin.

Otto Werner arriva avec un registre pour faire l'appel, comme au début, indifférent et las, ne manifestant aucun souvenir de sa transe de la veille. C'était plutôt M. Stievel qui en gardait l'impression. Après une soirée aussi intime avec nos geôliers, il se sentait sur le même pied. Il s'adressait au jeune militaire sur un ton familier, exigeait une meilleure nourriture et le harcelait de questions.

Otto Werner qui ne savait rien finit par s'énerver et l'envoya promener. M. Stievel ne parut pas offensé, mais changea de tactique en portant toute son attention à la fenêtre. On aurait dit qu'il attendait quelqu'un.

J'enviais à Ivan Pigouliac son extraordinaire sérénité. Il ne s'agitait pas, ne réclamait rien, n'accusait personne. Il attendait simplement l'issue de l'aventure dans laquelle il s'était lancé de son propre gré et ne passait pas son temps à critiquer les Roumains.

— J'ai appris, dit M. Stievel sans quitter des yeux son champ d'observation qui était la cour, j'ai appris que nous risquons de rester là pendant des mois en attendant la fin de l'enquête à notre sujet.

— Ah non ! s'écria M. Doubrov, je n'admettrai pas ça ! Je prendrai des mesures...

— *Ach*, fit M. Stievel moqueur, que ne les avez-vous pas prises plus tôt ?

— Parce qu'on m'avait affirmé...

— On affirme toujours, pour que les gens se tiennent tranquilles. On s'aperçoit de la souricière une fois qu'on est dedans.

— Si j'avais su...

— Vous seriez resté en Russie ? Au pénitencier de Kamenetz-Podolsk ? Mais en qualité de détenu vraisemblablement. Et avec moins de chances d'en sortir.

Tout à coup M. Stievel bondit vers la porte, tendit le cou pour mieux entendre, retourna vers la fenêtre, promena la tête

le long des barreaux, revint à la porte et se figea, tremblant.
— Mais qu'avez-vous donc ? demanda M. Doubrov.
M. Stievel ne répondit pas et, brusquement, sauta en arrière. Un officier d'un certain âge suivi d'un monsieur en civil coiffé d'un chapeau melon et Otto Werner portant un registre entrèrent dans la cellule.
M. Stievel se précipita vers le monsieur en civil et lui serra la main avec effusion. Ce faisant, il lui disait quelque chose à voix basse et l'autre écoutait attentivement.
Enfin, se tournant vers l'officier, le monsieur lui parla en roumain. Il avait l'air de demander la permission de s'entretenir avec M. Stievel en privé. L'officier fit un signe d'assentiment et se concentra sur la vérification de nos identités. Quand il eut fini, il se retira, suivi d'Otto Werner.
Le monsieur au chapeau melon et M. Stievel s'entretinrent longtemps en yiddish en nous tournant le dos. Le monsieur appliqua au mur une feuille de papier et la couvrit de notes.
La feuille rangée dans son portefeuille, il serra la main de M. Stievel, nous lança à tous un « *Servus !* » général et sortit.
M. Stievel ne s'agitait plus. L'air détendu et satisfait, il expliqua :
— C'était mon beau-frère M. Nudelmann.
Le temps se remit à traîner en longueur et l'énervement nous ressaisit. Qu'attendions-nous comme ça ? Est-ce que quelqu'un s'occupait de notre affaire ? Pourquoi personne ne venait nous renseigner ? À notre fatigue s'ajoutait la pénible sensation de faim qui augmentait notre mauvaise humeur. Ivan Pigouliac essayait de distraire Vassia et, pour l'empêcher de pleurer, le faisait sauter du châlit et l'y remettait de nouveau.
Emmanuel et M. Doubrov firent une expédition dans la salle où s'était jouée la séance d'hypnotisme et en rapportèrent des chaises. L'opération se fit sans incidents, les bureaux et les sentinelles se trouvant au rez-de-chaussée, de sorte que nous avions l'étage pour ainsi dire à nous.
Il était environ une heure quand M. Nudelmann réapparut,

cette fois en compagnie d'un autre civil qui lui ressemblait. Le nouveau venu avait un air important avec son pince-nez en or, son parapluie noir et sa grosse serviette sous le bras. Il enleva son chapeau, en dessina un grand cercle qui nous embrassait tous, et s'inclina galamment.

— *Ich stelle mich vor,* dit-il, je me présente : Doktor Glaubach, avocat.

La visite des deux messieurs concernait M. Stievel. Ils le prirent amicalement par les bras et l'emmenèrent dans le corridor. Nous en fûmes de notre curiosité et dûmes nous contenter du spectacle de leur promenade tandis qu'ils passaient et repassaient devant la porte entrouverte.

Ils étaient encore à déambuler quand le soldat préposé à la distribution de la soupe revint encore une fois avec son seau. Prévoyant notre entêtement à bouder son brouet, il le posa sans commentaires au milieu de la cellule et s'en alla.

Quand en revenant dans notre chambrée Me Glaubach vit le seau, il leva les bras au ciel et s'exclama :

— *Mein Gott, so was !*

Puis, s'adressant à M. Nudelmann, il ajouta :

— *Sagen Sie doch den Leuten...* dites donc à ces gens que ceux qui désirent me confier leur défense en même temps que celle de M. Stievel...

Celui-ci allait traduire, mais je l'interrompis :

— Nous parlons allemand, mon frère et moi. De quoi s'agit-il ?

Enchanté de pouvoir s'exprimer sans avoir recours à la traduction hésitante de M. Stievel, Me Glaubach nous exposa la situation. M. Nudelmann, commerçant à Czernowitz, s'était adressé à lui pour défendre son beau-frère M. Stievel et obtenir pour lui une autorisation de séjour en Roumanie. Il proposait de s'occuper également des autres prisonniers.

Les conditions étaient les suivantes : deux mille lei de forfait par tête de client, dont la moitié payable tout de suite, l'autre à la libération. La durée de la procédure dépendrait des autorités roumaines. Un verdict favorable ne pouvait malheureusement pas être garanti.

En dépit du prix élevé de l'intervention de l'avocat et de l'incertitude du résultat, nous acceptâmes ces conditions, comme le firent d'ailleurs tous nos compagnons d'infortune. Ivan Pigouliac n'avait pas d'argent sur lui et Me Glaubach consentit à le prendre en charge à crédit, ce qui prédisposa en sa faveur.

Notre défenseur se mit à l'œuvre sans perdre un instant. Il constitua pour chacun de nous un dossier comprenant tous les renseignements ainsi que les motifs de la violation de la frontière. Quand M. Doubrov mentionna le poste qu'il avait occupé à Kamenetz-Podolsk, Glaubach éclata de rire, ce que M. Doubrov trouva indélicat.

En apprenant que nous appartenions à une famille de propriétaires fonciers, Emmanuel et moi, l'avocat manifesta pour nous un intérêt particulier, ce qui était un peu gênant. Voilà qui nous changeait de l'effet que la même information produisait en Ukraine !

Glaubach allait nous quitter, quand Emmanuel le retint :

— *Herr Doktor,* nous mourons de faim. Pourriez-vous nous procurer quelque chose à manger ?

— Et aussi des cigarettes, ajoutai-je, car j'aimais fumer les cigarettes d'Emmanuel, et il n'en avait plus.

— *Um Gottes Willen !* s'exclama l'avocat en riant, *so eine junge dame und raucht schon*[1] *!*

Il se tourna vers le seau de soupe, sans doute pour faire une plaisanterie, mais il avait disparu.

L'efficacité de Me Glaubach se manifesta très vite. Une demi-heure plus tard, il revint suivit d'un Kellner[2] qui portait un plat de tranches de viande et une corbeille de pain. Lui-même portait des bouteilles de bière et un paquet de cigarettes.

1. Grands dieux ! Une si jeune dame et qui fume !
2. Garçon de café.

Nous mangeâmes et bûmes avidement sous les regards compatissants et amusés de l'avocat.

— Je m'excuse de ce repas un peu sommaire, dit-il, mais à cette heure je n'ai pas trouvé mieux. Mais je vous laisse, ajouta-t-il ressaisi de son zèle professionnel, je voudrais vous sortir d'ici avant la nuit.

— Encore une chose, dit Emmanuel, voulez-vous envoyer un télégramme à Me Tomachevski à Khotine pour le mettre au courant de nos ennuis.

— Tomachevski ? s'exclama Glaubach, *meinen Sie den Herrn Doktor von Tomachevski ?*[1]

Visiblement il le connaissait. Quand il sut que cet important personnage était le fondé de pouvoir de notre grand-mère, et veillait sur nos destinées, il redoubla de prévenance.

— Envoyez aussi un télégramme à la baronne Dorff, dis-je, elle nous a déjà aidés à notre arrivée à Khotine et pourrait peut-être...

— Laissons tante Anne en dehors de nos affaires, m'arrêta Emmanuel, nous avons bien vu à quoi ont servi ses démarches.

Mais Glaubach notait déjà le nom de la baronne dans son calepin et répétait d'un ton satisfait :

— *Sehr gut, sehr gut,* ça fera une très bonne impression.

Vers cinq heures on nous fit descendre au bureau du rez-de-chaussée où deux militaires d'air farouche nous firent passer un sévère interrogatoire. Certaines de leurs questions nous déroutèrent. Pourquoi, par exemple, si notre grand-mère était bessarabienne, ne se trouvait-elle pas en Bessarabie ? Et pourquoi nos parents étaient-ils restés en Ukraine alors que nous demandions asile en Roumanie ? Ces circonstances paraissaient suspectes.

Quand tout le monde y eut passé, on nous fit sortir dans la cour et au lieu de nous ramener dans notre cellule, on nous

---

1. Vous voulez dire monsieur le docteur von Tomachevski ?

rangea en colonne. Un employé chargé des dossiers se plaça en tête et deux soldats armés sur les côtés. Escortés de la sorte, nous nous mîmes en marche à travers la ville.

Les passants nous suivaient des yeux. Que nous soyons des criminels que l'on conduit en prison semblait évident, mais la présence du petit Vassia étonnait.

La promenade dura longtemps. Elle nous éloignait de plus en plus du centre. Les maisons devenaient plus espacées et les rues plus désertes. Nous aboutîmes à une grande place devant un bâtiment peint en jaune. Une inscription sur la façade nous renseigna sur la nature de l'établissement : « Tribunal Pénal ». L'ancienne enseigne autrichienne perçait à travers le badigeon sommaire qui la recouvrait : « Gefängnis [1] ».

On nous fit entrer dans un grand vestibule dont un côté était occupé par une rangée de guichets. Toutes les fenêtres étaient solidement grillagées.

L'employé chargé de nos personnes remit à un fonctionnaire les dossiers, tandis que les soldats se postaient devant la porte.

Nous étions encore éberlués par le tour que prenait l'affaire, quand un homme en uniforme pénitentiaire surgit d'une porte intérieure et fonça sur nous en criant :

— Les hommes à droite, les femmes à gauche !

Sa voix grossière et son air féroce effrayèrent tellement le petit Vassia, qu'il se jeta dans les bras de sa mère en poussant des cris perçants. L'homme l'empoigna par les épaules et le poussa brutalement vers les hommes.

— Laissez-le ! hurla Mme Doubrov en courant vers son fils, vous ne voyez pas que c'est un enfant !

Sans faire attention à ses cris, le grossier personnage la poussa vers une porte, me fit signe de suivre et claqua le battant.

Nous étions dans un couloir noir plongé dans un silence de tombe. Seuls résonnaient les pas lourds du geôlier et les sanglots de Mme Doubrov.

---

1. Prison.

Nous arrivâmes dans une pièce sans fenêtres, faiblement éclairée par une ampoule électrique. Une femme en blouse grise, un trousseau de clés suspendu à la ceinture, nous attendait.

— Prenez en charge ! cria le geôlier et il disparut dans le couloir.

La geôlière était une petite femme au visage fermé et aux gestes brusques et péremptoires. Je tentai de lui parler pour lui expliquer notre cas, mais elle me coupa la parole grossièrement :

— *Schweigen !* Silence !

Et comme un rapace qui se jette sur sa proie, elle se mit à nous arracher nos vêtements et à nous fouiller. Elle nous enleva nos sacs à main et nos montres, même l'alliance de Mme Doubrov et le petit peigne que j'avais gardé dans la poche de mon manteau. Avec chaque objet confisqué ses gestes devenaient plus brusques en atteignant une brutalité tout à fait scandaleuse.

En apercevant la chaînette de ma croix, elle la tira si violemment qu'elle se rompit en me blessant le cou. Elle nous passa les mains dans les cheveux et en retira toutes les épingles et tous les peignes. Nos cheveux tombèrent sur nos épaules ce qui, ajouté à nos vêtements défaits, achevait de nous donner un aspect grotesque.

L'opération étant terminée, la geôlière ordonna :

— *Vorwärts !* En avant !

Nous passâmes dans un autre couloir et longeâmes des portes munies de guichets grillagés. La geôlière s'arrêta devant une de ces portes et l'ouvrit. Un frémissement remplit la cellule, comme le battement d'ailes de pigeons effarouchés. Une dizaine de femmes se lancèrent vers le mur et s'immobilisèrent comme au garde-à-vous. Une odeur épouvantable nous sauta au nez et nous fit reculer.

La geôlière dut juger la cellule déjà trop pleine, car elle referma la porte et poussa le verrou.

Elle nous fit entrer dans une cellule occupée par trois femmes dont deux avaient l'air d'être des Tziganes. Elles étaient toutes affublées d'uniformes pénitentiaires, genre de chemises sans forme à rayures marron.

— *Heraus!* Dehors! hurla la geôlière en s'adressant aux Tziganes qui durent passer dans une cellule voisine.

Nous fûmes poussées dans le cachot libéré et la porte retomba lourdement dans ses gonds. La clé grinça dans la serrure, nous étions bouclées.

La longue pièce étroite se terminait par une fenêtre garnie de gros barreaux. Deux banquettes le long des murs recouvertes de nattes avec en tête une couverture roulée et un pelochon en paille. Une cuvette sur un trépied en fer et une petite table sous la fenêtre. Et, horreur! une tinette dans un coin!

— Mon Dieu! s'écria Mme Doubrov, on dirait un cauchemar!

La prisonnière qui était restée dans la cellule s'approcha de nous pour faire connaissance. C'était une jeune femme de petite taille que la blouse rayée recouvrait tout entière. Son visage au teint brouillé et gras, ses cheveux sales et mal peignés, toute sa personne enfin répandait une odeur de sueur et de pétrole. Elle tenait dans les mains un gros tricot gris et une pelote de laine.

— C'est pour combien? demanda-t-elle en guise d'entrée en matière.

J'appris plus tard que c'était la question d'usage des prisons, un genre de « *How do you do?* ».

Je me hâtai d'expliquer que nous n'étions là que par erreur et certainement pour très peu de temps.

Elle haussa les épaules.

— Tout le monde dit ça.

Proclamer son innocence faisait également partie d'un rituel établi.

J'abandonnai la partie et allai vers la fenêtre, mais celle-ci était placée si haut que je ne pus apercevoir qu'un pan de ciel.

Mme Doubrov se laissa tomber sur la banquette et couvrit le visage de ses mains. Ses cheveux défaits pendant en désordre lui donnaient un air de détresse un peu comique. Pour préserver un semblant de dignité, j'attachai les miens avec un lacet de chaussure.

Pendant quelque temps personne ne parla. La jeune prisonnière tricotait en nous jetant de temps à autre un regard curieux.

— Ne pourrait-on pas ouvrir la fenêtre ? demanda Mme Doubrov. On étouffe.

— *Es ist verboten !* dit la jeune femme, c'est défendu. Vous comprenez l'ukrainien ? Nous pourrions parler en ukrainien si vous ne comprenez pas l'allemand.

— Oui, oui, dit Mme Doubrov. Que tricotez-vous là ?

— C'est pour l'armée. La prison distribue du travail aux prisonnières qui veulent gagner quelques sous. Et ça fait passer le temps. Vous pourrez en obtenir, vous aussi.

— Nous en arriverons peut-être là, soupira Mme Doubrov, tandis que je me taisais, oppressée par la même appréhension.

— Une fois en prison, vous n'êtes plus un être humain, reprit la prisonnière qui avait envie de parler. J'ai tout perdu en entrant ici. Et si j'étais encore une véritable criminelle ! Je n'ai rien fait de si grave. Mais allez le prouver ! Le malheur vous frappe tout d'un coup, la porte claque derrière votre dos et tout est dit.

— Vous aussi, c'est pour la frontière ? demanda Mme Doubrov.

— La frontière ? Quelle frontière ?

— Mais enfin, le passage illégal.

— Non, non, moi c'est pour le commerce illégal. La contrebande.

Elle tourna la tête vers moi et murmura avec un sourire douloureux :

— *Kukurudz geschmuggelt...*

— Contrebande de maïs ? Quelle idée, une jeune fille comme vous !

— Je n'étais pas seule, vous savez, mais les autres ont réussi à s'échapper.

— Vous avez de la famille ?

— Ma mère a tant pleuré qu'elle est devenue à moitié aveugle. Et mes frères m'ont reniée. Ils disent que je n'ai qu'à m'en prendre à moi-même, qu'ils m'avaient prévenue que c'était dangereux. Mon fiancé a rompu nos fiançailles et ne veut plus entendre parler de moi. Il n'y a que ma pauvre mère Frau Ampel qui me plaint et vient me voir certains dimanches.

— Vous en avez pour longtemps ?

Je posai tout naturellement la question traditionnelle.

— J'en ai eu pour six mois. Trois sont déjà passés, mais c'est comme si ça avait été trois ans.

Elle essuya une larme.

— Ne pleurez pas, dit Mme Doubrov, vous êtes jeune, vous allez refaire votre vie. Et puis, après tout, vous avez tout de même commis une faute. Vous n'êtes pas persécutée injustement comme nous.

Fräulein Ampel nous jeta un regard soupçonneux. Elle voulait que l'on crût à son innocence, mais ne croyait pas elle-même à celle des autres. Ça aussi, comme je le sus par la suite, était un sentiment commun à tous les détenus.

— On vous a descendues dans les caves ? demanda Fräulein Ampel.

— Dans les caves ? demanda Mme Doubrov étonnée. Pour quoi faire ?

— Mais pour les interrogatoires. C'est là qu'on interroge les espions.

— Nous ne sommes pas des espions ! s'écria Mme Doubrov outrée. Je vous ai dit que nous étions des réfugiés, vous n'avez donc pas compris ?

— D'accord, d'accord, mais c'est parmi eux que se cachent les espions. C'est pour ça qu'on est si sévère avec les réfugiés. On les soupçonne toujours.

Mme Doubrov se tourna vers moi le visage défait.

— Elle a peut-être raison... Voilà pourquoi on nous a enfermés. Mon Dieu, mon Dieu, qu'allons-nous devenir ? Comment délivrer au moins l'enfant ?

— Il se passe des choses dans les caves... reprit Fräulein Ampel, la nuit surtout. On entend des cris...

— Taisez-vous ! m'exclamai-je, on dirait que ça vous fait plaisir de nous effrayer.

Le soir tombait et le crépuscule envahissait la cellule. Fräulein Ampel s'arrêta de tricoter et prêta l'oreille.

— On va nous apporter le dîner, j'entends la cantine rouler dans le couloir.

On entendait, en effet, le cliquetis de vaisselle, des piétinements, des ordres lancés par une rude voix d'homme. Une grosse figure moustachue se dessina dans le guichet.

— *Drei für Zelle 5 !* Trois pour la cellule 5 ! ordonna l'homme.

Notre porte s'ouvrit et une détenue entra presque en courant pour poser sur la petite table trois écuelles et trois morceaux de pain. La porte resta ouverte à peine quelques secondes, mais j'eus le temps d'apercevoir la cuisine roulante et l'homme de service qui puisait avec une louche dans une énorme marmite et remplissait les écuelles alignées. La geôlière ouvrait et refermait les portes et les détenues affectées à la corvée transportaient les rations.

Fräulein Ampel se jeta avec avidité sur son écuelle.

— Mangez donc, conseilla-t-elle voyant que nous faisions la grimace. C'est tout ce que vous aurez jusqu'à demain.

Elle ajouta entre deux bouchées de pain :

— Au début je faisais comme vous. Mais que voulez-vous, on ne peut pas se laisser mourir de faim.

La faim, nous la ressentions depuis longtemps. Mme Doubrov examina la gamelle, renifla la bouillie et se mit à manger du bout des lèvres.

— Ce n'est pas trop mauvais, remarqua-t-elle, et c'est chaud. Et, après tout, si les détenus en mangent, ce doit être mangeable. Allez, faites comme moi.

Nous fîmes donc honneur à ce triste repas et nous nous sentîmes mieux.

L'unique éclairage de la cellule provenait d'une petite ampoule fixée au-dessus du guichet que l'on allumait de l'extérieur. Elle restait allumée jusqu'à l'aube. La geôlière de nuit pouvait ainsi surveiller les prisonnières à tout moment et veiller à la discipline.

On ne pouvait pas se soustraire à cette lumière crue, ni échapper à l'indiscrétion de la garde. La tinette, elle aussi, se trouvait dans le champ visuel des surveillantes, ce qui était particulièrement gênant.

— Il faudra se coucher, dit Fräulein Ampel. Je pense que vous aurez vos blouses demain. C'est curieux qu'on vous ait laissé vos vêtements privés.

— Nous coucher ? dit Mme Doubrov, mais comment ? Il n'y a que deux banquettes et nous sommes trois.

On décida que Mme Doubrov, étant la plus corpulente et la plus âgée, aurait une banquette pour elle seule et que la seconde serait partagée entre moi et Fräulein Ampel.

Mais cette banquette était très étroite de sorte que nous ne pouvions nous étendre que sur le côté et à condition de rester sans bouger. Or les lattes de la claire-voie entraient dans les côtes et il était impossible de supporter longtemps une pareille position.

En outre l'odeur de pétrole que dégageaient les cheveux de ma voisine, s'ajoutant à celle de la jeannette, me donnait envie de vomir.

La nuit était fraîche et je commençais à grelotter. Tout cela rendait le sommeil impossible et je ne pensais qu'à réduire mes souffrances.

Voyant que je ne dormais pas, Fräulein Ampel demanda :

— Vous n'êtes pas bien ?

— Non... Et puisque vous ne dormez pas, laissez-moi descendre. Je préfère m'asseoir par terre.

Elle parut consternée.

— C'est peut-être mes cheveux qui sentent trop fort. J'ai mis du pétrole, car j'ai attrapé des poux.

Cette nouvelle ne fit que fortifier ma résolution de quitter le lit commun et je me laissai glisser entre les deux banquettes sur le plancher.

Une autre torture m'y attendait : l'odeur du seau hygiénique qui se trouvait à présent au même niveau que ma tête. Je regrettai les quartiers militaires de la nuit précédente. Là au moins on pouvait respirer. Il y a donc toujours pire. Mais cette constatation ne me rassura pas, au contraire. Quelle serait la suite? Les caves?

La distribution des petits déjeuners à sept heures se déroula selon le même rituel que celui du dîner. Cette fois la porte resta ouverte plus longtemps, car la détenue chargée du service nous apporta un broc d'eau et emporta la tinette pour la vider.

Quand la cellule fut de nouveau bouclée, Mme Doubrov proposa :

— Voulez-vous qu'on essaie de se laver un peu?

Nous nous versâmes réciproquement de l'eau froide sur les mains et nous mouillâmes le bout du nez. Gestes symboliques, sans savon ni serviettes.

J'enlevai mon manteau, mon chemisier et ma jupe pour secouer la poussière que j'avais ramassée sur le plancher. Juste au moment où je me trouvais en combinaison, les cheveux défaits et le visage mouillé, la porte s'ouvrit et un homme de haute taille, vêtu d'un élégant complet civil, apparut sur le seuil.

— Le directeur! souffla Fräulein Ampel en prenant rapidement une pose respectueuse.

— N'entrez pas! criai-je affolée, vous ne voyez pas que nous sommes en train de nous habiller?

— Silence! hurla la garde-chiourme, pour un peu elle m'aurait giflée.

Je reculai jetant des regards désespérés autour de moi pour

trouver un refuge ou un objet quelconque pour m'en couvrir. Mes vêtements étaient sur la banquette et la couverture était déjà roulée. Je saisis la cuvette et la serrai sur ma poitrine comme un bouclier.

Je devais présenter un tableau bien drôle, car le directeur partit d'un éclat de rire. Je ne m'étais jamais sentie humiliée à ce point. Du moment que je n'étais plus qu'une détenue, je n'avais plus droit au respect le plus élémentaire.

Le visage du directeur n'exprimait pourtant que bonhomie. Sans faire le moindre geste pour se retirer ou au moins détourner la tête, il m'adressa la parole sur un ton amical, comme s'il était venu spécialement pour me parler.

— Je suis au courant de votre affaire, mais pour l'instant il faut patienter. Aucune indication à votre sujet ne m'est encore parvenue.

C'est probablement la conscience de ma situation grotesque qui me poussa à riposter. Ne pouvant me protéger autrement, je laissai libre cours à mon indignation.

— Ah, je suis ravie de vous voir, monsieur le directeur! Justement je souhaitais vous parler! Voulez-vous nous expliquer pour quelle raison on nous traite comme des malfaiteurs en nous enfermant dans une prison avec des voleurs et des prostituées? Nous sommes venus en Roumanie chercher un refuge, la justice, un traitement humain et que trouvons-nous? la persécution et la prison! Nous avons cru que dans ce pays on faisait une différence entre les bandits et les victimes innocentes d'une grande tragédie nationale, mais nous nous apercevons que nous étions moins persécutés en Russie rouge. Nous avons franchi la frontière sans visa? Et qui pouvait nous les donner? Et qu'est-ce qui nous restait à faire? On nous tirait dessus, si vous voulez savoir. Qu'auriez-vous fait à notre place? Et encore si nous étions des personnes suspectes, mais je puis vous affirmer que notre famille a largement mérité la malheureuse hospitalité que nous demandons à ce pays!

Plusieurs fois pendant que je criais, la geôlière tenta de

m'arrêter, mais le directeur lui fit signe de me laisser continuer et écouta jusqu'au bout ma tirade passionnée.

— Écoutez-moi, dit-il quand je m'arrêtai pour reprendre haleine, je sais que vous n'êtes pas des criminels, mais vous libérer n'est pas de mon ressort. Patientez. Et laissez-moi vous dire que vous parlez très bien l'allemand.

— Monsieur, dis-je en me calmant, je proteste quand même. J'ai passé la nuit par terre et ce n'est pas la première. Et si vous voulez que je patiente, eh bien... eh bien... qu'on m'apporte des cigarettes !

Le directeur partit d'un éclat de rire.

— Eh bien, si ça peut vous aider, vous les aurez !

Là-dessus il partit en me faisant un signe amical.

— *Mein Gott, mein Gott !* répétait Fräulein Ampel. Jamais je n'ai vu une chose pareille. Comment avez-vous osé ? Et pourquoi avez-vous demandé des cigarettes ?

— Je ne sais pas...

— Quel dommage que je n'ai rien compris de ce que vous lui disiez, soupira Mme Doubrov. Vous avez protesté ? Vous avez bien fait. Mais je suppose qu'il n'est pas au courant de notre cas.

— Si, si, il doit tout savoir, autrement il ne m'aurait pas écoutée. Mais dans quel état j'étais !

Une sonnerie stridente couvrit nos voix et Fräulein Ampel sursauta.

— La promenade ! Vite, préparez-vous ! La surveillante ne va pas tarder.

Au même instant une robuste mémère armée d'un gourdin surgit dans l'encadrement de la porte.

— *Spazieren* [1], lança-t-elle et nous compta rapidement .

— *Zwei Neue,* deux nouvelles

J'enfilai mes vêtements en hâte et courus à la suite de Mme

1. Promenade !

Doubrov et de Fräulein Ampel dans le corridor où une foule de prisonnières se rangeaient par deux, les bras croisés derrière le dos. Fräulein Ampel pour nous éviter des brimades nous donnait des instructions à voix basse :

— Gardez vos bras derrière le dos... ne sortez pas des rangs... ne parlez pas, c'est interdit.

— Mon Dieu, mon Dieu ! murmurait Mme Doubrov, c'est un vrai cauchemar !

Fräulein Ampel se faufila dans les premiers rangs pour rejoindre une camarade qu'elle ne pouvait voir qu'à l'heure de la promenade. Mme Doubrov s'aligna auprès d'une Tzigane et je me trouvai cheminant à côté d'une jolie jeune fille aux traits enfantins et cependant durs et fermés.

Elle me jeta un regard hostile et intrigué. Notre présence suscitait la curiosité générale et provoquait des chuchotements à peine perceptibles, qui parvinrent pourtant aux oreilles de la garde-chiourme.

— *Schweigen*[1] *!* hurla-t-elle en levant son gourdin.

Les cellules vidées, la colonne s'ébranla. Nous nous engageâmes dans un dédale de couloirs obscurs, montâmes et descendîmes des escaliers et sortîmes enfin dans une grande cour carrée entourée de hauts murs jaunes. Cette cour, au cœur même du pénitencier, ressemblait à une grande cage. Tout autour s'étageaient des fenêtres grillagées.

Deux tours flanquaient le corps principal du bâtiment, donnant à l'ensemble un air de forteresse. À la laideur sinistre des lieux elles ajoutaient quelque chose de menaçant.

Deux solides gaillards se tenaient au centre de la cour surveillant notre lente progression le long des murs. Je remarquai qu'ils tenaient des gourdins semblables à celui de notre geôlière et portaient en outre des revolvers accrochés à leurs ceintures.

1. Silence !

Je regardai ma voisine et me demandai ce qu'elle avait pu faire pour échouer là à son âge. Faisant infraction au règlement, je lui posai à voix basse la question d'usage ·

— Vous en avez pour longtemps ?

— Pour toujours, fit-elle d'un ton bourru.

— C'est pas possible ! À votre âge ?

L'horreur me fit lever la voix.

Elle haussa les épaules.

— C'est comme ça.

— Mais comment... ? pourquoi... ?

Je ne trouvai pas les mots pour lui demander quel avait été son crime pour provoquer une pareille condamnation. Elle répondit elle-même d'un ton indifférent :

— J'ai tué ma mère.

Et comme je restai sans paroles, elle reprit :

— C'est parce que je suis si jeune qu'on m'a laissée ici. Autrement j'aurais été là.

Elle leva le menton dans la direction des tours dont nous approchions justement, et je les regardai avec plus d'attention. À chaque niveau il y avait deux cachots séparés et entre les barreaux on distinguait des têtes. Hideux visages parcheminés se balançant lentement de droite à gauche comme des balanciers. Des spectres à moitié vivants enfermés dans des cages. Une vision d'épouvante et d'horreur qui ne s'effaça jamais de ma mémoire.

C'était le quartier des assassins en détention solitaire pour la vie. On ne les sortait jamais de leurs cachots et la nourriture leur était passée par les guichets. Personne n'avait le droit de leur rendre visite ni de rien leur apporter. Des enterrés vivants et déjà des cadavres. Il leur restait encore les yeux accrochés au morne défilé dans la cour qu'ils suivaient avec une hallucinante fixité. Comme si ce mouvement exprimant la vie soutenait le dernier souffle de la leur.

Oubliant tous les règlements du monde et bouleversée jusqu'au fond de l'âme, je poussai un cri.

— *Schweigen!* hurla la surveillante en me menaçant de son gourdin. Encore un mot et je vous obligerai à vous taire! À coups de bâton, si vous ne comprenez pas les paroles!

Je me tus, étouffant mon émotion sous le regard narquois de la jeune meurtrière et ceux, terrifiés, des autres détenues.

Attirée malgré moi par l'horreur, je portai les yeux sur les cachots des sous-sols que nous longions. Des hommes entassés dans les sombres cellules étaient couchés, debout, accrochés aux barreaux. Des faces livides et creuses sous les crânes rasés, des yeux fiévreux et déments. Ils nous lançaient des injures et des obscénités.

Quand, après une heure de cette promenade dantesque, nous fûmes de nouveau enfermées dans la Zelle 5, nous la trouvâmes presque *cosy,* tout est relatif. Ici au moins le spectacle des entrailles de la prison nous était épargné et l'agonie des condamnés n'était plus sous nos yeux.

On a en général une très vague idée de ce monde des ténèbres. Par un enchaînement de circonstances particulier, j'eus la rare occasion (j'allais dire chance!) de pénétrer dans ce monde retranché réservé au rebut de l'humanité. Que notre libération fût toujours en question et la durée de notre emprisonnement inconnue donnait à l'expérience tout son goût de réalité.

Une surprise m'attendait à l'heure de la distribution des déjeuners : la détenue de service me remit un paquet de cigarettes de la part du directeur! Fräulein Ampel en eut le souffle coupé, au point d'oublier son bol de soupe qu'elle tenait dans les mains.

— *So was!* Ça n'arrive qu'une fois en cent ans... murmurait-elle comme fascinée.

Cette exception faite en mon honneur dut la convaincre, plus que tous nos discours, car à partir de ce moment elle cessa de répéter à toute occasion :

— Vous allez vous y habituer...

Brisée par deux nuits sans sommeil et par les émotions des

derniers jours, je me sentis tout à coup épuisée Je me recroquevillai sur la banquette et sombrai dans une morne torpeur. Les heures passaient lentement et l'air renouvelé pendant la promenade reprenait peu à peu son épaisseur viciée. Les cigarettes que j'avais exigées par bravade traînaient sur la table et je n'en avais aucune envie. Fräulein Ampel reprit son tricot et Mme Doubrov restait immobile, la tête penchée sur ses mains en poussant de temps en temps un gros soupir.

Quand les carreaux quadrillés commencèrent à pâlir, le problème de la nuit se reposa. Mme Doubrov proposa d'organiser des quartiers de veille et de dormir à tour de rôle. Mais nous n'avions plus de montres et ce système était difficile à mettre au point. On pensa à rapprocher les banquettes pour former un seul lit plus large pouvant nous servir à toutes les trois. Fräulein Ampel frémit devant l'audace d'une pareille entreprise, mais son angoisse ne dura qu'un instant : nous constatâmes que les bancs étaient vissés au sol. Mme Doubrov et moi décidâmes de rester assises côte à côte en nous appuyant contre le mur.

Nos spéculations furent interrompues par l'apparition d'un employé dans le guichet.

— Doubrov Catherine ! cria-t-il, laquelle est Doubrov Catherine ? Sortez dans le couloir avec toutes vos affaires !

La geôlière ouvrit la porte et Mme Doubrov ahurie, sans même nous jeter un regard dans sa hâte, se précipita vers la sortie. N'ayant d'affaires que celles qu'elle portait sur elle, elle n'eut pas à les rassembler.

La porte se referma et les pas dans le couloir s'éloignèrent. Que signifiait cet appel inattendu ? Où l'avait-on emmenée ? Pourquoi m'avait-on laissée derrière ? Une vive inquiétude s'empara de moi, secouant ma torpeur. Était-ce à cause du petit Vassia ? Par charité pour l'enfant ?

Au moment de la distribution de l'affreux dîner, j'essayai de questionner la garde-chiourme, mais elle répondit d'un ton laconique qu'elle n'était informée de rien, ce qui était sans doute vrai.

Cette nuit j'eus donc la disposition d'une couchette entière, mais en dépit de ce confort, le sommeil me fuit. La mince natte crasseuse me protégeait à peine des lattes de la banquette et le répugnant coussin me blessait la nuque et sentait l'égout. Le froid enfin me glaçait les membres et me saisissait à la gorge.

Les condamnés agonisant dans les tours revenaient sans cesse devant mes yeux et je me disais qu'aucun crime ne méritait une telle torture. Les âmes charitables qui réclament l'abolition de la peine de mort et son remplacement par la réclusion perpétuelle ne savent pas ce qu'elles demandent au nom de la charité.

La lumière grise me trouva en bien piteux état. Je fis ma toilette ou plus exactement quelques gestes symboliques par acquit de conscience, rapidement et en gardant les yeux sur le guichet, prête à sauter vers mes vêtements en cas d'alerte. Je lissai mes cheveux avec mes mains et les arrangeai tant bien que mal en suivant les indications de Fräulein Ampel. Mon manteau noir, que depuis notre départ de Khotine je n'avais quitté ni de jour ni de nuit, portait des traces éloquentes de toutes ces péripéties. Seule sa bonne coupe l'empêchait de ressembler à un chiffon.

Tandis que j'arpentai la cellule en faisant et refaisant le trajet entre la porte et la fenêtre, l'idée me vint qu'en montant sur la table je pourrais regarder à travers les barreaux et peut-être apercevoir la cour, si notre aile donnait de ce côté-là.

Au mépris des cris paniqués que poussait Fräulein Ampel, je grimpai sur la table au risque de la démolir et de dégringoler moi-même et, saisissant la poignée de la fenêtre, réussis à l'entrouvrir.

C'était bien notre cour, cette fois-ci remplie d'hommes. Vêtus de leurs affreux uniformes, les prisonniers s'affairaient sous la surveillance de plusieurs gardes armés. Les uns secouaient des couvertures, les autres battaient des matelas ou rangeaient la literie sur des charriots à mains. J'eus la folle idée qu'Emmanuel pourrait se trouver parmi eux et je fouillai des yeux cette foule misérable. Mais non, je ne découvris ni Emmanuel ni aucun de nos compagnons, à moins qu'on les eût affublés du costume pénitentiaire qui les rendait tous semblables.

Je redescendis au grand soulagement de Fräulein Ampel qui, crispée et blême de peur, avait essayé de cacher le guichet avec sa tête.

Pour m'empêcher de penser à d'autres extravagances, elle se mit à me raconter des cas dramatiques qu'elle avait vus en prison. Celui par exemple d'Anca Petrescou qui au début se trouvait dans la même cellule.

— Imaginez-vous sa malchance ! Elle était en détention préventive, accusée de vol de bijoux. Elle avait pris l'express de nuit Bucarest-Czernowitz et se trouva dans le même compartiment que la femme d'un haut fonctionnaire. Celle-ci surprit Anca au milieu de la nuit en train de fouiller dans son sac à main. Anca toute confuse jura qu'elle s'était trompée de sac, le sien ressemblant à celui de sa compagne de voyage. Tout cela aurait pu se terminer par une simple altercation si la femme du fonctionnaire n'avait pas constaté la disparition de ses bijoux. Les soupçons semblaient bien fondés et la malheureuse fut arrêtée. Je ne saurais vous décrire son désespoir. Elle pleurait jour et nuit, refusait de se nourrir et dépérissait à vue d'œil. Son mari, outré par l'incident, refusa de verser la caution exigée pour sa libération et l'abandonna à son sort.

» Et voilà qu'un beau jour, on annonce à Anca qu'elle est libre et que l'affaire est classée. La plaignante avait retrouvé ses bijoux ! C'est à une femme ébranlée aux cheveux blancs qu'on ouvrit les portes de la prison.

Cette histoire augmenta mon angoisse. Allai-je, moi aussi, sortir de prison les cheveux blancs ? Je commençais à croire que nous étions perdus. Le médium a dû se tromper en me prédisant la route, c'était au contraire la réclusion. Mais je n'allais pas la supporter, j'allais me pendre. Le cas des Doubrov avait été jugé moins grave, puisqu'on les avait libérés

Je demandai à Fräulein Ampel si mes cheveux commençaient déjà à blanchir mais elle ne constata pour le moment aucun changement.

Pendant la promenade je ne desserrai pas les lèvres et baissai les yeux devant les cachots.

Et ce Glaubach, pourquoi n'intervenait-il pas? Était-il un escroc profitant de notre malheur pour nous soutirer de l'argent?

Je restai pendant des heures figée sur la banquette ne souhaitant qu'une chose : que Maman ne sût jamais comment j'avais péri.

C'est le quatrième jour qu'on vint m'appeler. Je bondis en retrouvant toute ma vitalité.

— *Also doch*... dit Fräulein Ampel.

— C'est sûrement pour un interrogatoire, murmurai-je n'osant pas espérer. Je reviendrai...

Je ne revins pas et ne revis jamais Fräulein Ampel.

Je traversai pour la dernière fois le labyrinthe maudit des cages humaines et quittai ce monde obscur pour toujours.

En entrant dans le vestibule je vis Emmanuel, M. Stievel, les Doubrov, Ivan Pigouliac et Glaubach avec sa grosse serviette sous le bras.

— *Schnell heraus von hier!* Vite, sortons de là! cria-t-il gaiement. Mais attendez un moment, je vais en terminer avec les formalités.

Je regardai Emmanuel : il était toujours le même et semblait avoir bien supporté ces quatre jours d'incarcération.

— Où étais-tu? demandai-je, comment as-tu été traité?

— Oh, comme les autres et j'ai eu l'occasion de faire connaissance avec des cambrioleurs qualifiés. Nous avons eu des conversations très intéressantes.

Les Doubrov racontèrent leur expérience qui avait été très différente de ce que j'avais imaginé. On les avait enfermés dans un cachot dans un sous-sol noir et humide où ils passèrent des heures épouvantables. On entendait des cris et des gémissements auxquels Vassia avait ajouté les siens.

— Venez, dit Glaubach, c'est fait, vous êtes libres. Je vous ai réservé des chambres à l'hôtel Zum Schwarzen Adler.

Nous prîmes congé des Doubrov qui étaient pressés de rentrer à Kichinev. M. Stievel était attendu par ses parents et Ivan Pigouliac prit le chemin de la gare.

Ainsi se dispersa ce petit groupe réuni par le hasard et le délit de violation de la frontière roumaine.

— *Also wie war es im Gefängnis?* Eh bien, comment c'était en prison? demanda Glaubach d'un ton taquin.

Nous étions au restaurant de l'hôtel installés à une table étincelante de blancheur et d'argenterie. L'orchestre jouait des air viennois, les Kellner circulaient à pas feutrés, le brouhaha des voix se mêlait à la musique.

Ce décor, suivant de quelques heures celui de la Zelle 5, me donnait le vertige. Le drame s'était transformé en féerie Me Glaubach ne pouvait pas se douter de l'émotion que j'éprouvais.

— Pourquoi, Herr Doktor, n'êtes-vous pas venu nous rassurer? J'ai failli me pendre.

— Aïe! fit-il, *es wäre ja Schade!* Ça aurait été dommage. À vrai dire j'avais peur de votre réaction. J'avais pris un risque et n'étais pas très sûr de réussir.

— Si ça avait duré...

Je portai la main à mon cou. Une trace rouge se dessinait nettement sur ma gorge.

— Non, non, repris-je, ce n'était pas encore la corde, mais la chaîne de ma croix que la geôlière avait cassée en me l'arrachant.

— Je suis désolé, dit Me Glaubach consterné.

Il nous expliqua sa stratégie qui, selon lui, était la seule capable de nous délivrer de l'emprise militaire. Il fallait à tout prix transférer l'affaire à la jurisprudence civile. Ainsi le délit perdait lui-même sa gravité. Sur le terrain du droit commun il pouvait manœuvrer plus facilement que dans la jungle des décrets militaires. Avec sa compétence et ses relations, il parvint très vite à nous faire libérer.

Mais notre liberté n'était pas inconditionnelle, car nous étions tenus à nous présenter toutes les semaines à la Sigourantsa qui nous gardait sous son contrôle. C'est deux ans plus tard que nous obtînmes la nationalité roumaine.

Notre voyage de retour n'eut rien de la rigueur de celui de l'aller, à vrai dire il ne fut guère plus confortable, car nous prîmes la fameuse ballagoulla.

Khotine n'a pas de chemin de fer, et, à l'époque où les autocars n'existaient pas, en tout cas sur les routes bessarabiennes, la liaison entre les villes n'était assurée que par ces vieux phaétons attelés, selon l'état de la route, de deux ou quatre chevaux. Par toutes les saisons, dans la boue, la neige ou la poussière, ces vieux véhicules délabrés chargés à outrance cahotaient pendant des heures au son monotone de leurs grelots.

J'espère de tout mon cœur qu'à l'heure présente ce genre de transport a disparu et avec lui l'inimaginable calvaire des chevaux. J'espère qu'on ne voit plus sur les chaussées de bêtes exténuées luttant de leurs dernières forces sous les coups.

Les places dans une ballagoulla étaient de valeur inégale, comme au théâtre. Les deux places principales sur le siège capitonné représentaient la première classe. En principe, on occupait le siège à deux, mais le cocher essayait toujours d'y coincer un troisième passager ce qui provoquait invariablement des scandales. L'étroite banquette en face était la deuxième classe. On y mettait autant de voyageurs que possible. S'ils étaient maigres, on en profitait aussitôt. Ceux qui n'arrivaient pas à se caser sur les sièges s'asseyaient sur les pieds des occupants plus chanceux.

Il y avait aussi des places tout à fait modestes sur les marchepieds et le porte-bagages à l'arrière. Le siège du cocher était également débité par tranches de valeur inégale. Le cocher évidemment occupait ce qu'il fallait d'espace pour placer son derrière, mais pas un pouce de plus. À côté de lui trônait un passager, plus souvent deux.

Enfin deux passagers de dernière catégorie chevauchaient le pare-boue en dominant les croupes des chevaux de quelques centimètres. Que ces voyageurs parvinssent à se maintenir en équilibre en dépit des cahots était incompréhensible, même pour de petits parcours.

L'installation des passagers dans la ballagoulla s'accompagnait d'un incroyable caquetage et d'une extrême agitation. Non seulement les places n'étaient pas très nettement délimitées, mais les bagages qu'on voulait emporter dépassaient de loin l'espace disponible. Les pourboires qu'on promettait au cocher ne pouvaient pas faire de miracles et il fallait appliquer le système de rembourrage. Pendant ce temps, les chevaux restaient immobiles à jamais matés par une incurable fatigue.

En louant notre ballagoulla, nous spécifiâmes que c'était pour nous seuls, sans autres passagers. Cet arrangement, en y mettant le prix, était possible. Nous voulions nous offrir ce luxe pour fêter notre libération.

Nous fûmes donc furieux quand, à l'heure du départ, le cocher nous amena cinq autres passagers ! Nous eûmes le siège principal, mais le luxe de notre voyage n'alla pas plus loin.

Serrés de tous côtés, les pieds écrasés, le nez plein de poussière et impitoyablement secoués, nous nous sentions malgré tout heureux comme des rois.

La vie en Occident libre commença pour moi dans la riante capitale de la Bukovine. Czernowitz avec son université, son opéra, son Musikverein, son évêché, sa société, sa population mélangée, sa prospérité et sa joie de vivre fut le cadre de mes années d'étudiante.

Mais si j'ai pu garder ma liberté, Czernowitz perdit la sienne. Ce dernier bastion européen au bord même de l'océan russe fut submergé un quart de siècle plus tard par la marée rouge. Le Taureau en bronze roumain qui, sur la Ringplatz, avait piétiné pendant vingt-deux ans l'Aigle autrichien aux ailes brisées s'écroula à son tour sous la faucille et le marteau, détruisant tous les liens qui rattachaient la Bukovine à l'Occident.

Mais je ne vis pas sa chute. Poussée par l'instinct réveillé en moi, comme chez tant d'autres, je repris la route à temps.

Tels les nomades des temps passés, les nouveaux nomades de notre siècle ont repris leur migration vers l'Ouest. Fuyant la mort et l'esclavage, ils cherchent la liberté comme autrefois leurs ancêtres. La liberté est devenue l'emblème du bonheur, plus précieuse que tous les biens terrestres, plus chère qu'une patrie.

Épilogue

Quatre ans après Emmanuel et moi, nos sœurs, puis mes parents, traversaient à leur tour le Dniestr.

Nos parents obtinrent facilement la nationalité roumaine et s'établirent à Khotine. Nos sœurs jumelles entrèrent à l'Académie des beaux-arts de Bucarest et Ella au lycée de Khotine. Emmanuel trouva une situation à Bucarest et se fixa dans cette ville.

Quant à moi, poussée par la curiosité et la soif du monde, j'abandonnai tout et tous et, avec l'accord de mes parents, me lançai dans le vaste monde. Je passai un an à Berlin avec de vagues projets cinématographiques, un été à Bruxelles, avec d'autres projets tout aussi éphémères et terminai mon vagabondage à Antibes sur la Côte d'Azur. J'épousai le cousin germain de mon père, le prince Vladimir Gagarine, qui était devenu horticulteur et cultivait des œillets et des anémones.

La Deuxième Guerre mondiale ébranla les pays de l'Europe de l'Est. L'Armée rouge envahit la Bessarabie et peu de temps après commencèrent les déportations de la population. Il est difficile de savoir combien d'habitants des pays envahis ont été expédiés en Sibérie par les Russes. On a parlé d'un million de Polonais et de cinq cent mille Roumains. Mes parents, mes sœurs et leurs tout petits enfants se trouvèrent parmi ces malheureux. J'appris le drame vingt ans plus tard, quand mes parents n'étaient plus de ce monde. Leurs tombes sont là-bas, dans un village sibérien, inconnu.

Après la mort de Staline, les déportés qui avaient survécu commencèrent à revenir dans leurs pays d'origine. Mes sœurs revinrent, elles aussi, et se fixèrent dans un village près d'Odessa où elles furent engagées comme professeurs de dessin. Elles eurent une vie active et utile, fondèrent un club d'enfants, un théâtre et un cours gratuit de peinture. Elles apportèrent un rayon de joie et de lumière dans la vie morne des habitants.

Aucun de nous n'a jamais souhaité revoir Vassilki. Nous avons tous voulu garder l'image du passé intacte dans nos souvenirs.

Achevé d'imprimer en janvier 1990
sur presse CAMERON,
dans les ateliers de la S.E.P.C.
à Saint-Amand-Montrond (Cher)
pour le compte des éditions Robert Laffont
6, place Saint-Sulpice — 75279 Paris Cedex 06

Dépôt légal : octobre 1989.
N° d'Édition : 32455. N° d'Impression : 156.